海外漢文古醫籍精選叢書·第二輯

2011—2020年國家古籍整理出版規劃項目

中國中醫科學院「十三五」第一批重點領域科研項目

——我國與「一帶一路」九國醫藥交流史研究（ZZ10-011-1）

蕭永芝◎主編

新鐫海上懶翁醫宗心領全帙 肆

（越）黎有卓 撰

北京科学技术出版社

圖書在版編目（CIP）數據

海外漢文古醫籍精選叢書·第二輯·新鐫海上懶翁醫宗心領全帙　肆/蕭永芝主編．—北京：北京科學技術出版社，2018.1

ISBN 978－7－5304－9224－6

Ⅰ．①海…　Ⅱ．①蕭…　Ⅲ．①中醫典籍—越南　Ⅳ．①R2-5

中國版本圖書館 CIP 數據核字（2017）第208360號

海外漢文古醫籍精選叢書·第二輯·新鐫海上懶翁醫宗心領全帙　肆

主　　編： 蕭永芝
責任編輯： 張　潔　周　珊
責任印製： 李　茗
出 版 人： 曾慶宇
出版發行： 北京科學技術出版社
社　　址： 北京西直門南大街16號
郵政編碼： 100035
電話傳真： 0086-10-66135495（總編室）
0086-10-66113227（發行部）　0086-10-66161952（發行部傳真）
電子信箱： bjkj@bjkjpress.com
網　　址： www.bkydw.cn
經　　銷： 新華書店
印　　刷： 虎彩印藝股份有限公司
開　　本： 787mm × 1092mm　1/16
字　　數： 473千字
印　　張： 40.5
版　　次： 2018年1月第1版
印　　次： 2018年1月第1次印刷
ISBN 978－7－5304－9224－6/R·2385

定　　價： **980.00元**

海外漢文古醫籍精選叢書·第二輯

新鐫海上懶翁醫宗心領全帙　肆

（越）黎有卓　撰

R. 1133

藥品南名氣味正治歌括 附製造

原草部 凡六十二種

貫聚羅矩核萎朗微寒小毒能通陽治諸血失殺諸虫

清熱去邪癥積症 使時刀刮去皮晒乾用 一名貫仲 又名管仲

黃精通號矩黃精氣味甘良性緩平益氣補中填液髓

仙家久服壽延斈 使時去皮九蒸九晒用

柴胡號曰柧核票氣味苦寒無毒聲去熱清肝解骨蒸

四時潮熱熏箛底 又安呼于山 生于鹹水港岸

前胡號曰秫核指天蕀微寒又苦無痞悶傷寒并痰熱
風寒痰嗽脹安痊　一名帖地飛俗號核秠荏
竜膽草號鞋青吟氣味寒涼苦澀深安臟殺虫除毒蠱
肝邪目痛可椗尋　使時竹刀去鬚上頭子漲乾用
山三奈號雍地連氣味辛温性苦宣痺癉暖中除冷氣
風牙霍亂立時痊
高良姜號核穲蘘氣味辛良無毒甚風痺氣塊酒癇毒
胃寒氣積須宜歛

益智子名羅巢栗辛温無毒調脾胃安心養肾利三焦
補髓調精并益氣　俟時去壳用
蓽茇俗號羅蘿律氣味大温辛到骨腰疼霍乱冷痢除
瘴氣腹陰須勿怨
姜黄俗號又姜黄辛苦寒平性悍殭破塊消通瘥癥血
心疼下氣立安康
鬱金俗號羅䊶又辛苦寒平純厚味開結通經療腹疼
生機行血兼流氣　俟時切片醋拌焙用

香附俗名羅𦍧𦍧小寒無毒味甘厚寬中開欝利三焦
婦女藥中爲至寶　使時炒酒以栗殼拌入精去黑毛
成末或酒醋塩童便浸炒隨症療用　一名莎草根
茉莉花名號花茉熱辛無毒性香佳清臟潤燥能長髮
效孕調茉爽入悵
茅香俗號羅稜波花葉苦温全可用腹冷淹疼胃吐惡
辟邪去穢宜參助
白茅香號杌排良氣味甘温香快爽專去汚氣腹内寒

小兒瘡痧煎湯

藿香通號稜藿香辛苦微寒性甚良又正除邪開胃氣
嘔翻藿乱是神方　使時莖葉皆可晒乾用

蘭葉過名號蘿蘭辛平無毒草中冠消癧殺蟲除諸毒
利水生津任王類

澤蘭號曰稜幔細良苦微温能活快破塊除癧利小腸
婦人血暈并勞瘵

香薷通號鞋香薷辛辣微温可久收霍乱轉筋并吐泻

除煩解暑最爲優　八九月有花採取晒乾收貯陳久者佳

薄荷通號蘿薄荷氣味辛温力可加清熱化痰消食積

骨蒸頭痛去風邪　一名鷄蘇一名水蘇

艾葉通名羅蘿艾微温味苦功難載炙除百病辟諸邪

定痛安胎医血利　五月初五日陰乾百日採細收貯陳久者佳亦有生用

青蒿通號䩞青耗寒苦哀平治損勞盗汗骨蒸并瘧痢

兎尸腹痛療金刀

茺蔚同名棱益母辛甘温痛除崩漏安神明目止心疼

產后駝前眞天寶、一名羌蔚子
茵陳通號鞊茵陳、平苦微寒帯火辛、去湿除風清熱氣
發黄頭痛脹輕身
青箱子號絓㩻鮏、味苦微寒性大良、清熱補中安五臟
青盲痺湿及諸瘡
鷄冠花號花旌旑、氣味甘良性穩和、正治腸風兼痔漏
血崩雜痢直堪加　青箱子鷄冠花二者同一種
苧麻根號䋸樓䒱、氣味甘寒定漏胎、渴熱時行淋閉疾

蛊毒箭立時瘥 其葉作餅

蒼耳俗名槎懶薊甘温微毒除風氣瘍瘡湿痺四肢拘

明目清肝滋骨髓 服時忌猪肉

燈心草俗名䩞䩗氣味甘寒清火逼活肺凉心去咽喉

利消水腫通淋濇

豨薟俗號蘿蔸竹味苦微寒毒火些解热瘡癰除久瘫

腫浮風湿四肢麻 使蒺藜酒相半混匀九蒸九曬或有生用一名赤同草

蘆根俗號枇樓葉氣味甘寒解热愁止活固腸除嘔穢

時行中毒急須求

木賊俗名鞘劄筆甘平無毒安腸活益肝退翳止崩中

癩疝湿風肛脫突

牛膝俗名杌鞋綽平良酸苦壯筋骨健痿痹補陽精

調血通淋除久痺　使時忌鐵去芦酒浸用

萓草通名羅萎萓無毒甘涼利小便消食忘憂除湿熱

安胎保命服延年

黃葵子号紇尾㯉氣味甘寒大活腸消腫利淋通乳汁

餘催產難療疱瘡

決明子號紇蒙蒙無毒鹹平療眼暸益腎清肝滋五臟

疱疽頭痛有奇功

虵牀子號紇耗叉寒苦良和利溺脆添補精神明耳目

陰痿痾氣惡瘡搔

葶藶南名號紇低辛寒無毒味

良佳尊痰去積消浮腫定喘通經久脹痨 使時蘭紙焗中炒過用

車前子號紇腨啼氣味甘寒二便醫止法通淋除温瘴

益精催產婦尤宜 使時去殼用

馬鞭通號鞊馬鞕味苦微寒性歛宜積聚痔虫經月閉
金瘡瘡腫悉能痊　大藍俗號羅稜藍性本寒和味
苦甘清熱掃瘡除血咽解諸毒藥殺虫痱
藍澱俗號羅藍孛寒和辛苦水中浸解諸毒藥療丹瘡
止血殺虫安恍惚　青黛名稱意浡藍質清無毒味
寒鹹殺虫解毒平肝火治小兒驚及熱痱
木蓼名稱羅蔞蘇氣味辛温無毒侵癖痃蛇傷心冷痛
痔瘡脚氣可薰淋　馬蓼名呼樸鞊擬苦温無毒帶

辛味觟除喉食蛭腸中瘡癬悪瘡熏之已

萹蓄名曰萎台菜性平無毒味甘佳去䖝霍乱淫瘡癬

黄疸淋疼去熱該　蒺藜子號鬼見愁温苦平和治

眼眸積塊肺瘻喉痺痛瘡瘡精泄急須求　使時炒去刺用

蓖麻子號絖油又氣味甘平無毒逾積塊口㖞并耳聾

浮腫産難可堪求　使時去殻用凡一服忌食炒豆一等若犯之必發脹死

常山通號蘿常山苦毒微辛氣味寒截瘧吐痰消水腫

虛人老弱勿相干　使時酒拌蒸去葉脊用一名蜀膝

南星俗名矩帶絲苦毒而温功猛勢療中風兼去風痰
清瘧破塊尉筋骨　使時擣生薑同煮熟切片晒乾用
鬼臼名矩呼苦邪辛温無毒效功多殺虫辟惡除尸注
下死胎兼治癧邪　射干俗号核枫搌小毒苦寒能發
達喉痺氣結瘧母癥積痰閉經能通活
鳳仙花号婁稱浩根子甘温俱入藥骨硬催生用子吞
杖傷經閉宜根嚼　薔薇根號枫尋春苦濇微寒氣味
均止痢殺虫除温熱療諸瘡毒又尉筋

月季花名號花紅、味甘無毒且温中生機活血消毒瘍
瘰癧瘡立見功
麥門冬號延邊仙、氣味甘平解熱煩、泫肺清心安臟腑
補勞止嗽療狂顛、使時去心
骨碎補名猴祖薑、苦温無毒性能通、補傷勞極兼堅骨
風血酸疼又殺虫
酸漿草號鵠珠稻、無毒酸寒善走施、行血通淋兼止瀉
虫瘡痔漏最能醫

郁天皮號坦蔡𧃍味苦微寒火毒搽中暑心疼并字要

翻瘡目疾盡能平

産蓬俗號蔡藊茹無毒甘寒治熱邪道水除淋兼止泄

小兒時熱與疼牙

藤草部　凡十七種

歸地羅稱號𦻏稲性平無毒苦而甘善除中毒諸瘡惡

瘴氣山嵐服最堪

兔絲子號絞絲紅氣味辛平大補中益髓塡精筋骨壯

輕身明目療腰疼

五味子號紇瘀餌温甘辛苦味甘寒清金壯水生津液

久嗽虚勞止渴讀

覆盆子號紇祝敉氣味甘平善養培益氣滋陰和五臟

虚勞久脓便春同

使君子俗號糯蝓無毒而甘性且温治幼五疳并便利

健脾止痢殺虫昆

香薷子名紇糯橳無毒甘温通氣治塞托瘡消腫治腰疼

癒氣脫肛隨服息

牽牛子名絞芁芁味苦辛溫有毒除利便通開消痰瘡滚痰去痞殺虫兼　使時炒散取先頭末餘粗不用黑者屬水其效速白者屬金其效遲壯寔者可服老虛人及孕婦勿服　一名黑丑

天花粉號矩蒸爲寒苦微甘氣味佳止渴補虛清熱煋癒疽黄疸急投來　即瓜蔞根

天門冬號逮仙瞭甘苦寒和大補調降火清金除鬼注

肺瘰勞嗽潤三焦　俟時去心晒乾用

參姜根號紇蒸蜀寒苦平和性活開肺潤補勞諸失血

火瘰喉閉立寬悵　俟時去殼取仁重紙包外搥一度去油

葛根號俗枇榜葛氣味甘寒䏙發散去表消膩去熱煩

通開解毒兼行汗

百部通名郭百部微温無毒味甘苦䏙除久嗽又清金

勞瘵傳尸弄毒蠱

何首烏枇榜波蒲味甘苦濇性温柔壯筋補水除瘻毒

久服令人壽衍籌　使時忌鐵以竹刀去粗皮木槌打
碎米泔浸一宿晒用服時忌諸血無鱗魚葛莧葱蒜蟹
萆薢名曰矩金剛和平甘濇性尤良除腰脊痛堅筋骨
痿痺諸淋及各瘡　白色力勝酒浸切片晒乾或燒過去卢煎
土茯苓通名曲尌淡甘無毒治多力彊筋健胃掃衣瘡
去湿除風功最亟　一名山硬飯
精魁俗號矩蒲芫無毒甘平帶澁逾專治腹心諸積聚
殺虫止沽急須求　一名禹餘粮

木通俗號椄脾猗氣味辛平性利和導滯通淋消湿腫

療瘡消热去喉鵝

水草部凡六種

菖蒲通號枇菖蒲氣味辛温毒黙無去湿安神聰耳目

狂癲中悪八喉䞈　生于石上一寸九節者佳使時忌

鉄以竹刀刮去皮外打破炒用或米泔浸晒乾用

蒲黄俗號芘椄爈無毒甘温真可辨破瘣調經止血癰

疔痛安胎兼通便　使時止血炒用破血生用

稜蒢俗號稜棱又無毒味甘其性冷清胃開中解熱濁
腹疼酒毒皆安靜
浮萍俗號稜鄹板氣味辛寒無毒幹去風導水療驚狂
濕痺癮瘡隨手判　紫背者佳七月望日多取去根晒
乾收用散晒乾以竹其盛萍安架上以水盆乘于下不
然則難乾矣或有生用　水蘋俗號稜蔞備性活甘寒
無毒着退熱清臟利小便大瘡消渴皆堪助
水藻俗號蔬萎各甘寒無毒活清中能除熱利兼消渴耳治兒童赤疹風

穀部 九十九種

粳米俗名羅粘粃其性凉平其味美養衛調崇大補中
人生以此爲天地 一名秔米潔白清者佳眞覔王者日御米
稲米俗名羅粘粿 味甘温美能柔賍補中益肾利膏淋
嘔吐腹疼脾胃怯 一名糯米一名粽米
狼尾南名號統糌 味甘無毒可充饑定腸健胃資肉歎
療治医方總不施
胡麻子號統悪彙無毒微甘性沍平益氣補中和五臟

除風劳湿療劳蒸　麻油俗號意油稟甘活微寒性

能解毒潤腸消結熱殺虫惟產療諸瘡　一名香油

薏苡通號紇薏苡火寒無毒微甘美除風湿熱治拘孪

久服軽身多益智

黑豆名称紇豆顛甘寒無毒治尤繁去風湿熱兼除毒

功効方中不盡編

赤小豆名紇豆𧀒酸甘無毒兼功補癰瘡水腫泄淋瘀

痞脹渴消并嘔吐　綠豆名呼紇豆𧀒甘寒無毒帶微

醒益元解熱除諸毒利水消瘡眼目明
白豆呼名紇豆鼎甘味無毒和諸蕩腸腸壯水去傳尸
助十二經調五臟　白扁豆名豆板鼎甘涼無毒和諸
臟順風解暑健脾經霍乱吐翻消毒症
刀豆俗名𥟖豆預甘平無毒益元助温中快膈利心腸
呃逆氣沖隨服下
豆豉製造紇豆顛苦寒無毒補功全六淋各症多施治
四十餘方不尽宣　製豆豉法夏五六月畢𢯻大黑豆

隨症多少入水中淘淨以浮者去之又浸酒一宿取涇
起乾入甑中蒸熟鋪於蓆上候微溫急以青蒿厚覆之
三四日即看見黄衣遍生不可太過將出晒簸影淨黄
衣用水晒混勻潤手爲度入淨甕以桑葉掩上厚三寸
泥土封固日中晒之每七日取出去桑前葉曝晒乾一
時又用白米拌入每一甕米三合再入甕中末淹泥封
如此七次共計四十九日再入甑中蒸過晒乾收用
陳倉米號禿數鋪無毒酸溫火帶鹹益氣健脾通血脉

除殞五病瘀疼心
酒麴名吁號觧綿甘温無毒性通宜寛中開胃除痰積
氣逆癥瘕霍乱安
米醋名吁羅䤈精苦酸無毒性温行軟堅痃塊殺傷𤸫
瘰瘰除瘡散腫疔　一名苦酒一名酸酸
好酒名號羅醞泌苦酸辛熱毒大深去邪下氣兼行血
開鬱除風助藥臨
酒糟俗號羅把醞無毒甘辛觧引道消食温中去血瘀

涷瘡跌撲并蚤咬

糟粃俗號名罡感氣味平和甘且淡下氣通膈塊破瘕

治碍喉噎須宜喫

菜部凡四十六種

韭菜俗號羅蔞蔴温辛苦濇兼酸味益陽壯氣治心疼

止血濇精除熱痢　韭子俗號羅絶蔴辛甘無毒能

温氣夢遺溺血膝腰疼白帶泄痺通可治

葱根俗名羅矩行氣味辛温性又平發表傷寒風熱氣

頭疼痺濕保胎寧

薤葍俗號梣萋轎溫和辛苦真堪脘補中行氣且輕身

利水固腸淋濁效

大蒜俗名羅乑蕞性溫少毒臭辛倍正邪去毒療瘡疽

消食[illegible]闌弃砂塊　多食散氣損之

芥菜俗名羅蔓莪辛溫無毒能通利寬中快膈竅聰明

安胃豁痰除逆咳

芥子俗名羅紇跂熱辛無毒能寬快風寒痰嗽咽喉瘡

瘋痒瘡瘧隨服利

白芥子名紇改卜辛温爽利性無毒清痰順氣去飛尸

脚氣風疼皆可服

蘿蔔根名紇改屡喃辛温無毒兼微苦豁痰消腫散風邪

行痰通痺除痢苦

蘿蔔子名紇屡喃辛甘無毒性平寓風痰喘滿痢瘧瘡

二便不通隨服愈

生姜俗號意矩蕿氣味辛温性善能爽氣通神開九竅

去邪歸正妙難勝

乾姜製造矩姜継無毒辛温性可誇虚熱風寒兼腹痛治諸失血趣沉痾　其製法於冬月姜根老成緜者浸東流水浸七日取起切開八瓣中蒸熟晒乾收用

胡荽俗號意味碎無毒辛温性利催消食補中通二便風邪痘厥把陽回　胡荽子號統味碎無毒辛平善扺催穀蠱療瘡消宿食腸風痔漏及囊癩

苦勤俗號意姜勤無毒甘平美味新養血利腸清熱毒

止崩解渴益心神　小茴香號紇時羅無毒辛温食味
加補腎健脾除脹乱癥瘕腹痛及疼牙
蘿菜俗名羅姜爰甘寒無毒被流種解潮蔓毒且生肌
又善催生消水腫　萵蓬通名羅葵萵蓬苦寒無毒且
甘活時行热毒及頭風開胃生肌兼止渴
莧菜俗名蔞壢𥑥冷甘無毒活胎臟殺虫利竅療唇瘡
蛾毒虽瘡并營養
馬齒莧俗號姜杉酸寒無毒治瘡諳殺虫消腫通淋閉

眼障癥瘕及利痹　苦苣俗名號萎葉苦寒無毒[illegible]
講接清心開胃力豪強兼治惡瘡并腫脇
白苣俗名薐萎機苦寒無毒能消熱壯筋強骨又清神
解酒和中通脉血　落葵俗號羅尋籠無毒酸寒甚
活胎清熱利腸通二便子調脂粉傳癬佳
鯉魚菜號薐萎戢小毒辛温腥臭集瘡腫頭瘡及風[illegible]
牙疼痲瘫功尤急　蕨菜通名薐萎捽甘平無毒[illegible]
多活補中益氣且安眠清熱健筋兼補骨

野薇俗號意薆薇無毒甘寒性最宜多食不飢調臟腑
利腸消腫效尤奇
芋芋名呼號矩羨辛平無毒活洗悵寬腸開胃除煩熱
止渴通淋治動胎　一名田芋
土卵名呼寔矩慈甘辛少毒性寒儲解諸毒藥充腸胃
咳熱喉乾立可除
山藥名呼寔矩哩甘平無毒性尤佳補心養腎培脾胃
益氣滋筋長百骸　一名薯蕷使時刮去黄皮晒乾收用

菴蔄子號帶疨㮚無毒甘温性活諸大補衛榮滋得損
勝於山藥力兼該
甘藷俗號羅疨紫無毒甘平兼味美補益勞傷壯腎脾
功同山藥真堪比　竹蓐䰟名各色竹甘寒微苦性
無毒補中平胃又清心降火消痰宜久服
茄子名呼崑崙䓁甘寒小毒利功多傳尸勞氣并温瘧
腫毒癥瘕悉療和　入藥用黃色爲䓁其性寒利多
食必腹痛動氣發疾病女人能傷子宮

苦茄俗號懶橘礦、苦毒微寒，其性冷，瘧腫頑瘡癬氣除，牙疼狂犬皆能屏。一名水茄

壺盧子號寔鬣瓢，無毒，甘寒，好活流，解熱療瘡除中毒，通淋消腫急須求。凡人患脚氣及虛脹冷氣，食之則病永不除，及多食令人吐洩

苦瓠俗號羅瓢蔓，氣味苦寒微毒，狀消腫通淋利小便，鼻淵黃疸瘧瘡症

西瓜俗號鬣𦬆廖，甘淡寒凉，真味好，止渴消煩中暑除

通淋去痺痢紅保

甜瓜俗號果茶𧄍小毒甘寒能解暑止渴消煩利小便三焦壅氣能通下

瓜蒂俗名𧄍𦭸寒有毒吐功可風頭水腫疸身黃蠱毒頑痰能激破

取未熟時近瓜半寸懸風處陰乾用　一名甜瓜　一名丁瓜

冬瓜俗名羅懶秘甘且微寒無毒氣解渴清心退熱煩消癰腫脹兼通水

越瓜俗名懶茶剛無毒甘寒且利腸止渴去煩除酒毒

又安熱泄下痢瘡多生食令人動氣心膈結塊弱萠指耳目

胡衣 俗名懶柰蘋、氣味甘寒小毒附利水清肌眼目疼

秋瘡失灼并脹鼓　多食發寒熱瘫疾積痰虛熱火氣

損傷發瘡脚熱、小兒尤忌、　一名黄衣、

緑衣 俗名羅箕荿、無毒甘温清熱濕利便消痰去腫癰

痘瘡快起乳通汁　取老果經霜、去皮入藥用

苦衣 俗名羅荿蔓、無毒苦寒除熱藏、明目清心補之勞

子能益氣添陽壯、

木耳俗名蕣聰猶名隨朽木毒良標輕身益氣多彊志
眼淨崩中血痢調　最勝者桑榆楮柳槐五種其
餘各隨朽木良毒之性
土菌俗名羅蕣狙氣味甘寒有毒專治疔瘡腫毒斑
亦隨土草毒良物　在土上曰菌木上曰蕈

菓部 凡四十弍種

枝子呼名寔菓梅味甘無毒性平和棄中痙霍亂爲枝製
生食令人損齒牙

烏梅法製懶眉巅、酸濇温和解熱煩、斂肺安心除痢渴、
瘧邪清渴共痰涎。製法、取黃青梅子、以稻草煨灰
調水浸半日、將入笆焦籠蒸过、晒乾置灶上烟便乾黑用
白梅造製懶眉梅、無毒酸寒痰除退、止血生津利咽喉、
中風痰厥并腸痢。製法、取將熟梅、以塩水相半和
浸之、日晒夜浸、如此十日即成白色如霜、故有名霜梅、晒乾收用
李子俗名羅菓根、苦酸微毒性温濇、諭中痰痛骨間蒸、
其核能行血水潤。多食令人發虐熱、凡李子投水中浮者不可食

桃子通名號葉桃辛酸甘熱毒相交少飧益氣增顏色
多食令人發熱瀉　桃仁俗名屋絵桃無毒甘平帯
苦膏下氣潤腸通血塊調經去痺骨蒸勞
桃奴睪葉桃孝連梗味苦微温小毒明殺鬼破癥除中
悪傷胎邪瘧辛皆平　桃子青嶽枯懸在上枝者是也
桃膠俗名顆樣桃味苦和平性最豪行血去邪揚痘隋
通淋解渴熱虚勞　李子通名羅葉李甘平無毒性
和好調榮養衛益精神五臟三焦都養保

棠梨俗名菓桃蔦，無毒，酸甘濇味，該專治熱中淹久痢，燒灰調汁立瘥佳。

烘柹俗名寔菓烘，性寒少澁最甘穠，續經脉氣兼清胃，潤口和腸耳鼻通。凡飲酒不可同食，或令人醉，或痛心欲死。

柹霜俗名菓紅枝，氣味甘平毒點無，潤肺清心和胃氣，消痰降火血調收。一名白柹，一名曰柹餅，其造法用大柹熟時刮去皮，手捻至扁，日晒夜露，乾入淨瓮封固，久自生白衣如霜，故名柹霜。

椑柹俗名羅東梔性寒甘濇有良態潤心清肺寔腸中
酒毒石冊能解洗　迂君子俗菓荄參無毒和平味
濇甘止渴安心除煥熱好顏健力食多嗜
石榴通名羅菓榴甘酸温濇毒微湊潤喉燥結制三尸
根善殺虫除血漏　多食傷肺損齒
櫁署俗名菓那能扶陽氣固真元消痰開痞益血補脾
金橘俗名羅柑橘酸甘無毒清香質寛中下氣好生津
碎臭解醒真勝物

荔枝俗名羅菓默氣味甘寒無毒在調氣通神去重頭
最醫疹痘令通快、　竜眼俗名羅菓眼甘平無毒性
温和暖頭驚強去尸虫補益心脾增壽筭
欖橄俗名羅菓𣗳酸温無毒甘清堪生津開胃食停消
中淘鼈魚須可啖　欖橄有黑白二種、入藥用白死火
痰人不可食能致上壅
橘寔俗名羅菓橘氣温無毒酸甘切寬中止渴又清金
開鬱兼除痰氣結

陳皮俗名羅𦝨橘、苦辛無毒性開越、寛中快膈去痰涎
益胃健脾疎欝熱、　陳久多年者佳、故名陳皮、留白進
食去白補中、一名橘紅、消痰去滯、
青皮俗名補橘樟、辛苦和平氣味馨、開欝破金兼勝濕
止疼行氣泫肝經、　使時去心穰、炒過用
柑皮通名羅菓柑、氣寒無毒味酸甘、利膓清胃除丹石、
止渴生津逐産讀、
橙皮呼名羅菓橙、酸寒無毒性通行、消痰止嘔除風胃、

解渴瘧瘡及痰癭
柚𡨴俗名羅菓櫳酸寒無毒能舒泰班脹惡食及心疼
酒毒食停能尽解
柑枹俗名羅補擸無毒舌辛能爽利去痰燥湿療風騰
消腫止疼調血海 使時去白取黃皮炒过用
枸櫞俗名菓青蕪氣味酸平無毒然氣逆腹疼并咳嗽
心中痰結可通宣
五廉子各羅菓契性平無毒濇酸味去風清熱可生津

霍乱金瘡并解職　一名羊桃
大腹皮俗名補榫辛温無毒善催敲去痰降火兼消腫
霍乱痰停滿眼家　檳榔子名羅菓稿辛温無毒舌
藟交下氣通開消水道殺虫去痢結痰搜○一名梹榔
榔子呼名羅菓拴甘辛無毒可充服去風益氣消浮腫
霍乱心煩熱毒除　巴羅密名羅菓機無毒甘香能
止渴益氣歷煩解酒昏挃身充胃令顏悅
無花果名羅菓䏿無毒甘平味最可開胃和腸利咽喉

痔肛滅痢皆安妥　蜀椒俗名紇當爹氣味辛温無毒
恨下氣温中滋右腎風寒眼疾腫瘡瘻　一名川椒
胡椒通名紇胡椒辛熱多温食味補下氣温除宿食利
傷寒腹痛及疼腰　蓽茇茄名紇茫桑無毒辛温味辣
香消食去風除吐瀉冷痰腹痛結膀胱
蒼㯉俗名羅桑捧甘苦微寒多利臟去熱清風爽目頭
下痿瘴痢脹消腸　蒲萄俗名梟㯉穤氣味甘平毒也
無去痺風寒消水道輕身強志術無適

柑橪俗名羅檨檨無毒甘平凉絶美除欬煩止嘔疾
調中法脾和脾胃　蓮子呼名羅絃蓮甘平無毒
可延年補中益氣安心胃止痢收精解熱煩
蓮藕俗名羅蓮𦭘無毒甘凉兼法補清熱除煩清酒昏
止諸乱血破凝注　蓮鬚名呼藥鬚蓮吾寒無毒
治心煩産中血竭并翻血霍乱遺精共熱煩
蓮房俗名寔䕺蓮無毒微温并濇然腹脹痛疼并吐法
暴崩失血盡皆瘥　荷葉名呼寔蘿蓮吾平無毒

治心煩胎前產後兼瘡瘻止血膠精益胃元
菱角俗名羅拒紉甘平無毒性克厚安中補臟解毋亥
中暑傷寒邪热掃　一名芰寔
芡寔俗名羅矩毓濟甘無毒和平種補中滋腎益精脾
去湿痺疼腰膝痛　一名鷄頭寔
爲羊俗名突矩蘿無毒甘寒性活包止血消腸除湿痺
去黄解毒最宜人　栢子羅紇側栢葉冷甘無毒能調
養補心健胃益元陽收汗掃瘡功用甚擭使辰去壳取仁

木部、凡四十二種

桄榔俗名羅核議無毒甘平調五臟、作筋生肌補乏勞、
腰疼脚軟能輕壯、
松脂俗名頭核積無毒甘温善止膿瘡癢瘡疸風毒痺
潤心益肺療昏聾　一名松膠、一名松香、一名歷香、
杉木俗名核繼木辛温香臭性無毒療心腹痛氣奔豚
脚氣腫瘡功效速、
桂皮通号補核桂、大熱辛甘微毒氣温補虛寒止痛疼

風瘡血注并麻痺、一名牡桂、小嫩者名柳桂、使辰去骨皮用

桂枝俗名鯆稉桂、無毒辛温能下氣、發汗開心利肺經

痛風脇臂兼喉痺、凡使時去心、用厚者佳名桂肉、去皮取心名桂心、右上處

木犀通名花木西、無毒辛温氣爽脹、辟臭化痰津液潤

葉能解瘟使輕癃、

沉香通名突沉香、無毒辛温氣絶若、下氣通關風水毒

去邪煖胃補精陽、黑而沉水者名沉香、紫者名

黄香、班白而輕者名速香、
降真香並名香降、無毒辛平其味爽、傷折金瘡止血疼
追蟲辟悪袪瘟瘴、　烏藥通名杋烏藥辛温無
毒能催托、心疼腹脹及癧疽、氣逆脚冲兼瘴瘧
白膠香名灝核黏、無毒平辛苦並交、最治金瘡諸乱血
風瘡癧腫尽能瘳、　蘇合通名灝蘇合甘温無
毒芳香集、辟邪瘟瘧殺三蟲、驚癇迷神風病急、
厚朴俗名餔核貝苦温無毒安腸内、

除風瘴痺腹心疼吐泄痰驚兼破傀（去外粗皮切片生姜汁浸炒过用）
乾漆俗号蘿代山辛温無毒治風寒續筋去痺傳尸蟲
破塊通經腹痛安　桐葉通名実蕚芃苦寒無毒
去瘡蟲脱肛利水消浮腫髮落能生染髮濃
苦練子名果慈兜苦寒有毒殺蟲蛇小腸疝氣膀胱熱
紅燥潘瘡寔可投　凡用白樹者佳赤者大毒
槐子通名実蕉槐苦寒無毒性兼施熱邪目翳風頭眩
痔漏陰瘡胃燥宜　槐花通名実花槐無毒平和

苦可知療痔殺虫除眼疾腸風血乱咽喉醫

皂角俗名菓蒲結寒温小毒味辛蒸除風刮痰辟瘟邪

破塊消痰開痺咽　皂角刺名菱蒲結辛温無毒

能開越去風下乳療胎衣瘡疥瘧疸多破洩

無患子名紇蒲凡苦兼小毒性平衰去飛尸氣牙疼腫

喉痺生污去盡奔　一名桊荄

椰枝通名哭梗椰味氣苦寒無毒曉風湿瘧瘡痛痺摰

排膿滲水功非小　蘇木通名実核荣甘鹹無毒

嶺南本草上

性平良能除悪血生新血腸風腹痛及腫瘡 一名枋木
烏木俗名实椄椚辛鹹無毒性良渾解諸熱毒并鬪洓
霍乱腸風痢莫言 入藥用全黑者佳 椶皮俗名椄備木吾濡性平
無有毒雜痢腸風血朔崩金傷瘡疥功尤速 一名椋皮
巴豆俗名紇慢底熱多有毒能通滞癖痰中悪些癥瘕
水腫中風諸痛痺 使辰重紙乞搥碎去油用 一名江子
桑皮俗名枇椄槐無毒甘寒洓肺喉利水消痰除咳嗽
寬腸下氣治風頭 使辰取土下根忌鉄器用竹刀

刮去赤皮、取白皮、密、水潤炙乾用。凡根在土上見日者勿用能殺人

桑椹、俗名葚棲桃、無毒、甘寒、注肺喉、水道、神安、和五臟、

通關節痛渴、肌求。　楮実、俗名羅葉莓、甘寒無

毒、能消脹、補陽明目、起陰痿、堅骨、健筋腰膝、壯。

枳殼、俗名羅葉捽、苦平無毒、性雄、淒、蘇、痰、下氣、盪胸膈、

止痛破癥、除痢滑。　使辰、去穰、切片、炒用、一名葉戟。

枳実、名吁葉捽、徽、苦寒無毒、啟開門、破堅消積除痰嗌、

腸痛風瘡、逐水奔。小如鵝目、陳久者佳、使辰、去穰、切片、炒用

梔子呼名羅菓樞，苦寒無毒治丢精，滋陰降火清心腎
內外諸傷血熱平。山生最勝，原生力劣。酸棗仁，署紇棗酥，酸平無
毒補心脾，熱邪不寐肢疼痹，久泄虛煩汗可收
去核殼取心，欲能眠則炒用，欲不眠則用生。
蔓荊子名菓兔音，味苦微寒無毒，侵利竅通關除濕痹
風邪頭痛目昏沉。木槿，俗名椗茈，散甘平無
毒性通活，療瘡腫痛止，腸風白帶不眠并解渴
芙蓉，通名芙美蓉，無毒辛平，花葉同，清肺調經涼熱血

癰疽瘡腫有神功　一名木蓮
木綿俗名𦊛棧粘無毒甘平能潤燥血滴瘡痍及折傷
或皮或子用俱好　桑寄生尋蔭棧檅苦平無毒療李
拘强筋益血除諸痺産后胎前治最優　使辰忌鉄器
桃寄生尋啟棧桃苦辛無毒治兒勞溺黄骨露面青腫
蠱心疼痛服必瘥　柳寄生尋啟棧柳苦平無毒功雄
火風痰氣膈利心疼當服茲番隨即效
湀竹葉名蓴竹勉辛温無毒青寒賦能除痰熱運頭疾

不寐虛煩并鬼疰竹種最多、八葉用淡竹、小竿露節、管中有縱隔是也

竹茹俗名精樸竹、微寒甘淡性無毒。肺痿吐逆及傷寒，不寐動胎止血眼。無淡竹用笛芽亦可，刮取白皮用。

竹瀝俗名淡樸竹、甘寒無毒功尤速。清痰降火療風狂，解熱祛煩除易復。使長青歲向白粉着，刀截段段以土磚頓架火上燒，逼出汗，以磁器承，或用生姜搗取汁調入少許，即引達八經。如無竹，用歲笛芽亦可。

竹黃男粉中樸變、無毒甘寒功效著。和臟祛風及鎮心

小兒驚癇痰雄譫一名天竺黃在竹心中或白如粉黃如土人多劈破取又有之也

虫部凡三十二種、

蜂蜜時名実寗瞻甘平無毒補調中輕身強志除風癲止痛祛虫助藥功、一名百花膏一名白蜜一名石蜜、

蜂蠟時名実蜂蟻微温無毒着排膿輕身益智堅筋骨、止痛安胎去腫瘡、一名白蠟、一名黃蠟、隨色命名也、

蜂房俗名意祖蜂氣味鹹平有毒通驚癇瘈瘲風痔瘡癰癤瘡腫有奇功、

紫鉚青礦俗号罗趐蜆、甘鹹小毒

性平健益精止痛且生肌帶下積瘕瘡濕癬

桑螵蛸名祖蒲取無毒甘平能補耿疝堤陰痿腰痛疼

五淋夢洩月經瘀（生于桑上者是）　蟑螂俗名丐螂取氣味鹹

銷同一倨治小兒風搐搦驚癇頭入肉須臾去

白殭蠶名蟜蕋養無毒鹹平除毒注口禁風喉結痰瘰

血崩帶下諸瘡愈

恢辰取糯米泔浸一日洗棵外皮去口足炒过用

蠶繭俗名罢䌷殼甘溫無毒能催托血淋崩漏及癰瘡

癰腫無頭能破鑿已出膿者是　繅絲湯名滘音繅氣味鹹
濃無毒儲專治熱中消渴症日常多服必清除
蠶沙俗名粉昆蟳性味甘辛無毒侵風湿痺麻皮癮疹
結癥漏血必須尋稜辰用乾糞水淘過曬乾用一名蠶糞大蠶粉
螉蟦俗名丏蟳又無毒微寒本水是正治益陽能起壯
益精暖水利開門　班猫俗名丏蝼巨氣味辛寒
多毒攜破墁通淋療犬狂下胎鬼注諸瘡瘺
蜘蛛俗名罷昆蛹小毒微寒真可辨瘟瘧疔瘡及中風

小兒腹大能消便　壁錢俗名㐌絰蛜無毒性寒
形白練、明血金瘡小幼瘡瘧痘喉痺皆平徒
大蜘蛛宿壁間吐下貼卵包白色、大如錢者是
水蛭俗名𧊉丐蟻、氣味鹹平有毒、体破瘀消積月經𣘛
瘧毒瘡風兼利水、使辰晒乾切秘細炒老黄用　一名馬蟥蟥
狗繩俗名丐蛈程、頭啄利尖形壳固、倒陥痘瘡服之生
經年痔疾能除愈　蛐蟮俗名丐蟈坦、有毒微温
疎氣質破血通經腸瘀瘧、折傷目障風瘡疾、

蟬蛻呼名丐殼蝺、甘鹹無毒氣寒微、惡瘡目翳風頭癎

痧瘂痒癮倒陷瞖　使長以熱湯洗淨去嘴翅足用

蠨蛸俗名丐蛛、有毒鹹平性最稚療癎顛狂隱毒[illegible]

癧疽便閉及腸風、一名推車客

天牛俗名丐勇邊、氣味鹹平兼小毒、除瘧并兒風急驚

疔瘡箭鏃能行逐

蛞螻俗名羅丐蹄、無毒鹹寒能走滯咽喉淋疾小便[illegible]

毒瘡水腫催生易、一名土狗、一名螻蛄

螢火俗名丐蛕又辛温無毒性明敏通神殺蠱去兔疾
鬼疰目盲能扒瞎
衣魚俗丐蟫中毋無毒微鹹全粉白治小兒頭項背痓
痼驚淋閉及癥癖此虫常在衣書廂中小若小蚕尾有兩叉歧色渾白粉觸之即粉脱是也
蟾蜍俗名癩丐蛤氣味甘京平有毒專治疔瘡及犬蟲
瘡小兒積瘡尤速炙去臨用蟾酥俗名賊丐蛤氣味辛甘
温有毒專治疔瘡又助陽腰疼腎冷能推逐取兩眉
上高突起處以物擘之流出白汗以桑葉之罯陰乾處

猴刮下以竹筒收貯用時忌犯目令人昏盲赤腫

蝦蟇俗名羅丐蛾氣味辛寒有毒帶邪魅癥瘕及熱狂

疙瘩毒腫能解

田蝸俗名羅丐蠕無毒甘寒能補益勞熱虛煩殺疰虫

安胎利水兒瘡疥　一名田雞一名青雞一名長股

蝌斗俗名羅丐濃毒味鹹性活寒微毒熱瘡火咳腫毒

肶柴髮潤髭能黑鬚　入藥用田蝸蝦蟇子為佳

蜈蚣俗名羅丐蜈氣味甘溫有毒結殺鬼除精蠱疰虫

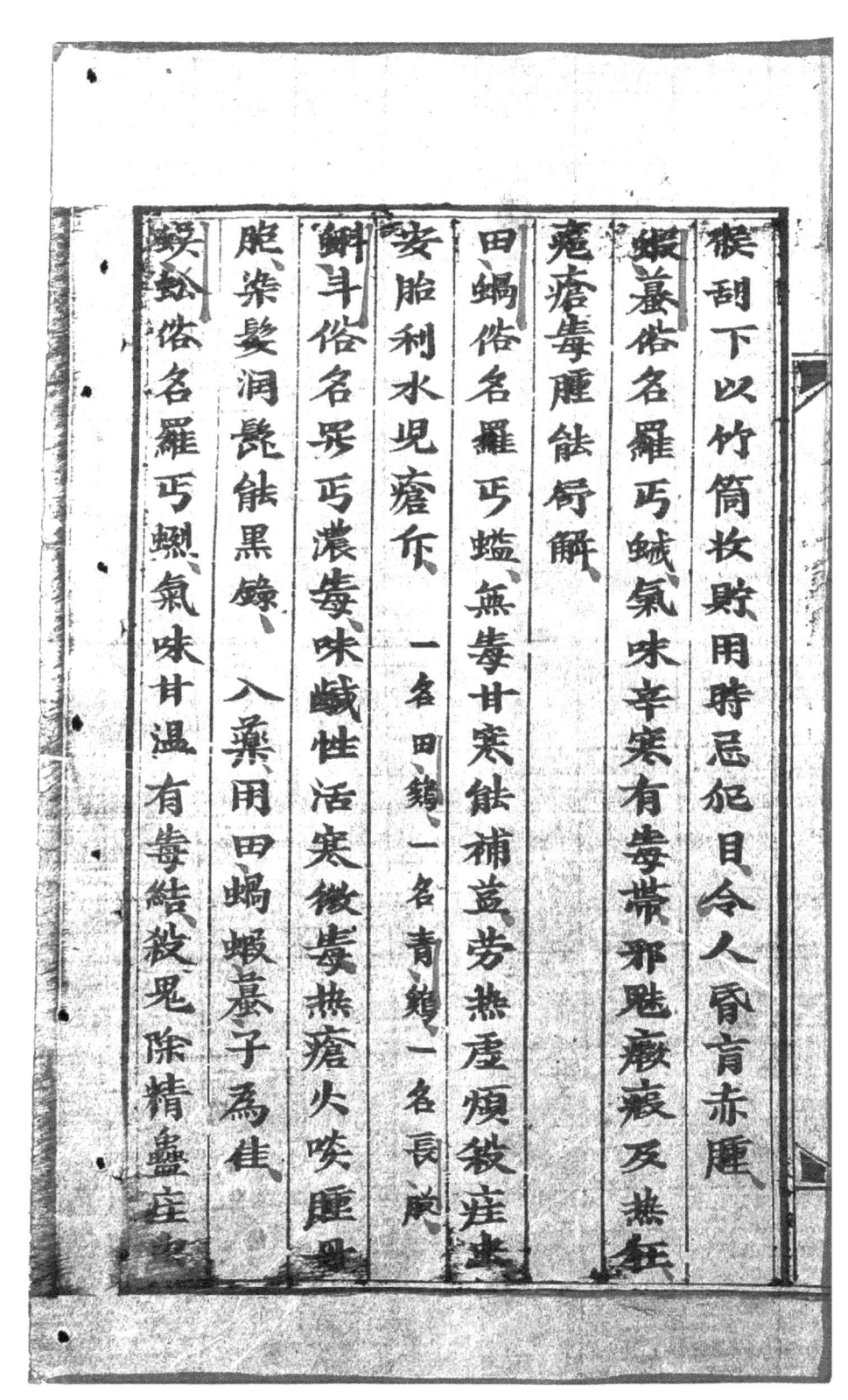

中風瘀血諸瘡癧　用蜈蚣去首尾足以薄荷包煨令黃

蚯蚓呼名实丐蝓鹹寒無毒治多門傷寒暴熱并蛊蟲

驚癇風狂及癰瘟　用白頭大者佳一名土竜一名地龍

蝸牛实名俗丐鏸小毒寒鹹性活療風賊喎斜驚癇痙

蜈蚣腫毒盡能安

蠆螨俗名丐同蒙氣味鹹寒有毒容氣迷喉纏經月閉

癥瘕積聚立能通　虫形類大蜆能咬牛馬者是也一名蝱

鱗部　凡八種

穿山甲名鯪鯖又氣味甘酸有毒微遂痳祛邪瘡痘陥

中風痺瘫小兒啼使辰切妙黄用蚺蛇膽名羅丐窑蛞甘苦而

寒小毒云療腹心疼風癘疾腹癥喉痺效如神

白花蛇名蛞虎芒苦毒甘鹹性悍強湿痺中風拘急痛

惡瘡癘疾必安康　去首尾每边三寸去皮骨取肉

浸酒春夏一日秋冬三日将出火乾用

黄頷蛇名蛞埋吟甘温小毒色烏金股臂痛蒸并狂犬

風癩諸瘡毒浸淋　使辰同用白花蛇一名金蛇

蚯蚓俗名羅殼蟢甘鹹無毒功尤敏小兒風急惡邪虫

喉痺癱生瘡疥尽　水蛇俗名蛞蝓蝸甘寒無毒

性冷寥煩渴骨蒸并毒痢指天蛇毒必安消

蛤蚧俗名丐蛤蚧性鹹微毒能開肺癧痰喘急及勞虛

道水通經傷折治其毒在眼良有尾　使辰去眼及

脊背酒浸炙乾用若缺尾則旁力不癖

守宮俗名丐蛞蝓氣味鹹寒微毒肥治歷節痰及中風

小兒痺痢及消瘰 一名虎壁長三四寸四足其色灰白常在家壁間是也

魚部凡三十五種

鯉魚俗名罗亇槪氣味甘平有毒帶下氣去黃除腹癥安胎消腫除痰咳鱗

鱗魚名罗昆亇餅氣味甘溫有毒然惟可補中兼益氣勿令多食熱傷煩

鱒魚俗名罗亇特無毒甘溫美味佳暖胃和中消宿食勿令多食動風惟

鯇魚俗名罗亇靈無毒甘平將養培暖胃和中兼益氣且除喉痺硬喉惟

青魚俗名罗亇稟氣味甘平無毒品益氣兼除脚氣瘡

膈痰便開并目睛　鯼魚俗名羅ケ蝶氣味甘平
無毒客補臟健脾和血脉荣筋壮骨最調中
鱅魚俗名羅ケ乭無毒甘平性暴凌多食可除翻吐逆
暖脾開胃可寬膈　鯡魚名俗羅ケ痓氣味甘平
有毒態肉治虚劳及補中膏敷湯火功尤大
鮐魚俗名𫇭ケ蟆無毒甘温性膩肥清肺助脾調胃氣
補劳功其鲫魚膏　鱧魚俗名羅ケ撥氣味甘平
有毒態去湿除風治腫浮通開療痔疰娠利

人有瘡疾不可食能生瘢痕
鰍臭俗吳罗亇俸氣味甘平有毒種消食寬胸暖胃脾
多食最可人珍重
無毒偏最可暖脾除冷泄令人多食便忘憂　鰷魚俗名亇油叉氣味甘温
鱠殘魚俗名亇銀無毒甘平甚可人健脾寬胃多快口
作乾淹之味猶新　石首魚名罗亇用甘平無毒
珍盤供大能益氣健脾經兼治痢頻腸腹痛
勒魚俗名罗亇緐氣味甘平無毒配開胃温中五臟和

作羹多食功无倍　鯆魚俗名个柃更氣味甘温
有專腥祛治痔瘡功最勝勿令多食殺瘀疔
鯧魚俗名个鮎江氣味甘平性最良肉可健脾增氣力
卵中有毒勿多嘗　鱸魚俗名罢个域微毒甘寒
无可食利水安胎五臟調堅筋壯骨除劳瘥此魚肝有毒不可食
鯽魚俗名罢个㚇無毒甘温多補益調益和中去痔瘡
腸鼠翻胃目疼赤　鰻鱺魚名罢个梟甘平無毒
除諸惡丸瘡毒藥反劳虫湿痺腰疼并脚弱

海鰻鱺俗名亇茶甘平無毒補勞虛殺虫解毒除痺温
功效堪同鰻鱺魚　黄鱔呼名骂丐鱣大温無毒
味甘鮮補中益氣妝崩漏去湿除風腹冷安
凡先擧首而行或喉下有縣白者此乃蛇種食殺人
鯽魚俗名骂亇宅無毒甘平多去潔消渴痔虫解热迷
強陽補血氣增益　鱅魚俗名骂亇㯹氣味甘温
無毒標口眼喎斜并五痔脫肛水腫自永消
黄顙魚实骂亇補甘平無毒大涎濡祛風道水消浮腫

癢痤溪瘡頑便救、　河豚俗名𩵜𡥵䱾氣味甘
溫肝有毒、補益除虫去濕瘡、腰疼脚痛功尤速、
海豚俗名羅䱾波、味甚腥鹹有毒氣、蠱飛尸鹿除消尽、
療諸瘡疥并腸痔、　比目魚羅𡥵蘭斑、甘平無
毒遍身安補虛益氣、滋生力多食令人動氣所、
沙魚俗名羅𡥵𤌋、無毒甘平性果敢、補臟調中并鄉〔缺〕
乾鯆鮮膾宜人唉、點班者有毒、　烏賊俗名𩵜𡥵墨甘鹹無
毒性平慫、補中益氣且調經、最可作乾充美食

海螵蛸 罟枚个墨、甘鹹無毒微温 或排膿止血去諸瘡、
白帶腹疼虫痢息、一名烏賊 海鷂魚 名罟个㓹、微毒甘
鹹平味酡、肉療隆疼除白濁、淋除瘴瘧自消退
鰕 罟丐鮍米、鰕擽、氣味甘温微毒痰、去赤游風腹鷩癊
吐風痰托痘瘡靨 潑鰕 俗名丐鰕潑、無毒性
平甘且美能去飛尸疥癬瘡、殺蛇虫又除痱蚩、
水解 名羅丐洑、寒鹹無毒能消疬、治兒丹毒火湯瘍
療婦虛勞并帶下

甲部凡六種

龜版呼名臆丐蝂甘平無毒性通適補心益腎滋陰血

攣痺瘕癥咳瘧痎　玳瑁呼名卿頰校甘寒無毒

甲中斛解諸毒安神魄痘毒疕蒸中熱推

鱉甲俗名譔巴又鹹平無毒性通和補陽益氣除蒸熱

勞咳調經破血瘕　黿界蠕天抱丐鱉無毒甘平

除血熱解蠱祛風續骨筋去瘡瘰瘧弄邪血

田蟹名界丐蟧同甘寒小毒性生風續筋接骨祛風熱

殺毒除瘡血結通　凡蟹忌六足四足赤目腹下有毛
腹中有骨頭背有星點足有班者勿食害人
鱟甲俗名実謨杉辛平小毒又微鹹殺虫治痔除瘡癬
療喘去邪血滴請　鱟下畫切音候

介部凡十三種

牡蠣肉俗名膟喉甘温無毒治虚労調中利水滲顔色
解熱心疼渴熱休　牡蠣呼名実㶥喉微寒無毒
味鹹左澁精收汗除邪熱白帯瘕疼湿痢殺

蚌粉呼名粉𧉅蟯鹹寒無毒善通開老痰白帶并翻胃
水腫諸瘡目痛諸　使長、灰火煆紅、放冷、研末用
馬刀俗名馬丐蛤、氣味辛寒有毒險利水消痰去氣癃
石淋白帶熱肌斂　蜆肉俗名馬肆蟋甘寒無毒
冷須辨開腸通氣且清肝解湿瘡子通小便
蜆殼俗名馬𧉅蟋甘鹹無毒除瘡癬澁精去痢療吞酸
止嘔豁痰除咳喘　珍珠俗名实紀蟜氣味甘寒
無毒胎解熱鎮心除血濁火痰目痛耳聾開

石決明名鰒九孔鹹寒無毒除淋痛遺精風熱骨蒸勞
目瘴青盲皆可用　車螯通名蚆丐螯味冷甘鹹
無毒操解渴消堅除酒毒腫瘡發背便推敲
車渠通名屋車渠無毒甘平性冷儲驗宅安神除蠱毒
解諸毒藥蠱蟲袪　貝子俗名丐屋汙鹹平無毒
脾尤健清肌逐血解諸蟲目翳毒瘡并毒箭
甲贏俗名丐屋耒氣味甘寒無毒癰消腫通淋除湿熱
目疼痢噤瘰瘡癰　螺一名田螺螄俗名丐屋紊氣味甘寒

無毒。峻明目，除黃，止胃翻、脫肛、痔漏，燥腸潤

禽部凡三十九種

雄鷄肉，名𫛥鴇。甘溫無毒。風氣，散養衛，調榮，又補中，安胎，續骨，痺痳種。

雌鷄，俗名𫛥鴇買。氣味酸平，無毒。帶祛湿，風寒，補五勞，折傷積塊，并崩帶。

烏鷄骨，名昌鴇惡。甘平無毒。補勞弱，婦人血滯，補心疼。又治小兒噤痢作。

鷄冠血，名𠦳旋鴇。無毒鹹平。氣味和，解毒療瘡，回縊死，賊風眼赤中喎斜。

鷄肝俗名𠨡肝鷄甘苦微温無毒渣補腎益肝心起壯
腹疼胎漏目昏花　鷄翅俗名実菴鷄下血強陰
腎痂痲骨硬瘡疽兒夜泣婦人能熱溺頻加
鷄糞白名鼠糞鷄微寒無毒治功多中風痳厥傷寒熱
風痺泌淋腹塊瘕　一名矢鷄取雄鷄糞剉取白者炒用
鷄子実名罗盟鷄甘和無毒性匀和補中解毒除諸痢
核癇安胎瘵痺痲　飲鳥通名丐鳩雉酸寒無毒
多花粉調中益氣且輕身止渴痢兼除痔蟻

鵁鶄俗名丐𪃏雷氣味甘平無毒堆肉食令人增智慧養之家免火燒災　鸛鳩俗名丐多又無毒甘溫性可知、利臟益心增智力除諸蠱毒瘧溫邪

鵯鳥俗名羅鵖又甘平無毒滋筋骨陝寒暑熱煩祛熱及諸瘰胃多痢活　鷸鳥俗名丐撬蟜性和無毒味甘溫補中益氣除虛損暖胃和脾益命門

鴿鳥俗名丐蒲鴿鹹平無毒火溫柔解諸毒藥風瘡癥益氣調精囊最優　一名家鴿一名冠奴入藥

雀烏俗名羅丐鴍甘温無毒培精髓壯陽益氣療腰強
止帶崩中令有子　白丁香名糞鴘鴍味苦微温
而毒氣目痛癰疽腹疝癥瘕喉痺白帶皆能治一名雄雀糞
巧婦俗名丐鷦又甘温無毒性明織肉能美悦耳通聰
巢治胸中噫噎轉一名鷦鷯　燕肉通名肉丐燕甘平温毒
可分辨只能療痔去瘡虫多食令人神氣倦一名玄鳥
蝙蝠呼名吳丐蝦甘平無毒善開懷通淋消腫能明目
崩帶金瘡喘魘瘧　一名伏翼一名彩鼠

夜明沙名糞丐蝙無毒辛寒治驗談目瘴面瘡并瘰癧
㿉驚積聚死橫胎　使辰以水淘去灰坐曬乾炒焙用
斑鳩俗名羅丐鵃斑氣味甘平無毒態扶虛補損治瘥
陽蠱毒目疼噫噎退　一名鶉鳩小者無斑氣味功用同一然斑者有小毒也
青鵪俗名丐鵪哥無毒酸寒且美肥助氣補虛安五臟
排膿活血痔瘡醫　鶴音鵪　布谷俗名丐桑䳄甘溫無毒
真甘曉安神定智悅情讃多食能　入睡火
伯勞俗名丐須响毛羽性平無毒注治小兒痱瘦弱羸

蟲之甚病自尋愈　鸛鴿俗名罡哨驟甘平無毒
性和好通灵下氣痔腸祛噎嗑血崩弃老嗽
百舌鳥　名罡丐㗊甘平無毒性宣燥治小児多歳未
能言取肉炙飧隨語道　諫鵲俗名罡鴖客甘平無毒
惟明的調中益氣療諸風入有信来先噪㖨
黃鶯俗名丐黃鶯無毒甘温巧弄声多食令人心不妬
助脾補損益陽精　一名黃鸝一名黃鳥
啄木鳥名鴗括覎甘平無毒性尤徤癎風痔漏齒蛀瘡

退瘀勞虫功愈顯　烏鴉俗名𪀄丐鵶酸澁而平
無毒灼能治勞傷咳骨蒸癇風吐血諸虫却
烏鵲呼名丐鵶畧甘平無毒去瘟邪除風渴熱胸痰結
利便能通淋如沙丨　山鵲呼名丐帶𪄮甘溫無毒
尾長漫除諸菓毒中心煩肉炙食之隨解散俗曰丐帶尾
杜鵑俗名羅丐國氣味甘平無有毒專治瘻瘡并痔蝕
肉𦝄患慶功尤速　一名杜宇一名子規
鸚鵡俗名丐鵶棋辛平無毒能通秀馴人教養輒能言

其肉可除虛嗽苦鵰一作鴉孔雀俗名实丐鴝鹹凉微毒
彩花手解諸班毒并虫蠱服藥殘之法藥中　膽有
天毒食者去之毛不可犯目能令目翳
鷹鳥俗名吕鷂性雄翅殺諸禽物頭除頭眩肉除邪睛
可清肓骨接骨一名鷙鶻　鵰鳥俗名实丐鵰鹹平無毒性
雄驍頭風眩運并顛癎鼻衄淋瘡可止讀
鵄鴟俗名羅丐鴟性甚懞朦形甚醜治風頭眩瘧辰痾
取肉治之其病愈　鵂鶹俗名丐誘叱性與鵄鴟同

類凡耳目橫營宛若猶應當飛奮尽當止

水鳥部九十二種

鸛鳥俗名毀丐撮味甘無毒性寒凉骨除鬼注劳虫蠱

嗃瘵喉吞卵治瘡　顏鷲俗名毀丐鴂氣味甘温

無毒脊膏治癧疽痹風癘嗃除雜痼去痺虫一名陶河

白鵝俗名丐鴇㫘氣味甘平無毒䓁膏治瘰瘡及耳聾

肉除渴熱和諸臟　蒼色有毒不入藥白色者佳

家鵝俗名羅丐蟻冷甘微毒動風血補虚益氣治兒驚

解毒腫瘡弃痢熱、　一名鷰、一名家鳧黄白老者補中

最勝、黑嫩者毒、　沉鳧俗名奚丐鶢、氣味甘涼無毒

客益氣補中消食積、去瘡風熱殺諸、

鵁鶄俗名罷丐䳺、氣味甘平無毒結益氣和中療耳聾

作羹炙食肥香類、　鴗鶺俗名罷丐鵻、氣味甘味

無毒的能解魚蝦中毒攻、又家豢養從火𤈦

鸊鷉俗名丐蒲鵝、氣味鹹寒毒也無肉補虛瘦脾益壯

医瘡口破頭尾數、　名丐鴉、骨

鸕鷀俗名䳺盖鴿氣味酸寒冷小毒利水通消腹脹嵗
啄除噎氣硬喉逐　魚狗俗名䳺𠆳鳴鹹平無毒
色青楚治魚骨刺硬喉中吐研水調隨逐下

六畜部　凡二十六種

猳䳺𤞞特冷酸良猢名𤞞昆小毒傷𤞞奶酸平名日鼻
𤠖䳺𤞞考善平香　猪肉呼名䳺𤞐𤞞性隨牡牝
小大剌瘡紅解毒热𠕋𠚢去悪腫傷兼補胥
猪膏俗名䳺𦛌𤞞甘活無寒微毒延活血祛風潤肺經

解諸毒藥療虫患　猪脬俗名罷屋𤝞甘寒有毒

食多損……

治風頭眩及傷瘡疱腫沉痒貼即散

猪髓通名罷髓𤝞甘鹹無毒性通貫最能補益虛劳瘵

仆損瘡并治腫癘　猪血俗名羅節𤝞鹹平無毒

除頭運中風瘴氣易旁交嘈雜血崩冊毒疹

猪心俗名罷丐肶無毒鹹平又火甘益血補心除痫癖

傷風産後氣消淹　猪肝俗名罷羙肝味苦微温

無毒班平木明睛條帶下冷勞久減幻驚安
豬脾俗名羅蕚汪氣味淡平無毒績療虐辰行腹痞癖
又除虛熱解脾益　豬肺俗名罗蕚配味甘無毒
微寒滅清金最治嗽勞虛又降火痰虛熱退
豬腎俗名堆蒲育味鹹氣冷性無毒虛勞氣補利膀胱
腰膝耳鳴崩漏脹　豬胰音夷羅緬滷蒲育氣味甘
平兼小毒肺病虛勞喘咳瘦癖中冷痢皆平服
豬胃俗名罗丐脆微溫無毒能滋助補中益氣療勞羸

癥積痔黃并痢洩（一名猪肚） 猪大腸 曷丐腓䑋 微寒甘淡
味句和除腸燥熱利頻效補下焦虛痢血多
猪膀胱 名丐脠䐕 無毒甘鹹寒性洞能治夢遺精溺頻
頻除癩疝莖瘡痛（一名浮胞 一名脬） 猪臚 俗名曷丐密 苦寒無
毒能開竅傷寒熱渴骨蒸勞明目通開除癖疾
猪小腸 羅丐胖嶬 苦平無毒性和衰補心清熱兼調虛
功效方中不盡論 猪胆 俗名凡淺㙾 甘溫無毒
治疰乾除驚癇疾蠱尸虫陽壯命莖兼氣疵

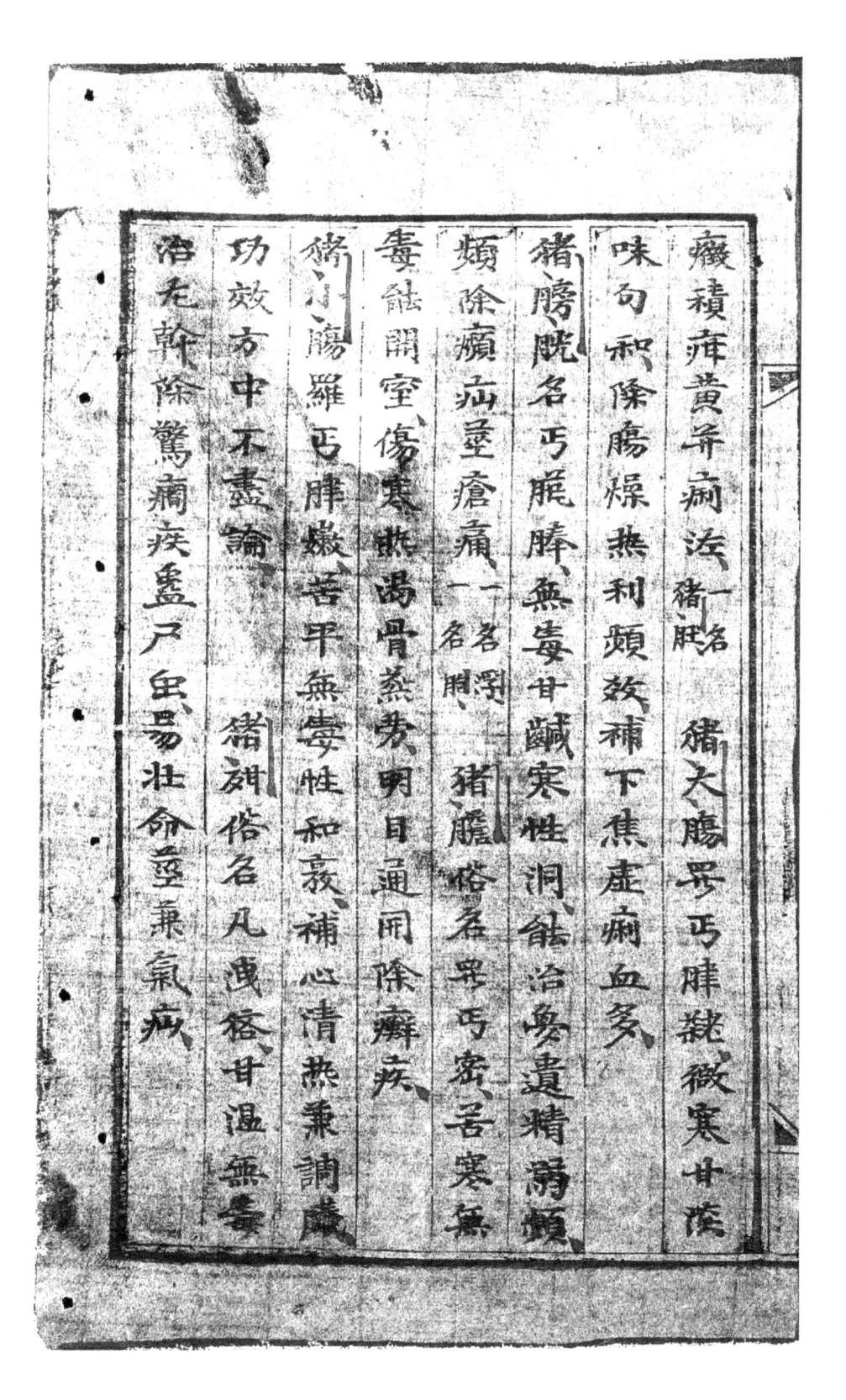

狗肉俗名羅𤠄酸鹹無毒大溫洩壯陽益腎補傷寒
羸胃腰中精髓固　羊肉俗名意𤙭羝甘苦大熱
益心脾補虛勞冷除驚癇風眩腰疼陽事痿
水牛俗名𤙭昆犢氣味甘溫無毒捜益腎和脾筋骨補
癎風水腫可須求　黄牛俗名𤙭昆怖氣味甘溫
火毒濡益氣暖脾腰脚健又能止渴咥涎適
牛角俗名丐𦟐褸苦寒無毒治風頭傷寒熱毒汰砍血
皮瘡風痰腫痺𤺄　牛角䚡𦟐褸苦溫無毒

治功无崩中帶下腸風血痢雜癥瘕腹痛投

黄明膠罕膠腹樓氣味甘平無毒留兼治癧瘡諸失血

痛風痰結咳虚劳、一名牛膠、馬肉俗名羅船駁、苦辛無毒

性温暑長筋壮骨脊腰強、熱氣瘻脾兼无取

山獸部 凡三十六種

虎脛俗名丐掯猥猶味辛無毒性温深、除諸風痛邪尸

疰、狂犬驚冲瘡浸淫、徒辰灯破去髓或酥炙、醋炙、酒炙 随其方用

虎肉俗名吳納猶酸平無毒辟邪僕、除三十六精魅、

益氣兼除痃惡心　豹肉呼名意𩸞豹酸平無毒

性雄驍耐寒暑氣除邪魅壯骨榮筋五臟調

象肉呼名意𩸞象甘平無毒壯渠黯能通便閉頭瘡禿

多食令人体重脈　象牙俗名意芽象氣味甘寒

無毒雖能治骨蒸驚癇疾物坐八目硬喉推

犀角俗名意𩸞犀鹹寒無毒苦酸該解諸熱毒瘧瘡蛊

失血風狂瘴疫瘧　犛牛俗名𩸞犛氣味寒凉

無毒洇解熱清心治癇驚除消血熱痲淹惚

野猪肉名鈉猪抹氣味甘平無毒催補臟潤肌除痫症
上崩痫血热風推　　豪猪俗名羅丐艶氣味甘寒
能毒歇肉最油肥利大腸肚消鼓脹除風淶
熊膽俗名羽密猯苦寒無毒能開湊清心明目去瘖虫
退热袪風除痔漏　　羚羊俗名䏶羝皂角性鹹寒
無毒等治蠱瘡兼湿热風痫驚乱血瘀痿症
山羊肉名鈉羝棱甘热寒良大補陽能療虛劳風癉痛
婦人白帶骨爲僚　　麂肉呼名意鈉猕甘温無毒性

毛茸補中益氣彊筋骨治中風邪療血崩一名西王母
鹿角俗名意鮻狆鹹寒無毒補陽優捏身應痛除瘡血
白帶遺精夢鬼交　鹿茸俗名丐鮻𡾵氣味鹹甘
無毒溫養術調榮滋骨髓療諸勞損不勝言
鹿血呼名实泖狆鹹溫無毒補勞虛壯陽止痛安腰痛
療肺痿兼氣痛㨂
鹿肉呼名意𦛌狆甘平無毒性毛佳補中益氣兼涼血
去脚腰疼五臟諧　麋角俗名意鮻狆㷧甘無毒

大滋脩補陽益氣添精髓去痺除風氣痛痓
麂肉呼名意郁超甘平無毒性句調能除五痔并祛温
姜醋和飧疾自消　麞肉呼名罢郁㹢甘温無毒
補諸臟祛風通乳利瘻消炙食令人身氣爽
麝臍通名罢臁昆射香善辛温風毒化煩心開竅殺邪
虫氣血諸疼瘀痫耿　猫肉呼名意郁猫甘酸無毒
性温調能除蠱毒兼劳瘧鼠痔多年服便消
貍肉呼名羅郁牿甘平無毒滋陰保補中益氣去疑風

鬼疰痔瘡皆療掃　風貍俗名丐倶禽性甚益人
首痛蠻腳治厲風滋養壽原除風痰少人知
狐肉呼名意鈉猉甘濕無毒善能培補虛益臟袪風毒
解盡除邪癖疥癱　按諸本草狐乃穴居頭尖尾鬆身
員足短其毛玄白褐三色俗呼狐為貍指貍為狐蓋譌之也
貉肉呼名丐鈉錀甘味無毒性還温能調五臟并羸症
經閉虛勞補婦門　猯肉俗名呼鈉蔴酸甘無毒
性平中熱勞虛嗽并諸痫水脹重危大有功

獾肉呼名䝙貗甘酸無毒性平順補中益氣長肌膚
治幼瘠瘻虫去尽　豺肉呼名䝙注溼熱酸有毒癲
人肉能除痺冷及諸瘡又治五瘠虛癒痼
兔肉俗呼名䝙兔辛平無毒能滋補調中益氣胃脾和
解毒痺麻諸毒愈　山獺俗名呼丐湖甘溫無毒性
極速其脛最可療陰痿其骨能除瘡箭毒
水獺呼名罗丐獺味甘微冷性良耐去風溫熱骨蒸勞
消水潤腸通血海　老鼠俗名昆䝙特微溫無毒味

甘濟折傷跌扑損金瘡㓜子癇驚多效（其糞兩頭皆尖故名兩頭尖）

獨𤢖俗號㹻猶猗味苦微辛無毒渾能治痔虫并下血

腰疼膓痛病將犇　猕猴俗名𤝞𤟢𤠯肉味酸平無

毒氣久痢長行及瘴瘧諸風勞症皆兼治（一名舞猴）

𤝞肉俗呼名𤠯猿肉脂并血性揆運多年痔漏疥瘑瘡

肉食外敷皆掃盡　水部（九十種）

水雨名呼実渃湄鹹寒無味甚清滋補中益氣凉諸臟

煎茶調湯疾病除　露水呼名渃紇沐甘平清湛

性無毒癩瘡虫祟及虛勞用以煎湯功甚速　秋辰火
旱其露垂濡于草木葉頭滴取用　冬霜俗名紇霜泌氣
味甘寒無毒些痷疾傷寒并酒毒腠瘧鼻塞藥中和
用使辰亦如取露式　半天河名湝梮樑無毒甘寒性
甚驗殺蠱祛邪安恍惚又除辰疫悪瘡癃　長流水名
淍湝沚氣味甘平無毒載益腎肝脾補損勞傳經引藥
航通啟　半生半熟名陰陽水一名無根水
卄莊水湝洴班歘氣味甘平無毒感降火滋陰又鎮心

止崩明目痢能滲（寅辰日未出人汲者故名）新汲名諾羅買撻，性能治
活逼胞便調中清熱腫瘡除解諸熱毒消渴免，
碧海水名羅諾慢，微溫小毒味鹹潤風瘙瘡癬俗消除
宿食脹膨能下順　地漿名羅坦買薄，氣味甘寒無毒
構中暑兼除霍乱煩解諸中毒為良室，　使辰搧地深
三尺，至黃水為度，取新汲水灌之，混攪辰澄濾取清水用
土部，（凡十四種）　黃土名吟坦措黃，性平無毒味甘凉，解
諸中毒能收血諸痢并痛腸，

東壁土坦壁邊東、甘温無毒最温中能除霍乱并温瘧
止痢消除湿癬風　于步峰羅坦跳䦨、凉平無毒性
通暑腫瘡便毒及生雅、𤼵因一　功最可
土、蜂窠名祖蚪又、氣味甘平毒也無、能治風頭瘡腫毒
生雅法乱立時𣥇　蝦轉凡名坦蛟攺、性寒無毒治
瘡瘡傷寒辰氣并黄疸霍乱虛煩最有功
鼠壤土羅坦狀吡、氣味無毒性雄渾、除[illegible]風痺筋𢯱急
胎肉皃名腫毒奈　蛟、封土名坦蜆庖、無毒凉平迷

善奔專治死胎胞不下且消腫毒血污也
白蟻泥名坦祖蝕涼平無毒性雄痞專治瘧毒惡瘡癰
血腫可消膿可潰　蚯蚓呼名坦蝓蚍酸寒無毒性
雄渾除諸瘡腫并諸痢止血通關去嘔傾
井底泥名坦悉泄味甘無毒性多冷能治小兒熱毒瘡
霍乱動胎按立定　伏竜肝名坦悉煤味氣辛溫無
毒接止血毒瘧去胃翻中風中惡癲狂耽　一名月下土
土磚俗名畧毒瑤氣味辛溫無凡的治痢虚寒脚湿疼

婦人白帶癥中膈　鼈𪓟呼名実坦吶性温無毒味
辛墙瘰喉解蠱妝諸血霍乱癱狂舌腫堆一名百草霜
烏龍尾俗名丐蒲煩辛舌熱湿無毒種止血安胎去胃
翻腹疼噎膈諸瘡腫用屋上垂下白者勿犯火煙處有毒一名梁上塵

金部凡十一種

精金俗名実鑽凋氣味辛平大毒沖和血顛心安五臟
除諸骨熱且祛風生者有毒熟煉無毒　精銀俗名罢泊泄氣毒
辛平有毒截安魂定魄且揑身風熱驚狂昏目洗

赤銅屑名屑銅竟氣味甘平有毒𣴎能除目翳婦心疼風
賊又張并腋臭　此赤銅八火燒紅淬水片又落出再燒再淬取用
銅青俗名倠銅樸微毒酸平氣味腥止血去瘡瘀血痛
又除目疾療瘧疔　一名銅綠凡使辰用銅器擦灸光
淨以醋塗覆于地面三四日即生綠色刮取用
烏鉛俗名意𦎟鱗氣味甘平無毒保安胄顛心除毒石
固牙明目去瘡痍　黃冊通號意𦎟冊無毒微辛性
少寒平胃鎮驚除久瘧殺虫止血惡瘡安

𧸘陀僧𠫾𩟐炒泊鹹且辛平微毒駭安臟宁心吐痢除
殺虫止血瘡痔却　玄𥪝𠫾𥺒粸𦓿氣味甘寒小毒
留專治風瘡除石信楊枚瘡疥必須求
孔方兄名意侗䤥氣味辛平有毒消能治五淋并腹㿉
雉生目雉尽皆痊　鈌石羅鏢性坚剛氣味甘平𩻐
毒妨善治金瘡胸膈滿最能消食熱中凉
鈌衣俗名𠫾瀏鏢專治疔癰瘡疥疾遺精產雉及風𤻻
蛇咬虫傷功可必　石部凡七種

石乳通名砂石乳氣味甘溫無毒注填精安臟咳漱[illegible]
利竅益陽勞損補　生于石岡岩中乃石汁流注遇寒而凝精白如粳
石床俗名意罗硫氣味辛濃有毒推多治諸瘡并止血
痔虫白帶產難催　浮石名罗凡砂浮氣味甘平
無毒畏降伏祛痰去目昏痂淋腫唉能消退
代赭石名羅凡輪香寒無毒最安魂屏邪風急除崩漏
腹痛癥瘕效可言　石燕俗名罗燕核甘涼無毒治
腸泄諸淋濁帶目昏盲產難手持踰立下

石蟹俗名畀蛣 鹹寒無毒蠱中花青盲藥毒及癰疽
病瘊產難皆療妥　霹靂碪名䃌尋烈味平無毒性
剛烈能安驚癇殺虫旁通去石淋并泣泄一名霹靂鍼
鹵部凡四種　盬食俗名實畀海無毒甘鹹寒可
配氣逆積痰心腹疼蠱虫瘡腫盡消退一名雪塩 一名自塩
硝石呼名實意硝苦寒無毒性沖炎能除喉閉并脹胃
積聚淋癃冷痛兼一名硇硝 一名丁硝　朋沙俗名意朝絁辛苦
微温無毒聲積瑰積痰喉痺硬惡瘡目障並能医

黄俗名意羅生有毒酸温氣臭腥正治虫瘡除、、、背冷強陽補損鎮兒驚

人部　凡六種

乱髮俗名𦓐𦓐鬆微温味苦性無毒通開止血鎮皃驚雜痈痘瘡功甚速使燒过用若生者大毒入腹成虫一名血餘一名髮髲

爪甲呼名意參㗂甘鹹無毒善疎開催生止衂通淋血昜痫傷風脹立瘥使辰燒存性碎用

人牙俗名意㗂𪘵微熱甘鹹有毒浅能治瘡乳奇痘陷虫劳瘫盡悉皆平

不糞呼名薏糞取微寒無毒善宣開傷寒狂热并瘧毒
差陥劳蒸湿並痠　童小便羅渃帯祂微凉無毒潤
心肺除劳定喘去癥瘕止血殺虫清热氣　用童男六
七歲以下壮健者佳使辰初啟溺頭曰煎湝及將尽辰
日後滓勿用只取中段為佳及溺赤濁勿用
乳汁俗名覔渃洟甘鹹無毒性凉許補滋荣衛療虛孝
兼治目疼風喋語

嶺南本草上卷終

新刊海上懶翁全帙卷之十三

黄柏　詩曰性苦寒皮舍去先固欺寮酒欺童便固欺生用調蹎症瀉火膀胱熱可安降大滋陰共下血湿蓋骨節治強堅涼肝明目瘡蒱色殺欺品垂庄敢编𠫾沫南凉共重奇脯核𡛔渃本蒸先

黄精　詩曰南藥黄精𪽝𠫾参法𠃣去𦀓去中心塗粒切𣎏烝朱劌𠂻渟欺劳底養矜大補日年妄臟腑劳傷五七庄辝侵性𠰺仙草山𡗶号揷吝拱先罘号𣘃

黄力詩曰助脹買達号核脹性甚和消固热烝㵣湽和溪朱敬蓌劄烴或浸或罡疟疟墱疝氣共温氣年静年平庄固呼

蒲黄詩曰蒲黄𫎇𢖵仍芢花旦節罰芭拮底菘樸紙芭吝烝燥热炒生默意定烝些炒𫎇補血生𫎇破逐血除風救萬家。𩾷㹂罡名耳奴性宜新年内不𨻫過

黄蟻詩曰物因常旦准天香王燭和燸号蟻黄滅殺𧏵𧏵強跬性飭消毎腫吏回陽𠛌除飛過和共藥号腫疵

青皮固方物淨溫又從熱炒陰花軍國固聲王
黃樓詩曰黃樓涼性固方冷樸泥要先蒡鱉樸去黑用
黃調浸洗炡枯炒尨卦分生瘡瘡腫脹消蜮又油砒蛇
除狂犬驚
白蘇詩曰荊芥医家不用新椒術底積朱年陳定頭定
目氣風定淪瘀淪瘡表汗淪或散蒸戈空沛勅人又眼
腫吏田春产鍼吐買氣莫損
白力詩曰為白力奴翻蒼泥辛熱各辛溫熱台椒術浸

酒吏姪𤈜包饒湿腫除朱歆柬洗加𩚵覓奴台
白芷詩曰白芷辛温奴固功北温南沫料和用孫棱蕩
淮蕉山府香草俱芝丗旁名𤺔痒来吹婦乳敗膿可去
热消風㐌並祛蛇咬諸腫媄吏補陽明四目聰悪敝𠇮
白菫女詩曰女童蓭法赤童男氣味調虚終飭㮊血白
白童和白槿血紅紅槿拌要三核疠相皐本名旁性奴
温平庄𡢐貪　白槿詩曰白槿𠢞𢹣於冷茹調羡用
奴沫台𦋦𣘈𠢞𢀲朿朱安婦浸酒𠢞通底丕和𢪏世吨

浪莨孛㒷合共葶苙補劳莱

白礬詩曰白礬揆㭎仍花精砂礫飛過味買清目睛爽

風明目㾞火燒湯踰靜而平瘡毒解台共潤肺別性良

医疰重生味奴極酸痰下降良飢五味特安冷

白扁豆詩曰荳腸微温性買貿舍鄉朱尨法家傳乞除

吐瀉轉筋疑更助蛇咬酒毒飜下氣中和乞固飲㛹茶

喫飪吏良緣　無者用烏梅

白蒺藜詩曰苦味弊皆鬼見愁性除瘙痒肇瘡頭包饒

白癜茹蘭𣳔買几盲䕬𢭸劍樓無者用長生卓

白䖳蚕詩曰世號𧿨𡶀𡷨極豪白蚕𠶓奴馬清騷味𦖑

性沫庄群𤿤脯足緜除法買炒吏底陰乾功買切助清

風毒吏除𢝙濕痰瘡癜疵痕去驚癇𤴬痺風熱燥

白蘋詩曰矩辝𠶓号課初分白蘋爲蒸𡶀似銀性奴庄

寒咳極沫金㰁朱𦛌買炒薰包饒症熱除朱敬係几煩

𪽝跬吏春去𦛌去菴朱尽絶蚝呼𦛌冷毒进分

白𣠶楊詩曰樸𧿨蒲抅固尾抅用根浸酒没除樓炒素

烴燥底朱謹助血彈𡜏血破收、血白𨫊紅通矯𤸎共消
各腫奴歹頭性涼性沫微溫味、𣱆奴烴枯𤻻涾油
白葱詩曰葱、白白葱拱矩行、根𦓿葱子實分明、頭疼腹
痛助消定、發表傷寒出汗寔、入藥加行𠃣㬶𢧚、固欺𢬣
𪱍𤻻渣羨、爲䏧辛性嗼涼味、炒熱𦝄凉𦝄臭腥
赤花蛇詩曰赤白調共性毒溫、浸炒酒大買絕衰、喝斜
癱瘓除朱歇、癩疥風狂痄群諸毒藥、包安𠃣包丕氣溫
人物吏咍存。癱音灘、瘓音煥、癩音吏、此癈風癩也、乃

破皮風也，疥音界，此痒也，夏有痒疥，四月純陽用事，五月陽氣始起，是水沴大爲用，故疥有甲，始有疥痒之疾，沴音殄，陰陽氣乱，故曰沴。

赤童男　性温平，号𧀸疠相蒲鳩，𧀸已合白女如前。

赤槿　詩曰，赤槿梭粘性温和，烇烇竜逢𧀸萃花𥛋奴祕術外楕涇，血虚乳痛助于家。

赤桐　詩曰，赤桐凉性号𧀸茏，焒焒𧀸花卒還乘冀動参花梭助血，係罢婦女可䶵㦲。

紫粘詩曰紫粘核梳木連棱柒經柒紂蘋女皺𦵚腠用
根朱歌瀉皺蹎𥘁𦍑腮牒腠共查㤞湛丐共𤵺煮𤑟共
鍼沼沤㷙　一名書算棄
紫礦詩曰紫礦共罡翅覞厄哏劍哏教凭㷙核丶
紫河車詩曰包紏昆𠣖号紫河意胞衣底養昆㘸罯用
火酒淋宗尨東壁懸枯底日夜劳瘵諸虛兼滑瀉初生
根本植培多助男䏧𥘁胞衣女助女䏧用胞衣科
紅檉詩曰論枯紅檉固尾紅㳫種中廚仍紫衝𥛭奴漫

炒通氣血花箕羡黄定安悉性凉味涘解柔热吴囿奇
圍寔可檣　黑豆詩曰黑豆生𫓧節腩巴挠術炒尨
沐台罢有方浸酒除風蔞固格塗㾓助瘧科蹜湿蹎𤷱
岑酒咥用中精好去外彭豆撰袝豆胡椒乀拮底能烴
𪀄𪆷葩　黑麥詩曰号罢粟稜性温冷五穀嗜䏧屬
五行固格吝糾員買束固方㤹醞浸諸經啼先納錦紬
䕶号用課雄王物貴精
青豆詩曰豆青可仍没唁羡乡𪲍𪚚台痪吏冷世濕能

㵗諸僕僕頭疼吏去丐丹青餡箕𧛊利𡰱腸罝渟奴哎
邑瘴氣寧疹痘瘧疽塗吏效冊朱渶亘致罢名

青黛詩曰青黛罢盃底染青酸寒其性質尤清腹內諸
𧿨能掃尽盃椿㑖号㐌成名

青蘘詩曰論祐青蘘号長生木於東園准景清㝵相𧿨
傷共腫脹疼消婦血特功冷

青蒿詩曰青蒿之性共溫潤女腫男瘘作主君祕禙𣚣
衛和沼泜酒炒朱𦙦助𧉿民足催仃目查停旺旺女𢪀

耗損氣神　萵𦱊詩曰萵𦱊辛苦号蛇床下氣溫中
又壯陽逐瘀祛風衛吏塊悪瘡疥癩浸爲良
青陽子詩曰青陽子号果亮撑破歇昆虽疾吏冷諸衩
𦬑蘇濃𩨸毒沛尋𦬑𠰳妙和冷
青魚胆詩曰青魚咯𠆳禀江湖謨衩抗衛和底枯凡息
沙核穷熱毒爲蒸性付水遨遊
烏藥詩曰法戒初欺細課尾畧除皮𢃄買咢咍𠃣君𠓀
氣小便滑腹痛酸疼悒固肩堺淩𦬑撑咢䩜卒蓮樓𦀊

𦹵固兇脊風痺蹄濕破散歆固奴𣳔仃半夏𠜾泠血𡀮

人𧍆浸酒性温忌鉄𨀏隊𠶆　無者用何首烏

烏𧏵詩曰核𣘃性熱毒台罢浸酒炒戈洗下多

烏賊詩曰𩵜墨包髗𡊱淩𡎢因名海鰾性和温甲除𦛌

取燒而散血破通經治癥門目翳心疼常見效宜陳久

用固名吨　無者用牡蠣

烏竜尾詩曰辛熱烏竜𡏧在𣛠𣘃和淥散底中箱能消

腫痛塗外丐重舌喉門奴健強

烏枚詩曰烏枚舍䘮課群嫩衛熫蓮床朱好衰買䘮烏竜共混用性哈鮮渴世間吨斂收肺氣哈調度酒積消除濕痢存号曰梅霜梅罢号果蘇畧奴性酸温（無者用黑白皮）

烏扇詩曰性温䘮奴海長沙捐矩坔烴𢭸底茄治咽喉共毋丐毒吏消瘀腫效台畧固方浸酒固方底双不宜陳久丕和仙人掌共鳶尾草射干鬼箭共𤙭畧達先褸櫰葚形嫩觀歁𤙭鬲埃別些

何首烏詩曰何首烏湯煮包安去皮朱歇吏烴乾黴温

味苦忌刀鐵養老行風号合歡黑髮悦顏長命老添精
種子目明完　一名合歡藤
紅花詩曰紅花之性寔温辛世号桃林卒十分庄仍染
調共染探龃哈清熱吏田春少朝養血功平敍多則通
經効若神瘀血拱消房拱耿去黄朱欲買良真
菊花詩曰菊花准又垃調鹹味苦卉初本乞傳擟袱埜
殺皮渚過炡枯伴浸伴空全頭風目眩熱除速赤眼功
妆止淚先入眼痘除用白菊群諸目疾取黄焉

蕚号袄頭羨蒳花一名節蒳有二種一種莖紫香味芊可美一種莖青作蒿叐味苦又有獨壓青花雜黄唯黄爲貴其花名帝女花

槐花詩曰三公位本植三槐歇世名称官京槐本於唐官都是榔苦酸寒味火而佳方炒方炙方群性方遣燼灰壘症竢痔瀉腸風虫吏殺大腸熱性炒調談

金銀花詩曰藤奴家傳浪忍冬金銀花奴庄全衝味甘瘡毒敎無対買聚葅散数破通

密蒙花詩曰寔朶花箕号密蒙丼和沬渼性喊用虛翳

青盲能功目脈之効驗奴羌從

莞花詩曰羌完二字号蘭花医号𤍶心草意罷

榔花詩曰榔花寔奴号須樺性毒寒台底㦸鉞

鉛花詩曰鉛花本号奴花丹柔𡢻朱紅朴性寒庄仍𤯩

圖青買綠色饒熱毒意調散

鷄冠花詩曰青箱子号是鷄冠寔意𩨠𧻭㐌盘

胡蘆果詩曰胡蘆俗号果瓢枯筧奴𡌽又共閟謨過火

蔎篇朱細末中寒中暑拱皺塗爲𧵑性利仍麻沫過失
朱皺沫庄孤　狗卯果詩曰号果桼𨀈狗卯乎乾桼
号奴㹧珍珠疝㐌疠𣎃共声𠀧味意彡頭乙庄吁
使君子果詩曰性奴𦬑温号果𤀔炒𣳔去壳吏炡𢤞瀉
𡗶加奴連安𣎃痱瘊差飢賊失𤒛痢濁咍清𤻒𢯏特助
方昆𥘶不堪言　無果者用藤及根
橄欖果詩曰果𡰥欖𡎞号𦬑𥹰美性酸温格味常進食
𠲖餅塗瘴瘊消瘊破冷助寒方

葛䕯茄果詩曰芒桑罗𣘃性辛温浸酒和炒底性存夯
疝各重調𢵋歇助彭助痛不勝言川椒喈丕年平奴嘤
穀𣎃消觧毒門　杏仁詩曰杏仁𣳔䏧朱𢬣勤舍去皮
尖湑浸潤烅燥買炒槐散底通經嗽嗽盃饒分大腸氣
閉便難利犬咬傷寒咳肺君温苦性的當得用吁𢶢𢭲
用種双仁　無者用桃仁悪黄芩一名老陰仁
砂仁詩曰意姜砂仁䌷縮砂用竜肝浸買炒過固方浸
酒方𣎃底方浸童便方米和底助安胎昆買沫拱咍養

胃養脾多止瘡止痛腫消滅通瘀通經息拱和性奴寔
温涼沛浸廣西生產計恒河如無者用蛇床
酸棗仁詩曰酸棗仁異種視常諸藥助特吏鹹香調和
五臟安風湿除去心煩療七傷味性温酸名小棗亦[illegible]
去壳白精湯多眠[illegible]用生其性若不眠炒用買強
如無者用忍冬藤代之亦妙
荷仁詩曰乾荷井味沐麻潤苹蓮異藕皀如銀蓮房剅
奴恪蓮肉紇沛炒戈去補心理胃健脾共止瀉清心養

氣爽精神蓮房烴底朱枯燥止瀉徹温消腫身藕節寒
涼調助熱安心補臟味歹君
紅橘仁詩曰紅橘仁皆䊸橘灰雖良補助固饒味炒枯
去脯散朱末疠膵和包春吏田　一名橘紅用皮
益智仁詩曰論枯益智性温辛䊸董達棱紆䊸仁米浸
炒枯共散末中寒中濕合為君定神定氣怖驚靜遺溺
遺精嘔逆紬　桃仁詩曰桃仁之性本苷寒温水些
用去脯刋積在左邊除死血桃仁為主另千般血瘀吐

痰堪用療通經潤滑大腸安
瓜蔞仁詩曰瓜蔞之性寔溫潤咳嗽痰涎作主君逆脹
喘痰肝冷濕食消安寢效迹分
荔枝仁詩曰良合果經木園東紇奴罢仁去外紅塗炒
能烁朱塊溢助昆疹瘟乙成功䂍調瀉痢通腸結性敏
酸溫拱破衝　老柳仁詩曰老柳罢紇果樺唉袱底
烁枯用買神烑焻庄台爲畏火殺虫下氣是爲君山嵐
瀉痢用柳老固老核柳買沛旬瘴瘧熱寒艄拱助柳樓

罗枫𣘃𧊉椥椰𣘈果辛凉性破氣驅痰逐水濆後重
轉除𧊉吏𣘃辛温等症咯曾分　無者用只壳
竜蓝仁詩竜蓝罗仁菮蓌尼几𢂞梡涩奴塗咍
茅根詩曰茅根寔奴枫梓棱𣘈特黄連埃别庄性沫和
冷毛去涩煮炒烴𦝄劄朱曾除皮血𡗶共劳熱𠕊中强
台南藥弘　木僕根詩曰僕又名罗太僕根温又之
性号进分大人小子瀉共痢𢲫呸調和痰吏春𣘃枫炒
枯烴拮底四𠕊瘟疫效埃朋

（此頁據中國國家圖書館藏本配補）

蝴蝶根詩曰𧍋又棱萁木覓唐祜賒撐皂擤花鐄婦人
血白寻朱特痔痗連停止息娘浸酒連炒烴拮底瑱𦓿
疹瘟拱安強　百解根詩曰百解根祜味苦温一罷
淩𡓁木連梶或棱或桃或罷紇除息除疠除瀉門中暑
中寒共鬼射共埃毒藥去昆虫　一名野苦練
乾葛根詩曰把欂埃丂乾葛根味丼和沫不宜陳傷寒
發表痾瘟去止瀉麻台解酒神疹瘟瘏婁調替將淳蓢
痨热粘湯勤　葶根詩吕葶根号奴桃棱䓀蕔用多

餅紩𠫾紂矩奴助瘧共助丐大寒性意補劳才矩宪𢜠
糌台調臟火熱調和中暑佳
橙根詩曰本号橙根意枫𣘃性冷酸苦底存生助呼助
吐助猴痛除息除房除失声。俗曰四𠶆咳嗽不通枫
𣘃侃古失声不過牛膝活媒痲泜牛膝𦬑𣘃
百部根詩曰百部根陶課胸邑去心浸酒法医家係𡗋
痰嗽除朱歇淋閉調通效庄𠼦
茜根詩曰茜根本奴号金菴性奴温和涼血紅除熱妻

共除吐血刀傷拎帚乜鍼功
霹靂根詩曰霹靂根𠀧尋烈杌𢃊術沼添割朱秋猛粘
麻拮底中箱鬼射氣瘟調助聾
救荼根詩曰補杜根𠀧救荼根𢃊術浸酒吏炒純固埃
腹腫𦙫朱呟爲奴溫平消十分　一名黃芷根
櫻槐詩曰似椿傘奇号櫻根味苦仍麻沫十分燥濕滯
崩共滑脆膓風下血溢精勤
木通詩曰鷄膓草号𦝄鵴續窖𠀧名達去皮𧿨陳久不

宜嗃去膮通經利竅開門哈小膓熱閉漕蒸屬濕治頭
疼下止尼共号棱縷寒味性小便溺血氣和嗟無者用耳、拋皮
木瓜　詩曰䕯腑𠮩罰樸買豪嚬拢之子木𣘊高署朝濕
木去心滞浸酒咍停黙症吊霍乱轉筋共脚氣腫浮膝
足力無曹包饒骨節胃調跬𡗶味酸中奴性淆無者用桑寄生
木賊　詩曰味尼葡䕯腑𠮩罰烓燥能貼渚底湄陳久娄
𥐇乡買效𦟐停𡛔浸酒埋初益肝退翳目經止耳味強
消積聚除　無者用槐花代之

木鼈 詩曰論貼木鼈性𠃣温去壳些𠃣蕀買噎瘡毒乳癰埋仍紇腰疼足腫用根存紇䏧塗𤺭痲底枫奴𤍌戈朱好裊防已台名共紇戝𠼤塗欵䰟底尊又

桃木 詩曰北國桃園結伴賢紅花㷔緑寔桃仙㷔甚𠠩咥𠦳升上梗奴徐咹疼痛𡄎

木綿 詩曰木綿名号種絲𢢆婦女用𠓨討𤺭頭血白吏紅消血滯爲𥿂性沬𤍌𦛌𤍌白絲木号名核桔芰幼𥿂䗸暑豆萎

木牛 詩曰木牛世俗号蒲牛毒藥除𤁘

𢵰於頭閲𧏵鵬𤈜炮㶶振安悉庄悪矯群踈
蘇木詩曰蘇木核𣘃本号罢助消悪露破癥瘕能行積
血月經產性味𢀭鹹𫥨跌加祕仍𤑟黃麻浸酒益朱男
女犯旁花　棕櫚詩曰号罢核术祕蒸良炮製用𠯇
浸酒之婦血特如𠯇性沫埃和痔瘋吏當𤈜
老枚詩曰老枚木号奴核麻性熱双離湿腫除因劳𠯇
𢖖㧣固勅退消吏養補中師尼倒哏保朱麻別歇過𡢻
𤈜氣拱虛　竹木詩曰𢫈刀𠛌祕蘇𢫈用竹茹精𤇮

喆底用咳嗽助消𢅎嘔吐胃羕能止䏧寒衝熱頭不㝐
調安𡴯別制精椥竹點悉撰䄂椥嫩和溇浠意罢鈐𡨸
咸朱沖陰虛夂汗熱煩渴除熱消痰意固功
青皮詩曰青皮些䄂課罰邑熱水些用浸湊戈穰去色
𡗶心吏去油埃夂汗吐連瘧能攻氣滞吾寒性寧定肚
脾　瘀食加性吏消堅清毒味宜新陳夂恪台罢
陳皮詩曰陳皮法恪性青皮湯煮溫又去白㭍用䄂𡏦
𤊡㵢渚過清痰助氣庄胡乏白㗂順氣共寬膈白去𦬑

脾痰洗之紅橘取皮貼槐炎弁温性本号陳皮
橘皮詩曰橘皮号辂脯橘灰外核紏袚脯宪回制趁朱
涇割朱飜浸酒炒烓朱参来息症巵除疬膵巵乳腋巵
葉脹心畨　松皮詩曰松皮共号脯核樁松骨拱名
意磊樁湿腫能除丹腫去息浮能下痰能攻松脂香郁
氣消腫八地千年琥珀紅
地骨皮詩曰地骨皮号脯枸杞論祐中冊寔寒味觧敐
退熱不拯着有汗骨蒸寮血已更有強陰滋壯陽回春

萬病没蓋拷　耳𣘃皮詩曰果棵𥜌哈𤷱拱肴助方
浮腫吏𢧚消性溫破氣破除疫冉膸拱散血吏調
大腹皮詩曰庄祂庄𦹵大腹皮去心浸酒乏𠩍期黑青
豆浸𣳔朱涇𥳒囘鴗鵺糞毒之其味微溫浮腫去膈滑
胃健𦫼脾性𧽈畏天渚朱祀陳久良和次一宜畏人參麥門冬
茯苓皮詩曰皮茯苓𦓿𤷱茯苓護術揹𧙊底朱明固𦹵
豕痛些多束皮沫皮溫瘴氣清
𥞪𥟉皮詩曰皮宿砂𦓿𤷱宿砂助方浮腫效哈𦓿𦹵

𣘃渃麻些浸散吏炒枯𤻻湼𪓰浸酒浸姜空熱疰𤺳彰
腫息破諸科　荔枝皮詩曰一𠄼補核補紇終名荔
枝皮性熱𤷱𤵖進官郎咹疧𦖑助方𠫾㼀奴成功油𡏧
浮腫庄喑𠰘𤻻吐共消氣特通渃蜀叔川生産跡代唐
妑子種園東　酸角皮詩曰角皮本号𦖑𡗶㭴㛪渃
麻用庄𠸗茶消渴疰丹共𤺳息破散浮腫中方看性温
助特山嵐氣北伐南征埃敢皮
五加皮詩曰性寒意奴𦖑𩠴鳥隹又常生𤻻沛尋法遣

陰陽爲助腫除痞痿氣固功濟益精止溢堅筋力健步
風痺痛吏兼止泟拱的埃敢敵吏咍㛪渃吐強淹
又有一種名核檜吏証五萬埃認祜共噲加皮保朱别
用奴𢬣欣脯𩑛鴟吏玄参曰核檜香非藤非木有小刺
爲蘺用七製来湃浸一宿姜汁浸一宿好酒浸一宿童
便浸一宿塩水浸一宿白礬浸一宿皂角浸一宿後以
白塩汁洗過晒乾用之
桑白皮詩曰桑白皮夲脯核梡㓹歆紅皮渃𣘃杜朴𠹲

𡥵中和浸𧏵渚朱刀鈌忌嫌饒𠀧辛𠽍性禁陳久止嗽
除喘效𪘵缶瀉肺火邪功不淺名秭啻如夫述
牡丹皮詩曰牡丹打歇去昌中酒洗炒枯桔底用散末
底防消瘀血味常庄𧀒婦經通骨蒸有熱共無汗方遣
炒戈買底用丹底炒朱丹恪底胡妥反忌莫争雄
又畏兔絲如無者用官桂代之亦可
榕樹皮詩曰論車榕皮另𡥵𦝄𦝄菴次一好台𠽍助方
浮腫共疠脆瘴瘥山嵐咗共瘥産後腫浮消共效蕪荑

䋦達法医家　白竜皮詩曰白竜号奴𤽗朱邉破氣
消彭息吏安大便𢈱通用𢬣奴𠀧員束茺効當前
髮毛皮詩曰論髦髮皮号逮嵬血餘拱丕𢈱堆田助方
衄血埃戈女燒散𪌁炉吐買濡
秦皮詩曰秦皮号奴𤽗核加味苦寒生處又多𢬣底陰
乾和醋浸眼痒盲目淚除𠶖
訶子詩曰訶子原来味苦台𢶢腸止痢奴調台吏除痰
咳共喘急降大和肝欲肺𦟐㬋㾓麻㭲朱細末加𢀨湯

東買安訨　如無者用橄欖代之亦妙
栢子仁詩曰栢子天朝味奴苷補心益氣女共男扶虛
斂汗除驚悑五臟調安易笑談栢子仁嗣生每准本初
蚪跡於河南　葵子詩曰外䣊東軒每景奴花黃內
紫茄陰枯破散木舌催難產紇奴疏通藝吏塗俗噲麁
喋噁本另台消血腫庄群孫不宜陳久無辛味友打浮
萍桔渚朱　楓子詩曰本牿楓子紇留迳妙魹究黜
去脯安别性溫又油砲丕除風域又痳瘡完一名大楓子

蘿蔔子詩曰蘿匐妖台種𠰳㝡矩𧘇餒沫割咹鮮紇𣛭
妙過底乎東兩腸痰涎作主斜破氣消彭功固奴疪𦬑
痞塊沛用𣎏性温名𠸜竹𦊚号路市鄉村達号代矩奴
胡盧巴恪㗖共名葛匐可推制
蔓荊子詩曰蔓荊寔意紇覔音舍椒撓術酒買溪半日
炡枯和𥿗底白蚕痺湿庄群侵痰頭能助拘𡢐症淚眼
能瘞助痛心荊子論袑常味苦尋𡰶𡑝波沛良箴𤾓烏𦬑𠀧𦬑
五味子詩曰圭𠰉菜餅共稔餅子皮肉固性酸耳𦵚𦲿

辛苦味兼五炡燥浸焙代黒南久咳虚痨調毎庄生津
止渇化諸痰固吐庄皺貪吐過底閉風邪虚热堪鱉鳥
蒼耳子詩曰蒼耳核些闷癘青㧾黜紉渃煮朱渦筧冬
暑沛㙇收謹一切風奪功最豪㭍助風瘡衝浸吐中皮
風湿料方炮紇妙散末些偒底浸酒消風止疥瘙
決明子詩曰意紇蒙罢草決明性芇明目助青盲能除
肝热能收淚鼻衄才兼止血行十月十日忌天麻採取陰乾
牽牛子詩曰紇筅又号奴牽牛方遣生用方遣炒調沛

去皮麻散末便通秘積氣雄殺腫消水利祛虫蠱痃癖
驅除壅滯休白本屬金遲效斟黒葡屬水速功高姙娠
忌服千萬保味苦寒台奴敵仇
枸杞子詩曰性冷枸杞助陽興秘果宪衛修絆蒸蒸又
晒又竹𠀋蘇浸酒旬鼎消氣仍爲性耳温先酒洗添精
固髓目明瞪無者兎絲子代之
紫蘇子詩曰紫蘇紇奴味常辛消痰除咳氣添潤心腫
吏調邪欠降炒用麻底矯虫咹

車前子詩曰論味車前紇賜蹄性寒鹹東助御圭大便
能通小便利眼赤能和溺澁齊蔑奴助歇欺沛𤄶紇炒
蔑底従常例　牛蒡子詩曰浽味𠲖𦀨意有情牛蒡
大力鼠粘名味辛有毒諸瘡治風熱咽痰瘾疹清炒尬
桔𧏾朱塊蜆能炡蟜蚊買鹹冷
練實詩曰莪兜苦練拱春兜性毒双禽助痰年枇奴性
寒除積聚殺虫止痛涇漓又紇朝味苦利蒸水中湿傷
寒疝氣收　鳳仙子詩曰仙子𦀨罢紇𡢐𤴬固名楊

氏指埃哈春花瓱李都鮮卒收紇梳術散底尼𤷱胮時
用姜𤞻旺治方蛇咬沛塗𨁡
芋茄子詩曰茄曳園紙紇持拎畧鍼𧙕渃沼麻搖性常
熱毒用鍼蘇癥疾塗叺效到今
戲茄子詩曰論祜茄子紇茄鯇助胮疝氣𣫅歇醒或火
酒吟些底用或㐌炮散默埃仃
毒藥子詩曰号茄毒藥毒哈㐌用爭麻咹毒吏戈遇狂
犬咬𠯿蘇助毒能解毒呵浪訛一名仙藥子

火蔴子詩曰火蔴本号紇核荄味苷通結腸潤才催生
下乳咍調特小水能行奴拱該論貝莱葢唆便利蒼嗜
鉏吏潤腸開　梧桐子詩曰紇蔦院又𠇍蒲凡通達
而生世𠁀吨種奴除瘟咍破氣吏咍助特祀房門白梧
集子為琴瑟有子梧桐炒買嗜
無食子詩曰蒲凡固果庄皺唆爲蒼唼翻閦寸分蛇咬
東唆群礴凄紇埋湿紙𣲣粘𢻷埃和疠𤵶用𠄼東欣𤕤
𢤞兜用害人　一名集惠子

葶苙子詩曰葶苙𣦍浪意紇低㜻奚補臟奴唁哈紇朝
辛苦利蒸水消腫除痰破咳㐌喘急肺痷的拱特瘕𤻻
每症奴該𠜭　惡杜仲
地膚子詩曰地膚子性奴寒台𦛌熱膀胱没奴哈㾴癃
皮膚除泟歇疤鐃𤺀撓庄群𠜭号紇耗又𤿭罢奴滲補
精神拱固眉　金眼黛子詩曰錦地罢名号矩補[illegible]
獼拱奴奇𢀲毅埃和骨節𨇒疼痛順氣𨄴𧼋禮北南
丁陵子詩曰号奴陳砂力善恒筆猹号奴紇丁陵傷[illegible]

疠痹祛刨歌丹瘫疠腹効吏弘

竹葉詩曰竹葉埃丂味奴芇一扣淡竹化風痰消煩止渴喘調定退熱安胎眼婦御疹痘瘙痒加奴貝衛公呵㵢唭買南

紫蘇葉詩曰紫蘇之性味辛温腫滿消除不可言發表無双諸氣下汗經不岀冷風衰

鷄蘇葉詩曰共泊荷蘇蘇子乎渚淋萎𦬑味温妝骨羞寒化風痰化頭目能去眩暈扶

酸棗葉詩曰論祛酸棗性温辛午杏祛車自傘蓮𠔭奴

坌㕸台㗂湛茈箕𠃣束效近分 俗曰薨莄

常山葉詩曰常山紫白固缸皮一紫常山梅椒術酒浸

𤁕枯和散底助𠸒瘧庚效欣砒几圭𠃣鞋朱𨮻吐吐動

朱傷典肾脾 又白葱

長命藤詩曰論祐長命蔓疠昌骨節疠煩吐吏良涅𦛌

當昌筋㳍耒丢坌共咥几扡傷 一名斷續骨葉

芭蕉葉詩曰芭蕉㬎𦹵対青蕉果似牙𥞖𩠁体肤𠽖𤍶

東坌査隔幔䂓除疠腌渃城肴

浮刀藥詩曰俗号浮刀似鞘枚助方蛇咬庄通堆埃和
沛哂𪷹用奴旦忍彈妃血吏田
希蔹藥詩曰退浪揄坦号娿妃木於边唐埃别𠸗几沛
打拖共哂跡咥逢吏包呵浪訛女人血暈𠔭斤上咥共
把頭吏特和
蕊藤詩曰名蕊藤𠸗核掉招𦗚埋劍
𧿨世人朕綾𪷹紏濡台紓買𣘃奴良医助疾𦹵丹𡉕中
飠共鬼射把𢝙叉捻助功𦵚
茲藤詩曰茲藤綾奴号鑛核𢜠於連核叩𥙩衛助症唆

聰毛見效淆方疠𦀊吏強瞽
梘綿藤詩曰撐𡎝台皮号泊妻梘綿泊後固𠯫頭助瘫
助腫消㽵又除热除房效毛又性固温和虫蛇殺助皮
傷跡奴㦨求　赤朱藤詩曰種号吏𢬣於𠰺羗𥙩術
或焜或炒香㦨花㦨疰浠烨吐朘樞朘命吏𨁪強性奴
温和庄固毒𥙩中㵢浠課唐眯
黄竜藤詩曰老人娘預氣連興第一名扶老吏增㢜[illegible]
運疠撥吏𨁪𦝄巽𢬣瘊吏安平𥙩術浸酒炒粘𧏵𤳆㛪

調用爻老庄性奴温和空固損袪唐鋮吐炎連斤黄老
條号綾六又查晦𠃣詳買劉仍
忍冬藤詩曰白鬚𦓡咯忍冬藤花号金銀黄創徵内外
丐癰疽發背用枝底黏庄炮蒸
医草詩曰爻灸生年垃世間腑𠰳椒奴課陰乾茯苍米
浸共和蒸治瀉安胎号白般漏血心疼諸症愈驅邪逐
鬼每方安東宜陳久爲温性固方水臺查爻盎盖消水
令圓以回日爻承之影得火故号水臺又医用爻灸灼

一為一壯故名医草　与候考

益母草詩曰号充蔚𦓡益母名木葉陰乾用買冷核奴

物吊䔄莖似蕚花梳𦬑節清明禁湄禁爆撩鮒炫不夂

宜斳年内停產後胎前鋮益母生新去蓋特長生味蒷

女血乡科主性淡滋陰屬正經次一白花葽吏紫法乡

去檜去花撑㐌枯散末忌蒸鉄固格乡膏煮夂成

蔺胡草詩曰帖地名𦓡鮎揹天栝鏤𦓡号性寒安䔲䔲

矩勅去毛淨炒浸哈停黙痖年底丕中陰除火燃浸[illegible]

婦女助成仙、夏冬黙用南台北、性味咍欣柴典前、
燈心草詩曰号𣲷湿细貳平羹、味奴廾咍世沛用癰閉
成淋通小便頭䢂湿腫特安冷、
牛膝草詩曰牛膝初吟䩞固名、号罢䩞絆啫浪清陰乾
助𠀧𠹾痺湿、脚膝腰疼哇吏冷、味苦益堅陰共補下氣
虚弱主分明、性台忌鉄、𢬣朱𢶢、補善共炒浸酒成、
蛇床草詩曰蛇床𧋆紇底𢶢炊、性奴辛温庄毒帝、腎湿
陰痿消疥癩、祛風逐痰止瘡瘙、無者、用紅㰌、

夏枯草詩曰枯草名称是葭棱辛温𢀦性固咍庄𧺀欵
衛虐瘨疬痗押焒麻坔吏塊凌 一名廉草
玩月草詩曰賸紫𢀦名氣味蒼連撐𣦆紫女溁歆埃和
蛒哏查共旺吏𤎜羡咬破氣侩
赤面草詩曰論祜赤面号妃妸榆坦共饒𠬠化𠹗咍助
跡傷共𨂼打吏囬撅楢𠬠弹妃 一名希㕘草
八耳草詩曰沫台耳草粘慢朝中暑調安下血頭共勳
生坤圩旺塊四𦁂熱毒𠀧瀉又 一名清平草

鷀蹺草詩曰䟴鶖罷名世㐌盎包鐃咳嗽助調安
金沸草詩曰金沸烴枯桔底乡固名旋覆室安南性寒
止咳喘共喘止嘔除風眩目痰枝子花𢀨名沒梢痘来
入眼汁共珥
草膏詩曰蓖蓍埃考意草膏常又撼詔納茹官枇𣙺寒
味助方中浸酒共炒底制寒
沅共草詩曰論祐沅共伴菜公助几刀傷買沛蒸共助
女男弁上血把頭下氣沫台弄

三稜草詩曰京三稜亦草三稜耶渃罗的味吾澄醋浸
共蒸炒底燥癖消血利痲通恒助消滞氣共劢脿淑𧆄
茶涝渚代藤　草麻草詩曰草麻𤙭奴爹油油𦬑台
除𩰫紫強年紇底催生強速效祛朱明白矯咗餞
鶴蚕草詩曰鶴蚕名号𦓡祛𡰷伴共吾練治瘫能咽鞋
急痛𢶢用奴瘟毒貼之众味育助方鬼射強咍女人吻
調用包別𢬣　竜胆草詩曰草竜胆号罢生吟味吾
寒台𣇜古今眼目赤紅疼痛去肝經湿腫下焦傻婦人

產後血經瘀勅吐連通寔庄𠲖
桂香詩曰肉桂㭲辛奴於頭𦝄去肉用保初娄善通血
𠢞吊欣女腹痛虛寒吏效𢧚微热桂心温治息吏皆藏
血庄群求桂枝便可舒筋骨手足痺回止汗收官桂篆
之調特奇拱合發汗治方疝双𡿨本性克惡白胎孕炒
戈矯害饒生於桂林仙友号廣西罢處近南卅庄仍廣
西生固桂越南清化火之𤎎
香附子詩曰一名香附香一名傕頭香亦号青沙草又

名根砂草詳味苷名鮎構梳炡毛傷去毒先米浸忌鉄
另刀鎗房室童便浸婦血四製良次一炒鹽浸次合炒
醋浸次甠炒便浸次罰炒酒糖附子炮附散末底中箱
調經共止痛宿食薵開張産后共氣塊四輔助萬方
無者用澤蘭惡黃芪畏蜈蚣
香薷詩曰論味香薷性奴辛調和煩熱助良民暑傷吏
利小便澁霍乱堪除水腫泯
沉香詩曰南味沉香性奴温通天徹地世人喠追[illegible]

胃除痢膝降氣門共術氣門氣塊消除奄固啃名沉畏
失拱驚魂攬卅府意琼山産遺跡南邦出玉琨
沉竜骨詩曰沉竜骨号𢷣昌蟑痢膝刼埋忌失爣
沉烏梠詩曰性之辛苦号沉梀破塊除疼畏失燸
沉酸詩曰沉酸罗核蔪波南除疾破塊焒仃宊
茴香詩曰小性温而大味辛一茴八角二六云胃開止
嘔大茴𩛷𤇊胃温平性若神腫痛膀胱茴大力腰疼腹
痛小茴俥盐湯炒過小茴本或浸停咍茴大真𤷱氣能

除面丸小、若平脚氣大相欣
山三、柰詩曰山三、柰号地連香、祕矩烴枯桔底箱、天地
氣温相奴破、血廾眩暈爻餘撰婦人櫶底防𢿛急破氣
爲𦏲温味強、停煨煨炒爲畏炗、散来入藥效饒方
霍香詩曰、霍香之性寔辛温、發散風寒霍乱門、嘔吐除
消香買效、不宜除久本初吨、無者、用茅根、
烏桕香詩曰莸紫海株蔓奴長、几浪株紫几株香、各毋
拱特没丹腫、降氣消浮效熷𤈦

澤蘭香詩曰澤蘭芬苒本外園味苦而耳似東仙瘡腫能消扶仆跌虛浮善助肺肢安婦人血暈痰崩下產息浮泻血吏瘥急症催生圬咗出埃和厚甚舍塗連

菖蒲香詩曰論石菖蒲奴性溫繚䏧凡殘於連嶽除風声出除言波通竅心開逼通湿門畏鉄桃散毛去涇吏台畏大制欺存　一寸九節者佳菖蒲者名菖陽冬至日五旬七日菖始生菖者百草之先也

野菖蒲詩曰論野菖蒲性拱溫痨形礼厥木尪又頭疼

𦬑把氣連降瘟疫菖𢭂物吏存用矩割炡枯底積防欺

鼻塞重声完

草菓香詩曰徙呼罗奴号黄陽截瘧除痰風癖瘴消食解湿共破脹用皮消腫肉除傷廣西慶達罗圭産北國妖平種玉黄庄仍北朝生産奴坦边南越拱生常 無者用常山

當歸詩曰歸北歸南恪固东歸南温性北温凉山𥘀罗号菖蒲反黑土洗除割沼膓分𤯩婦人炒浸酒肥人瘵嗽汁生姜四𥽇中热童便製皆去芦頭矯回傷止血上

行頭可用破消下走尾爲強身和養血中和守虛則生
扶瘀則攘惡血生新心定補血虛左瘓攤能祥老人和
減歸南燥歸地和朱歲壽長　無者用黃姜又海之澡牡瘋
蓬朮詩曰爻彔生戍吏紫豚昆罗蓬朮媄罗莪味溫而
苦破痃癖通瘀調經吐痛邪或浸童便能醋酒黙些料
症婦人科　南木香詩曰苦竜共号南木香袚底陰
乾意法需吏去粗皮炒止瀉名罗脯突国中臈煮膏取
特饒方塊痛瘀強能學沛詳

松脂詩曰松脂味意本蒼𧺀瘟疫灰星庄敢𠰘𠸍体香
膚除悪氣痛心腹正㐌飲圖煮膏破塊破柴梲号瀕脣
耳松達朱　蘭草詩曰核命蒡榮百花班幹乂花蒼
故曰蘭乂𠀧巴花蒼庄固奴名罢惠号山蘭又高雯惠
伴枚竹要寺妖𤅶𥐧惠蘭味意沛蒼除盅氣息消痛解
罢香蘭本圭孫竹性賢行底跡夷脊㨂惠蘭
藿香詩曰山西隱永惜其香割曳朱𣦍舍沛傷别散底
外爲秉𦬑通經開竅助寒陽性辛伐鬼安驚脯罢丈𠬠

麻鮮毒方火蒴味灰強沛忌不宜陳之别朱詳無者香附
茵陳詩曰莖塵買改号茵陳為底朱娄買久陳各脉拗
被為味苦共貉香草扶茵陳發黄發疸能㐃主生産天
朝一湉陳　湉鹿草詩曰匿名蕘韮号昌淹味苦辛
香鼻特通血壅能除諸臭氣戈頭時補浸便童
韮菜詩曰韮菜罢滌助陽通鼠糞加飲治洞房葉去心
祛根勑咗陰清陽易命延雄汁清瘀血職仙菓子㤙遺
精胃熱攻性本温和通泰氣射香阿魏渚朱共

白𦶀香詩曰白𦶀共種降真香用奴夕樓閣帝王除濕
除浮除血塊破疼破脹破通膓性的温氣麻能順木於
𦹵西南土熱 胡荽詩曰胡荽偕号氣味辛鱠欠珍
饈奴哉味丹丐丹腠毋息瘴或除或吐或方𦷾
石蜜詩曰論祐石蜜味丹平八藥常𠚢煉蒸恒潤燥安
神安肺利補中益氣益心能小兒勧保侍朱吐化痰𦷾
臺庯產蒸白蜜蜜蜂蛾束製隨務沐肆𡢐吟增浪赤𦷾
撲𠱋蜜様白蜜台黄 礼進斗

石羔詩曰論石羔其性本寒損虛𠃣主效諸般頭疼胃
火能除定發渴皮膚解立安性畏火𡰢外散入項疼加
補旺連散　無者用石冬畏巴豆生鐵
石乳詩曰石乳生咸玉文歌性寒麻沫解煩嘔底埋助
𣘃四翔熱散刹拯𠘯兩乳痾行李爆剛勞熱渴埃和埋
旺塊頭疼性咍畏火散塗外補中湿臟效強毛
石蟹詩曰㐌𥙩蟹𧋆性寒冷吏固先盈藥生埋助小
皃柴熱毒散扶父老湿庫明油埃中暑共痰咳特奴𠛌

安補七情畏大散耒咹仕吐補飭身体吏分明　悪巴豆
石泠詩曰寒台石泠拱鍼用瘴痽山嵐硋熱洪禁味大
寒胎婦姅拱衛畏火散外空
石斛詩曰石斛初吟本味苦去根酒浸法常夂軀泠閑
寒虛吏補定志除驚壯骨堪石斛蜀生浩每准汝寧本
府跡河南　石薩詩曰石菩薩本号菝葜埋助腠倉
意束年浸酒拱鍼腠拱色包饒骨節庄群疢
茸露石詩曰茸露炸茸拱号戢製炒鬆格大先蝦竜府

外糾黃鶯煮、𥙩黜童便浸炒戈固格查飠中鉢醮、㪚末
篩𢪱助民些、目盲目暗目疼𤴬助歇凌又祖途避、
九孔詩曰九孔生黜准海有、一𠷍九竅拱挑術性涼温
沬撥奴性、彩伏竜肝燶焒彩浸𩚵童便篩朱𢠩目明達
号決明医、　伏竜肝詩曰坦中烌号伏竜肝、焒𤈜店
𣈖歇氣寒、用水彩戈篩細末、小兒塗吐夜啼安、異埃生
産生坤庫、吐特連黜助症難、正伏竜肝𢬣買用、渚用竜
𡱼烌炉炭、　牡蠣詩曰、渚𣻆生成号丐蠔、微煅寒性

散拋又老痃腸痛奄除去疝昆蠓螃吏豢疢止汗淡精
強助特埃和崩帯吐連救　是麻黄
代赭石詩曰代赭畧侖點冊吳味祧鮮卒伴共儒性寒
常沫除邪熱破舌傷喉歛共塗几被火湯尋特奴合共
椿墨買功救　硇砂詩曰論事硇砂本於嵓性雖固
毒好蒸味破癥消壹癰𦉆瀆爛袪除翳肌吏培
硼砂詩曰硼砂本別仍味辛療喉腫痛奴召君熱浮聾
上救功速瘀火居中効愈勤

雨雹詩曰紇湄罒砵課務春䙶蔓芳潭浸米陳埃固熱
芳共熱蕃或罒焍圾或湯粉小兒胎婦仃朱用奴铀寒
冷損进兮　雪鹽詩曰渃波潑鹹吉皀鹹製飲食物
王安南浸共四物𠱊鹹卒塗散胸中血聚痰腹痛常行宜
㦖求心安藏鞋毒除疕双胥多食損顔色皮皿𤽸退渚
固負一名白蜑　海蛤粉詩曰近海長沙粉肺潑性温過火
八便炮散朱細末逐痰失降失尤能去熱炮
陳壁土詩曰壁土用陳久壁東東彡铀䙶貫鹹功瀉厨

火𤒛塗共吐包石欺穠八火洪
陳土竜詩曰土竜号奴蕖蝓祐性沫浮腠奴特塗几[illegible]
山嵐乡東觧欺培各石紟包蘇
百草霜詩曰百草霜名扔昧坳撑銅皮帶𥙩乡魁[illegible]
篩吏味鹹東腠祜腠𤸎渚血催
石冷詩曰固名石冷性沉寒白色䎵鹹補雜般湿熱可
除能剩竅療煩水瀉渴連安茹育外渡嶷逢産意玉[illegible]
民助熱乾　山長詩曰大鳥汲葬吏　距粘汲正距[illegible]

巴蕘蛇咬拱肴腠拱塊丐丹強效瘴強安性抝温凉
空固毒炒台底駐𪓇方鍼　一名山阿

山藥詩曰号名薯蕷性㺯吟彝准山林隐爻命止瀉每
調功極補中諸藥效由咸理脾益腎号矩埋吏号乾山
藥性名遂忌㺯

山枝子詩曰味苦寒枝子号䰅去鬚去
皮製朱鍼塗𥙩烓燥紗朱烓号奴傳台於准仙

谿枝詩曰枝子山凉和性涓核生谿埿吟朱連野枝寒
苦歇庄重厚懶高核术㑲圂𠁀曲𤈜清生則用清三焦

火用炒煙用根國老和共浸姜買焙乾八小便大便語
譫乡主骨小便秘澁助清源除煩解欝吐烝衂胃痛能
除降火天

山不舍詩曰榷棱罗奴号蜜又脯奴名一名野蕎
罗葦蘂肴瀉痢拱脊共水土浮腠特會特諸丹
山豆根詩曰山豆根罗矩豆犸固名金鑽玉題標雖淴
味吾療諸症吏殺蛇虫膝痛效
山桂詩曰蒼貢核山桂号核檻性熱台除氣冷盈心痛氣
溫共吐瀉湿痺調特庄群驚 一名大紫姜

天門冬　詩曰天麥門冬共邅仙、𦓡寒能助症劳煩、熱回
肺瘘肺瘫止、水煮除心除腹安、喘熱𠃅和和咳遁肚腸
𠃅潤又痰涎、参山根号良醫達、性畏鉄宜陳久年忌種
蝟皮些可絶、煮膏拱效痰疾痊。天門号邀仙𦀚麥門
号邀仙稀晡忌白預反玄参悪木耳
南星牛膝　詩曰拱没南星吒格次暑生姜焫没𣑱𦓡割
喟𥿗𣾺姜炒浸膶膸炒梳牛膝南攬入南星炷底燥性
温和沬助方痰湿痺後重腰筋塊買噲南星牛膝痰

天南星半夏詩曰祝𪽝南星性熱薰号核祝半夏味辛
椒術去脯割鉞呱𡎝舍蒸姜二日晨麥𤈜白砦共皂角
奴哈𥊚振買鉞純南𧰬風搐調安可共治風痰傷破薰
半夏健脾軀燥湿頭疼咳嗽奴少君主痰壅宿半南並
双中傷寒半極神　無南星用半夏無半同生姜
天花粉詩曰𦲿萎根即括蔞根俗号荼𠠩沫十分止渴
祛煩消衆毒排膿痰失善除根
天靈盖詩曰𤼸𢽼天降枯取好酒和塗灸黄鹹味散𠠩

方旁債乎　胡蒜詩曰𠀧寔胡蒜核祖蜂埃和生産
積除旁始生血瘀铖蒸咗　油息咍腠氣吏通
胡粉詩曰胡粉論祐号粉鈙鼎𢫈手𦖑物旁菲飲圓百
觧山嵐感助熱中方中暑朔性沫和凉和臟渇爲蒸𠂤
奴衩鎔鈙　草薢詩曰金剛号骨硬元君尋准連棱
另隱身散矩底生朱奴沫補旁治中正丹純小兒疹痘
庸空熱瘴瘫山嵐咗沫筯　畏大黄壮礪葵根
南人参詩曰南浪吉悶味苷中去涇芦頭些買用平冷

半温空固壼包饒脉絣助連過調荣養衛氣元補止渇
生津肺热中少短氣虚劳氣服陰虚失動热煩攻氣虚
右痰晄乡主吐血衄行鈍院功
苦參詩曰湽拎粘浸忍收店欸参烴枯性貫厭腧又吏
烴朱篠蟻丕鍼化血庄腓嫌腫瘂瘡疥脱眉塊下血腸
風赤痢兼防已蓁芦㑹凡遊閑饒参亥吏讐潛苦参滌
亥兊緑子味苦哈除氣痛厳
厚朴詩曰厚朴名罗補㒵鷄沙棠拱奴妾温衛商山意

圭生薼𩯀姜汁𤁠𤉕去黑皮浸酒固拱童便浸婦老[illegible]
閉室房宜消痰止瀉痢脹滅截瘧除風效癹齊（無者用麥門）
吉貝詩曰吉貝初傳枝𢹣岸助丹助丐奴英雄鬼衛桔
𤭸𤋾朱𤎖鬼射天𩢰息吏通
乾姜詩曰拱号䡴姜号乾姜先當用𥹰老乾姜浸長流
𣺺𨤮𩢰𤎕切片𤏬影朱奴娘散動豆𥚇和混一味辛性
吏潤温良風寒鮮表除虛熱苦冷𧊉除骨濕強（惡黄芩黄連）
風姜詩曰没𣈙姜伐𠸜姜𢜝巴号風姜拱𢪏奴天地氣

蠱物共歇丐腰鬼射巴塗娠

生姜讃曰菜重生姜辛温之性六神御治毒一稱二臭味三零四寒破氣五又除腥六能止熱故曰姜名嗽瘵嘔吐通暢神明息心止痛闢胃極靈浮腫押效傷跡塗辛肉溢心熱皮外涼清使通為藥多食損精

高良姜詩曰意枝樞蔭号良姜性熱双齊下氣方紅豆慈鉻罢果奴轉筋霍乱助安強温中犲包吨名署酒会能攻吏所郎

黄姜詩曰黄姜名号矩又黄准又土

鍼淺里御浸律疳𦚢用渃粘烃枯𦚢泊助筋強消瘧破
血療心痛下氣通淋奴所長好酒浸炒扶血力童便濡
㑄助氣良　鬱金詩曰鬱金矩又本中黄辛苦寒平
純厚良庄鍼生食酒炒過破血生肌塊息娘溺血𠀧調
淋血理能舒𦘹結助人康
麥門冬詩曰性本耳寒号遨仙温又水浸去心煎去心
圍啃能消肺鮮渴𠀧吨吏去煩虛熱回春登壽域不宜
陳久更無功　又去參集者　用根

薏苡詩曰薏苡仁𠀧味少寒混共糯米吏炒乾圭淋庄
別脅粗粘去脯用仁悉買安真弋热風痺湿特初冥馬
撥腫浮散筋蒸肺痿肺癰取静㵎方南方北變補臟安
神些煮粥吏添助特症拘事
陳米詩曰陳米名罢倉米尼缸铭拱没粘初𡗶性宜陳
久近鲊振味沫和温劳積哈
葛根粉詩曰葛根林産沫台罢去脯和桃朱𦀊點淥姜
點𦼔萎底杞𠃣如勃淥買炷罢埃固热劳和朱吐𤅶嗂

湯㩟黙意些　精金詩曰鐄迸堵烇号精金沛悬唱

斜底吏吟　無者用象牙　銀精詩曰渚南泊沚噲銀精

火症消除沫吏清　霹靂詩曰秪彝烈寔種種天威

除氣磨塗歛四𣎃　珴琄詩曰廣東産物㴱南鐃玳

琄頮枚意室肽　密陀僧詩曰險炒署泊爈生皴号

密陀僧助䏰前　玄明粉詩曰辛乎性氣号玄明縮

垢能𪿒化積清諸熱可痊爲性沫括瘊破積㐌分明鍊

金錫水𠀧皴粉用朴硝共畧匐煮埕糾紙炒過塀括底

店冬露没店成水鎔粉意性共沫底粉馭𤄷𢭂皐精搓
粉吏論拱沫女水銀煉𥙩粉名搓
金生詩曰鑽𪪼安南瑞氣生玉冷𠶋硋隱棱㩫性温𤷱
沫空於大目助光蟯埼納命
熊胆詩曰太原棱意於山西𤠄𢭂窂平𤠄馭尼性怒本
涼爲沫𡨸我沙𠃅息助𠄼桀愚防風大黄
虎骨詩曰埃其尚捨𢬣保譯㘭昌塗酒灸朱黄塗散犬
嗌散驚癇咥塊𠃅𦟐塊弋昌脚膝𢀦安筋吏定追風症

𤵶味辛強　其名山長山君大𡘯無者用鹿角
竜骨詩曰山西岸奇太原棱產物昌竜蔞久徵味苷火
煆催散痃牛黃愛補馬斯烝腸瘂驚痫除風熱崩滯蔞
遺精漏綳　犀角詩曰道廣西棱府桂卅固饒犀角
号西虞鰝生一角名犿滅額上单生泼懶咗角助癖邪
共觧熱性台化毒腫消浮方六止血破蚍毒犀角除川
草二烏　鹿角詩曰用𥚄榆朧朱把台𥚄黜浸酒泼
𠇕駒鹿茸獠果角猕𥿁性奴苷涼咍拱有紫蘇塗戟催

達灸殭健陰陽精益施角主陰陽茸吏主茸欣崩帶血
安羸呆清泄濁吏茸效埃别茸和饑症哈　角号西王
母茸号東王母無者用皮
羚羊角詩曰　羊隱西山居崩下猷食叶帰團糞成良藥
角性凉寒用磨禁火明目清肝却驚解毒神智能安
猴骨詩曰八萬山林意坦圭武侯畀揩骨良醫固方浸
酒固方底今散和淫生日時生底東埋爲解毒中方還
毒熱蒸痺　猬皮詩曰脆蚺埃台意猬皮助方饑

蜘蛛詩曰丐蝠𦓡用蝠於茹蝠黄外岗毒台罷焕共塗
𡗶除桀秋爆散麻唆通便些助痔𣎏安初固嗜脱肛来
朓效功多　全蝎詩曰味辛丐諫号黄衣口眼喎斜
奴助之絲搐癘風瘀毒潔焕朱𠫾𡗶利便施
蟾蜍讚曰丐蛤真温又蛮莫谷城南脱曳欽又蝛蚪朗
峯又領哉𦓡風雨至助特症𠕋又吏哈狂犬咬殺蛇没
奴請皮朦去瘡毒灸散黙恙多
小校蛇詩曰𧋆尚小校性凉和焼散封塀朱謹罷熱毒

瘤驚䏧𧛊助各柴疹疸小兒加
螺螄詩曰補蒸丐蝗於外同入火燒𠩚散底防助中風
共罗中暑𤈜浸之飲便小童悶祛痰燥共痰火淫浸些
蛾入醋㐌悶助疝垂朱絶跡柳根乡渃浸朱濃小兒瘖
首入清棗勅吐台吟黙定悉
田螺詩曰田螺種意固饒各性奴凉寒助熱漬沃硋沃
蛇蝴楸煉沃耒用𠼤助瞳明撥唐中暑中外熱渃吐蝴
安嬌爆命　蝌蚪詩曰螻又坦𡏧娄固号大樑頭丑

諫清明節咍助祕祝頭田鷄𠼾丐蝹脈赤別媄𫥨
蛇退詩曰蛇退共蛇脱意𠼾売蛒律咍助特㑪生𤍶散
朱鍼勅沛撰買鍼良蛒爆𥙩卒一
蟬退詩曰蟬退名𠼾丐壳蝸奴𥙩補壳於務夏土塵𥶄
定去朱歇炒過諸風取脊吏定痛殺痒除热毒翳侵瞳
子吏明睆　蟯蜋詩曰本奴号蟯蜋黄昏喔氣香既
号执軍客又名鉄甲將噗糞蚤既説土猪俗又揚部𠁻
𠼾正奴且𫥨固凡傷頭翅真去歇酒灸痔風膓一助彈

凡入藏作堝鍋置在彈入處彈出入堝熖助針煉果是
方切助彈張　蜂蜜詩曰味之寒苦號蜂㐱鸞癩牙
疼去淨針瘰症瘓瘫膓痔助或炒或炙黙系些
螟蛉詩曰螟蛉稟意祖虷又過火鍼紅散末朱熱毒咍
除共中暑小寒𠸗性吐咍塗
班苗詩曰性毒味辛寒真翅去朱歆糯米炒朱黄通淋
癥瘕散經通血破殘毒物麻鍼束能行水道安（畏巴豆）
蜈蚣詩曰本㧚味辛温㝵真去渚群爆烓𤈞盈曦慱底

功特經原蜈蚣𠱋𠩙蜙踢急功能産 一名天龍長鷄甲

土龍詩曰土龍意寔奴𠱋蝓去土微炒塊𡢼門舍吏𡞕

乾乡散呈山嵐瘴氣吏唉唁 一名蚯蚓

金龜甲詩曰龜背金龜葦土龜泼蹅巴号味耳之商山

隐士通天地洛水祥呈寔固𧵑板奴滋陰共補腎吏咍

顱顖續筋基吏咍逐痧法乡吮飲焰和研朱細微 惡汲參

鱉甲詩曰鱉甲𠱋謨蠕性酸平劳咳散痧骨蒸肴去瘀

崩血鮮包饒痖腫浮㾡呈痤群害小鱉𠱋巴又束𠩙共

丹丐助秘疝秕頭磨水慈方鮮 畏菖蒲皂角無者 穿山甲

人糞詩曰号台人糞又號些性奴涼和臟特和小兒癮瘀乡主治挨咳東垂吐連黜法乡過火底陳久味焰鹹香庄退他

人中黃詩曰人中黃号糞童兒性洙台罡補渚之炡枯炒過朱陳久過火防干瘀痘䀆養老慈虛共東補助毬用秘法良規

猪糞詩曰黑猪用祕糞數鮮法助共乡如糞號

羊糞詩曰黑羊用祕糞埋初方助亦如方糞猪

狗糞詩曰論祐黑狗黑全良方助

方乡如糞羊　猫糞詩曰戴台猫悪罔才過用糞方乡
如狗糞如㺔名糞五將軍号台乡東一方瘟
雄鼠糞詩曰糞積罡花包皐罨宄術過犬小便濃散朱
細末底乡東中暑房花奴特功篩吏去氈朱泾歇𤸫群
呼𠴜買浪攻嵐山破毒詼諸卫破症狂風拱鼠雄
迮龍菜詩曰迮竜尾草号萎茶疠胣𠦳咹固几於𥡗禁
每核共𠼯湛𡟫麻淫浸出𨿽居𡤯咹固丐東庄包用𤈜
茶𦛌竹葉魚共混調查調隔幅芭蕉中熾𦬑篩疎𣋚𪑝

𠡚昜飲坤庫爲𡗅貪唆奄折渚

䕯菜詩曰萎蔓耑羌羨餂常葬樸葬堵面斜陽觧遇毒

茄共祕蔬不可貪多食損腸

海藻詩曰草生海面嗇萎容種固合共海藻同葉似蓬

蒿名聚海性兼苷草冷含衝破瘧陰脹便方利散疵瀦

瘻閉膈通　一名海氷藻

魚腥詩曰魚腥萎蔬号雲臺婦女娀梡養育埋閑血能

通除壅氣食多固損性共来　一名千里面

水蓤蘿詩曰蓤𦎛埃𢖵意水蓤浮栖渃𦹵撑又沫台
𠇮性傷寒助中暑山嵐破熱情達𢖵水蓤用奴埃麻劳
熱味鹹冷　大蒜詩曰生於山南圭𢖵𢘾達𢫈矩碎
性溫辛𠱋奴撩斯烡熄熁化貳為𦹳台鮮𡜏散瘴消㲉
食強言　白苣詩曰葉蓌𠇮𦓡𢖵苣蓼城都種奴於
園花鮮干疠膝為㗒奴塊𠬠共散疝𠬠葩
向陽葵詩曰蓤備𠇮𢫈葵向陽木連栖渃旁如𦼔沫台
性奴伴共丕中暑心煩補臟良埃麻烈久用蓤意沫吏

通便利大腸 一名水蓁

薙菖詩曰萎蕎瑪䏧恪種行性台破臭洗味腥弋頭歹

鴝奴通泰破氣咹羕肥用生

莧菜詩曰法仃壢㕸用壢餌潤大腸台味朿南黙体咹

羕台咹瀑利耒𥹰減庄鋮負

竹菜詩曰㕵名扁畜号胎萊性沫能通淋閉開朿㪽共

台羚𦖑女補中益臟号羕祭

獨脚菜詩曰䮺戶連銭䮺坦名固鐃種䮺各分明渧㐌

斗跡𦓿用奴破毒埿瘡毒庄萷㜑个襖連生味毒京朱
几烈渚唆美　浮萍詩曰淩漣栖渃号浮萍寔意𦓡
蘇春始生風毒破傷衝使浸為烝性沫語連驚不宜陳
久医㐌𠺥淋豆共和煉㝵成
冬欣詩曰論祐果秘号冬欣秘木連棱欣秘些性沫助
冉共助丐乡圓百解效台𦓡一名白欣小者外皮有粉
苦欣詩曰法蚕家傳号苦欣果𦓿唆雜沫台𦓡性台𩛂
毒除方熱鐵奴烴枯㜑吐和

西爫詩曰西来御馬号西爫生𡎝遲村所産多肆𦰟渚
唉麻㷆毒胗青鐵沫養民些　西爫罢茶𡛔
金爫詩曰沫台茶𧊉号金爫几吟仃唉奴吏呼
黄爫詩曰黄爫茶𤞻㷆台罢油孟唉皮渚過多　一名鼠爫
瞽康詩曰命青固肓号剛茶拱沫唉制唉沛常
野鼠爫詩曰意𧸝茶𤞻木外軒中暑房花吐吏安
水銀詩曰号罢落水性寒台殺歇昆虫治疥台斷絶𡀔
𦛌方婦禁催生立效固埃育

婦乳　詩曰精血生昆媄十恩産催呂血淚皺唁餂養小
兒耳味沫東扶老耄補陽存㸃方两乳痛風塊補疰虚
劳羸瘦温益陽顔悦臟安五𠮷打張瘡牌唉群
紅菜　詩曰菜葉堆方圓北南清茗菜吾共温談核形枝
子名生葉蓐号蔞膅呸下痰太早清晨三盞飲拯身技
𤯝御山歲南菜性涼味吏沫酒肉安和進食餠臟腑能
涼安㑗𤸭肥人可減瘦人歆
清酒　詩曰北𨤮温热火温純火食能强过損神血脉貴

通憂吏喜浸調諸藥大爲真浪浮無酒不成藥固朿長
生老吏春　清醋詩曰藚嗜清醋性酸良没覔觯些
吏壮強腫𤵺能消除血彙積癥瘕可去庚方茯苓庄可
浸清醋附子當歸莪朮常𠀧魯𦋦吼仃補丐䤈清共渃
買鐵涼没分火酒𠀧分渃陳久味酸藥買強
小童便詩曰童便渃淩𥚄頭耄来有陰陽故曰童底𥚄
陰陽𤈜制朿共塗傷跡血連通氣凉𤏣嗽骨蒸痓𤸯血
㾍勞遇𤵺雄𠀧助山嵐共産後吏除防室與驚風

香油詩曰論事香共白油油油莱罗奴淡庄謨腫瘡𦔳
試共除蚨𧋆祝台查吏特塗
椰子詩曰水自然罗渃果椰渃空固个渃㪽於補劳中
熱銀蕟恥祛役趁唐燥漨泇吏破熱風共白癜渃寒每
悽病贓除　楓樟詩曰梍樟号核𣡚秋分節泊頭渚
底朱枯過陰乾初可收痒風共癮瘮㷠衝浸矯畯
男子陰毛詩曰陰毛罗枫戋彈翁旦歲中男庄沛穐佐
使陽筋朱益氣藩蘿玉莖吏防風泇恩男子陰毛盛𠢞

特仙人石乳瘡　漏蘆詩曰本漏花罢性極寒悪瘡
悪毒去千般生肌長肉埃戈女共剤排膿扚管絃俗号秧義
王再魅詩曰晋王鍼丐東坤塗助包封朱王再魅本奴
号罢核毒蛤蛇舌字意銘朱
蘆膾詩曰鷩檣堪安癩𤻻安論祐蘆薈氣烝寒東𡗶特
包消餅特昆秋歇𦀌助特垓俗号窓貓
人齒詩曰人齒罢𧄈泣每歇味平庄毒袮麻制或燒灰
灸消瘡瘑固法塗酥制各類

乾漆詩曰乾漆辛溫毒補料毒能解毒吏鹹朕打散𤴡
積共陰毒炒烣烇過臟吏豪虫殺通經調固飲紙雯山
久漆乾炮

巴豆詩曰巴豆溫毒台皮油去歇尼研
散朱鹹勦瘫除每積台世俗多杠子通利破痰症胃寒
癥積去身熱吏和倒或生或熟用黙九煉熏麺惡硫黃丹參

瓜蒂詩曰瓜蒂褶祜性善寒台消浮腫治黃疸清痰又
善除嘔吐咳嗽調安治不雖

柿蒂詩曰洪卅府意産聽紅嘔吐能攻呼咽攻

枳實詩曰枳實用柔課餉繳去穰朱散買焙乾或炒或煮娘豚疰瀉毒傷寒吏特安消食化痰共破積冲墻倒壁店除言　枳實一名果埪三月取為枳實其味苦切片麩炒去心用無者以青皮代之

枳殼詩曰枳殼匆鍼丞買平去穰炒過法矜曾寬腸活膈安胎氣方遺鉄牢方吠仃實般堆皮娄買保正宜驢久買良能　五月取為枳壳味微温用壁土清水壽淏軟去穰麩炒用如氣弱勿用

獨力詩曰匿名獨力意為先𧆄青果佬固核旃婦人血
泠絨用奴浮腫連消命特安痺湿弋真吟䣸旺或埃煒
帑減䋿絨 一名黒丸

留寄奴詩曰梂諫中梭留寄奴助
方毒藥庄群孤婦人用酒和吟旺調血消痰止腫浮𭛁
共白斈防欺散味沫麻温血活收

茸遂詩曰茸遂雖囷固圡南埃用旦圡汤用南苦寒㐻
性反茸草散貝諫丁噤下痰咼浮蛊脹癥瘕破利水能
安中火堪扑袱肺外和浸酒炒𠊛束洗又通淋 一名商陸

五簾詩曰五簾𠸒葜助替蔵懶助砅𤐝矯𥁕腠乡束傕
生些㷛𤸫共𡍚結𠝖咥安平
皂角詩曰悶浸朱鐵各味耝去皮去核紫蘇塗炙黄乡
散通開秘止吐寒瘊助喧唉乡主中風共倒地破散痛
腫庄群浮匿名貴木味辛香泥結荄名牙皂乎無者用升麻
血角詩曰血角号𠸒角𠦳𡰪束塗束試奴𥘷唅丐冉丐
㩕丐癒腫合大黄竜尾買排房室悶除消血去咥𥘷鐵
法庄群遷　寄生詩曰茸吾和台号寄生性隨各種

庄燒命寄桑次一乡頭藥腰痛頭風湿行壮骨頑疲
強凜又續筋寬節貳清又寄籐除瘡除丹腫孺助催生
餅性情寄橘台回心痛冷吏台消腫特身搓寄飢吾練
罷除痲吏殺昆蚤痢止平榕樹寄之除泄瀉又能止嚏
燚功成等寄等来桑茅一産后胎前乇戰征婦血塊崩
崴塊痛三軍特撍矯浮臓寄生名烏糞烏糞染木而生
㦲名曰烏草其葉似當蘆子如覆盆赤黒紺羨之又名
寓木無根寄木而生故名烏圯物感造化而生生桑上

者名桑寄生生楊柳楓上者則隨木而命名也
蕪荑詩曰蕪荑莖䐈味辛平梅楸炒研吐貝清消痔
蟲除腫痛地黄筧扐魄魂鷩　俗号𧃍䕸菴

本草下卷終

北寧布政使阮春笋大人助一百負
北寧權按察使陳助銀五元
北寧權幇辦省務黎榜助銀三元
𠄩定官員子王有平助銀弍元

本草拾遺

人面果号果瘦　山茯矩号山鬼骨　無根藤号緤紅蕪
刀豆果号豆頏　無花果号果把　長生草号梗青稟
香藤号野緤蛤　苦練藤号緤路渋　景天草号菩薩根
将軍果号果櫝　活鹿号蔞菖滝　雄頭子号果蓟蕀
鬼唇果号果那　白粉藤号緤礁　迮竜菜号蔞荼渓
青箭葉号葛容　秋桃号梗計音　倒流水野滘厲蕃
百子料号梗丹棠　大蓼号野梗矻　燈籠草号梗譬褱

鷄腸菜号蔞茗　野茄号桉椅䑸航　青新草号鞋幔朝
赤朱藤号絻庚珠　木斛𠸥桉枯木　青竜藤号綂篭戚
大皮藤𠸥桉亮茇　、蘼草𠸥蔞菝棱　皂礬号𠸥桉礬顛
大引藤号樓耒錢　截路藤号蔞嘆　商陸号𠸥桉檅
金英藤𠸥花征莚　木鱗号𠸥鱓蠅　五爪竜号𠸥鞋咎蔡
烏鵶子𠸥果嘶又　助軍粮𠸥果荼　竹草𠸥鞋木蔛渃
百解彙𠸥愁㓘　豆根𠸥榹金篭　黄芷根𠸥榹補紙
天桃子𠸥果灀　無花果𠸥果羌　吉貝根𠸥榹欏攑

青楊子罗果羚　血樹罗核蘖諭　蝴蝶根罗枇蚢蚢

李蔑罗活腠巃　優曇皮罗肺充　白粘草号罗核謨

金鳳罗葚爱栖　水楊子罗果㳚粘　黄雞号罗肺核但

東風菜罗萎吭　錦花罗苋彡黈　敗鼓皮罗腠皺曾

牙銑藤罗葚昭　狗真藤罗練眉竜　紫萍罗葚䭾紫

紫蘇罗葚紫蘇　山藜罗葚核錦　樟樹皮罗肺核那

日光罗萎腸紫　柳花罗須核樟　蟾蜍葉罗葚萎蟾

黄竜根罗枇又六　鈎藤罗黄蓬活　瞿曇皮罗肺核檝

津蟹藤罢核孛張　空心菜罢葽芊　九牛藤罢䌖䕫又
田膠罢鞊瑱鷔　九經草罢蔞胎茦　紫背草罢蔞蕤
救貪罢蕚泊屡　天花粉罢括蔞根　除百病罢矩苦参
白味藤罢䌖㝹　竜姜号罢核巻　金床号罢蕚核秥
蒴蒎号罢核倿　小白花罢蓒渟　大陰毋罢紇紫蘇
羊桃子罢果契　金櫻子罢果枷　九中单罢核野岗
水貴皮罢𦲸木西　安息香罢香失　百託子罢紇味停
青條根罢楓𦫼翁　慎太草罢核朿榛　黑埞皮罢𦲸椄押

紫匆蘖罢核礙　仲春花罢尋春　蓮香罢蕚核眉達

米飲罢滘㶸粓　米泔罢滘鋪粓　金泊罢蕚鐄接

銀泊罢蕚泊接　椿米罢粘钜梡　臭鼠罢昆林殊

臭虫罢丐蛣烒　臭蚕罢丐蚕蟻　黑蟻罢昆蛭浩

白蚕罢丐蛒𧋆　金蝎奴罢昆諫　蚕斯罢丐蚨馭

蜉蝣奴罢丐蚑　馬黄蜞罢丐蝛　烏鵲罢祖丐蒲冬

蒿圩罢祖蚜又　旋木罢核檜磋　扇边罢紙綿𦄂

蹬草罢鞊𦄂又　蛸蜡罢丐蚤坦　棚蘖罢蕚蒜炭

桃膠罒顙核桃　芇蘪罒核樸梏　象蘪罒核樸檨

竜蓋仁罒紇𦬁　野菊罒核樫棱　紅豆斂罒果苓蘢

土茯苓罒曲尭　槐子罒顙核娄　地骨皮罒赭枸杞

車犨罒橇核犨　樟腦罒瀕核野　鶴蚕罒核㥄袄

坦衣罒蒼楄埍　交道土罒坦我巴　金銀袋子罒矩䋦

大烏賊罒核巴巴　除百病罒苺臺悲　鉄落号罒經蚫

宮粉罒粉抹楄　玄錫罒東光𨪐　仙藥棄罒華茄

婦人裩襠罒裙彈妃　尾凌苔罒蒼片塊

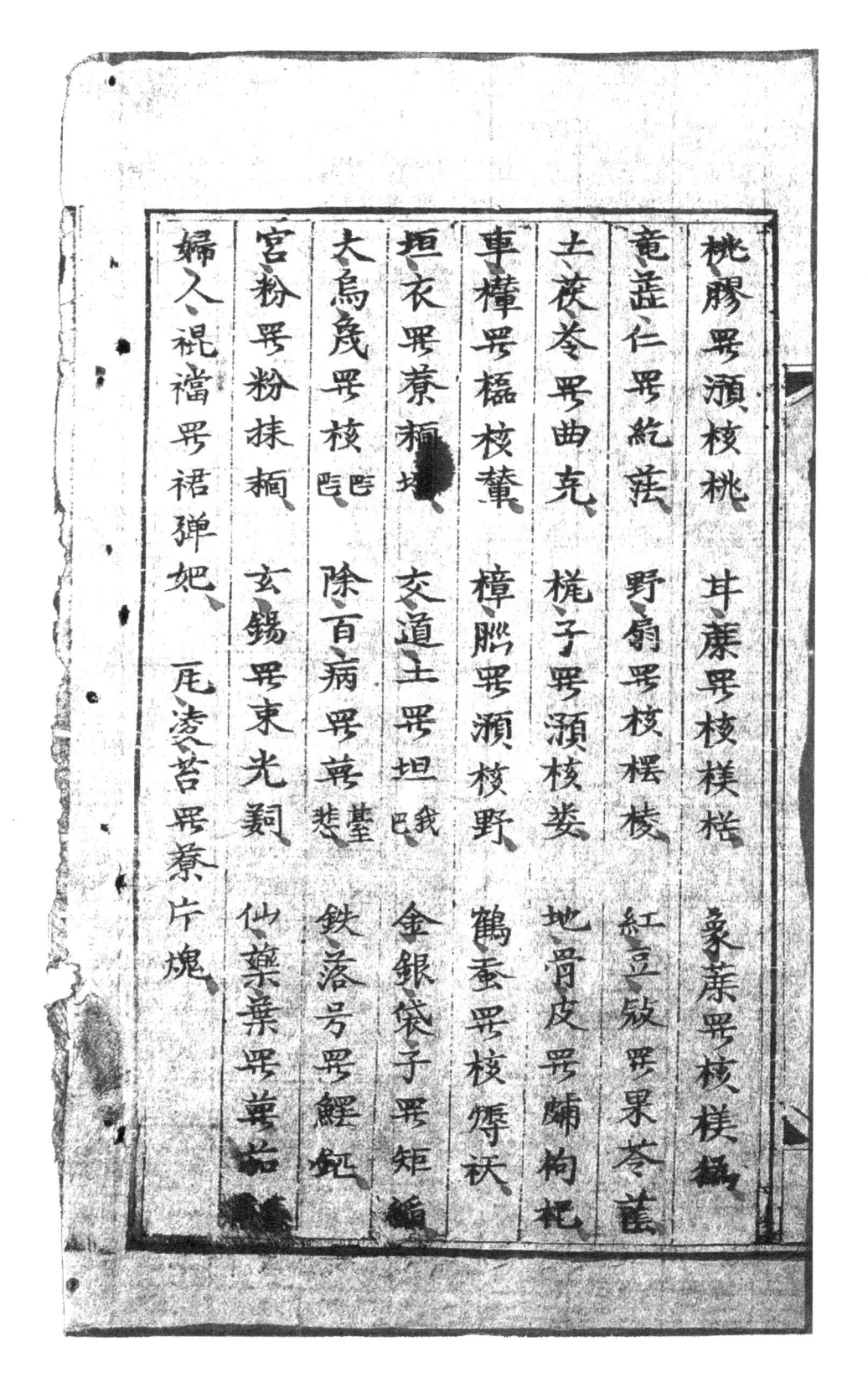

新鐫海上醫宗心領全帙卷之十四

小引序　景興癸亥年余適與筆峰道人于本籍何尔齋清談因語及坤輿醫脉箕數三數事辰箕數數箇偕来陪坐有舉我國新製十三方加減者說一席嘖嘖稱奇余司此蕙僧自蘊慧心顯寔開權乃其能事即方法藥品與增損諸劑雖不出古人藩籬之外然裝藁刻行可資寡昧者之一臂亦仁術中之最也第病情病症不一而足書曰醫難言又曰方者倣自非學富功倍儔能測

識者耶余言未已坐間一箇袖中出懶翁外感通治一卷吁之（曰我此書）豈非盜襲是書之遺意耶余曰爾誤矣爾誤矣隨而披閱數遍見其闢古法砭辯六經傳變之誤論我國無傷寒温熱之戀以致陰虛難補之折衷傷寒有補之確論其所準意立方雖穿鑿古方之藥品然不失古方之大旨名之雖一而百家諸牘膏丹丸煎繼在其中誠謂剝形換骨去冗還真會眾途於一揆歸萬壑於滄溟俾學者可以悅約逃煩一目可盡且從之而論

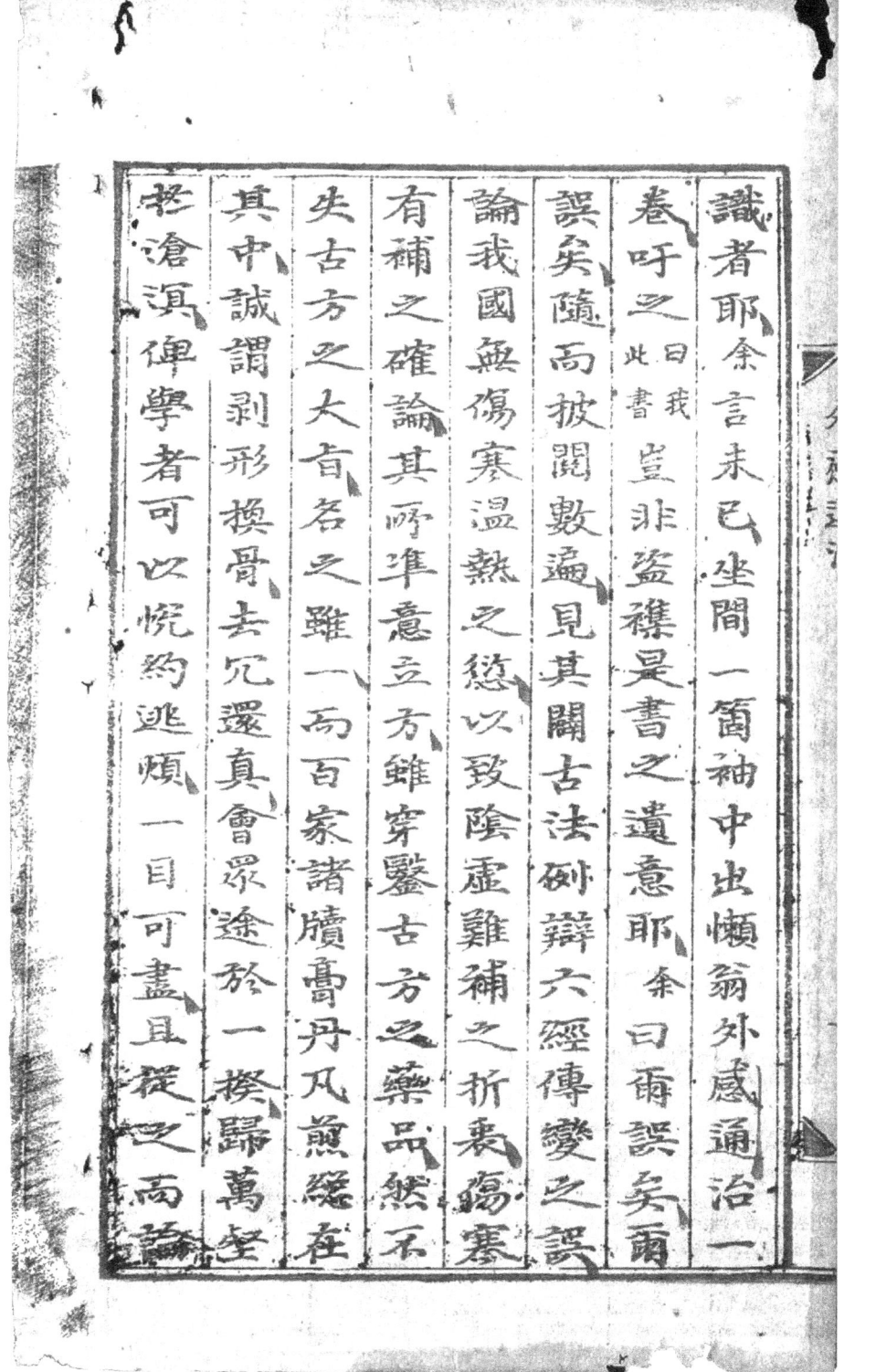

虛設補疊疊有條凡四辰感冒六淫諸症虛寔補瀉擒
而無遺可作醫家勝覽即黙顧再三示之曰諸公以是
而方之前作客非憂覺懸乎繼贈數言題其卷之端筆
峰道人及一席皆曰可是序

御醫正黙齋黎氏題

上篇　該二十五篇　心得論

論我嶺南　無傷寒症冬為感寒三季為感冒并治　療大旨

論我嶺南麻黃桂枝湯絶不可用

外感通治　上篇

海上懶翁黎氏纂輯　　後學唐鄗武春軒奉較

心得論　愚按經曰知其要者一言而終不知其要流散無窮云齋曰氣血虛而變現諸症莫可名狀故其治者兼得氣血虛實之情陰陽變化之用脉氣真假之微則足以盡之矣傷寒一門拘於仲景觀其立法制方精妙入神而其要旨總不外隨邪之所在急為驅除使正氣無傷經曰新邪之来客無有定位推之則前引之則止

違而逆之其病立已故在表發汗以散之在中和解以清之在裏攻下以泄之至於傳經之法不過昭明其外邪由表達裏自陽及陰此陰陽相關表裏輸應之機何後人之不明此理將傷寒症治別為一每有數日之期限有六經之傳變有併病合病有兩感兩傷有正傷寒十六症有類傷寒五症與所被六淫及所見雜症分門設目繁浩多端使學者徒為多歧之惑余因病而醫初辰為眛者所誤謂醫書之奧妙詳備無如傷寒醫學入門一

夤喜丙奉之閲五年間以為至寶每臨傷寒之症則蓥拳馸以日限質以六經如太陽則麻桂湯陽明則升麻葛根湯加半夏少陽則小柴胡三陰傳裏則理中四逆兩感則大羌活湯兩傷則大青龍湯合病則葛根湯加半夏併病則麻桂湯加柴胡倘逢體壯邪輕之病則僅能取效若遇體虛邪盛之人变症叢生則摸揣其間惟以病合方廣絡原野乃忖度曰醫理浩瀚豈可以一定之成方而應無窮之變病况人之老少異軀彊弱異稟

貴賤異境新久異治全不顧虛寔而一槩混投得予於
是奮志求誠搜尋百家諸牘後得錦囊全部始悟陰陽
之至理真假之病情邪正黑白虛寔剖分若披霧見天
頓開茅塞因想起知要一言之說爲誠然書云百病之來
本由虛兆蓋正氣虛則邪氣乘虛而入學者要不出氣
血虛寔中從而研究之豈特傷寒一症哉故凡遇症臨
治當先觀所禀之強弱次參脉症之虛寔不問何部凡切至骨有神
有力爲寔無神無力爲虛且寔而強者則急攻以蕩邪虛而弱者則

大補以治之大要觀其人偏於血虛者則以陰分藥補血以除表熱偏於氣虛者則以陽分藥調氣以舒鬱邪或補水以發汗或補火以退熱或滋陰而斂陽或補土以藏陽或補火以配水顧貼正氣爲先不發汗而汗自解不攻邪而邪自退邪退則繼以水火之真藥而接補之自能一一響應不事支離而取效如拾芥仍將傷寒門古今諸論諸方反覆辯析參酌而損益之中分表裡裏症陰症陽症虛症寔症可汗不可汗可下不可下諸

條以定標本輕重之法別制爲解表三方及稍虛大虛人和裏六法然推而廣之不特傷寒一門凡外感六淫之症無不迎刃自解若形虛症虛脉虛之人病在初發者亦可暫從解表中詳氣分血分而汗散之或遇大虛甚虛之人投之不應則急用補接書所謂初病當分内外久病總致一虛是則虛症蜂起脱勢漸來必致難救若見後天陰虛發熱則用養榮歸脾後天陽虛發熱則用補中理中四君先天水衰則用六味先天火虛則用

八味脾腎陰虛則用救陰湯脾腎陽虛則用救陽湯此皆保命之神丹衛生之仙品余全賴此而能為人死裏求生轉而作吉也至於挾虛感寒前醫誤以寒邪為寔逐傳變為定期反覆攻逐重汗以泄其陽重下以亡其陰使陽無歸源之力陰無配陽之能余或遇此即從水中補火或火中補水或熱藥凉飲以挽救之又有新邪未審前醫不究推之引之之法以致陽邪歸陰景岳曰陽邪之至害必致歸陰自表及裏而變為難症余或遇此即接本門求治

全不顧所因皆多差可

論我嶺南無傷寒症惟冬月偶感寒亦爲感冒治法須大同

書曰冬辰嚴寒調理不謹或陽氣不密以致寒邪觸犯其即發病者名曰傷寒其不即發至春感温氣而發者名曰温病至夏感熱氣而發者名曰熱病新邪挽出舊邪迹其受寒之因本於隆冬陰寒之毒藏於肌膚後自裏而發蓋以北方風高土燥嚴寒之甚其人所禀強壯腠理緻密與寒爲敵間或有隙可乘或即發或不即發蓋由寒

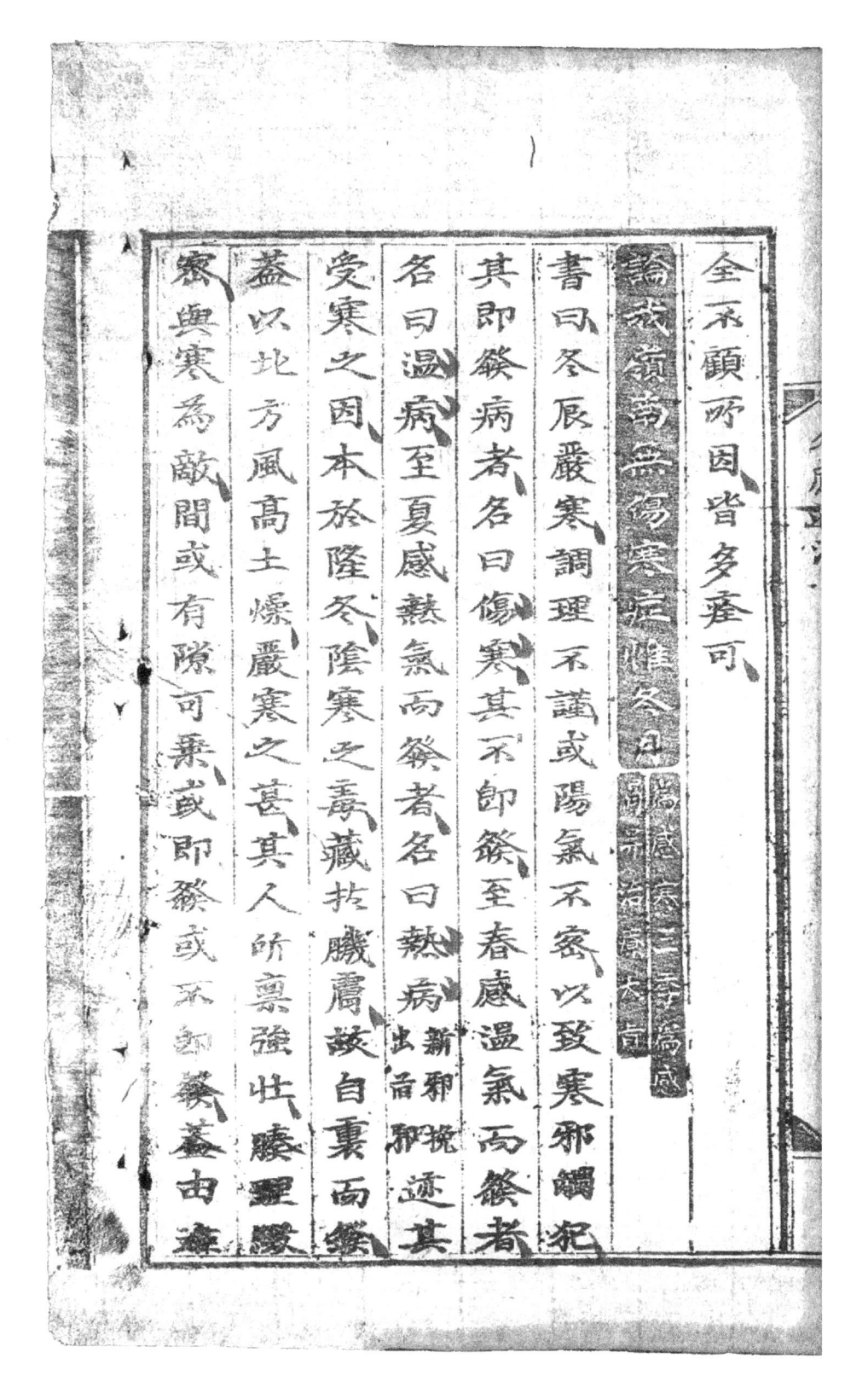

不難出而有深藏之理也若夫我國東南之區太陽親
近隆冬草木不凋地無寸氷雪無飛花冬辰常熱稍有
動作隨見浸汗汗亦易出則中氣由汗而虛也倘少遇
寒邪亦能感觸此所傷之淺非如彼所傷之深信此語
决非真傷寒殺厲之重也率皆挾虛感冒之輕也故得
於冬者爲感寒也况腠理疎泄邪既易入豈不能即有
易出之理乎又何若久留於肌肉之間至春爲温病至
夏爲熱病故得於三季者是感冒辰氣也余嘗診治凡

頭疼發熱或身痛或口乾渴或惡寒或鼻塞聲重之表
症惟憑體寔脉寔者則用辛凉以汗之若稍虚者偏於
陰則從血分藥以清之偏於陽則從氣分藥以舒之龐
不應手取效故益知我國絶無傷寒與温病熱病之名
目也奈何俗醫難解每見頭疼發熱便云傷寒率以陀
方重症之藥亂投不究南北異轍風土異宜嗟予讀書
而不能貫通融會則活人之計自有許多未盡然群黑
一白誰是吾言再引錦囊論以證之論龐雜諸病有曰

春秋辰月人感山嵐瘴霧毒氣乃發寒熱胸膈飽悶不思飲食此毒氣從口鼻而入治當清上焦解內毒行氣降痰不可發汗蓋嶺南氣溫易出汗耳重則寒熱不退輕則為瘧南方氣升故嶺南人得此病者卒皆胸膈痰涎壅盛飲食不進此與北傷寒只傷表而裏自和者不同

論嶺南麻黃桂枝湯絕不可用

愚按上古制方必用重劑攻逐如麻黃承氣陷胸輩當皆能去病甚穩甚當中古立方乃易以參蘇飲人參敗毒湯至於東垣立補

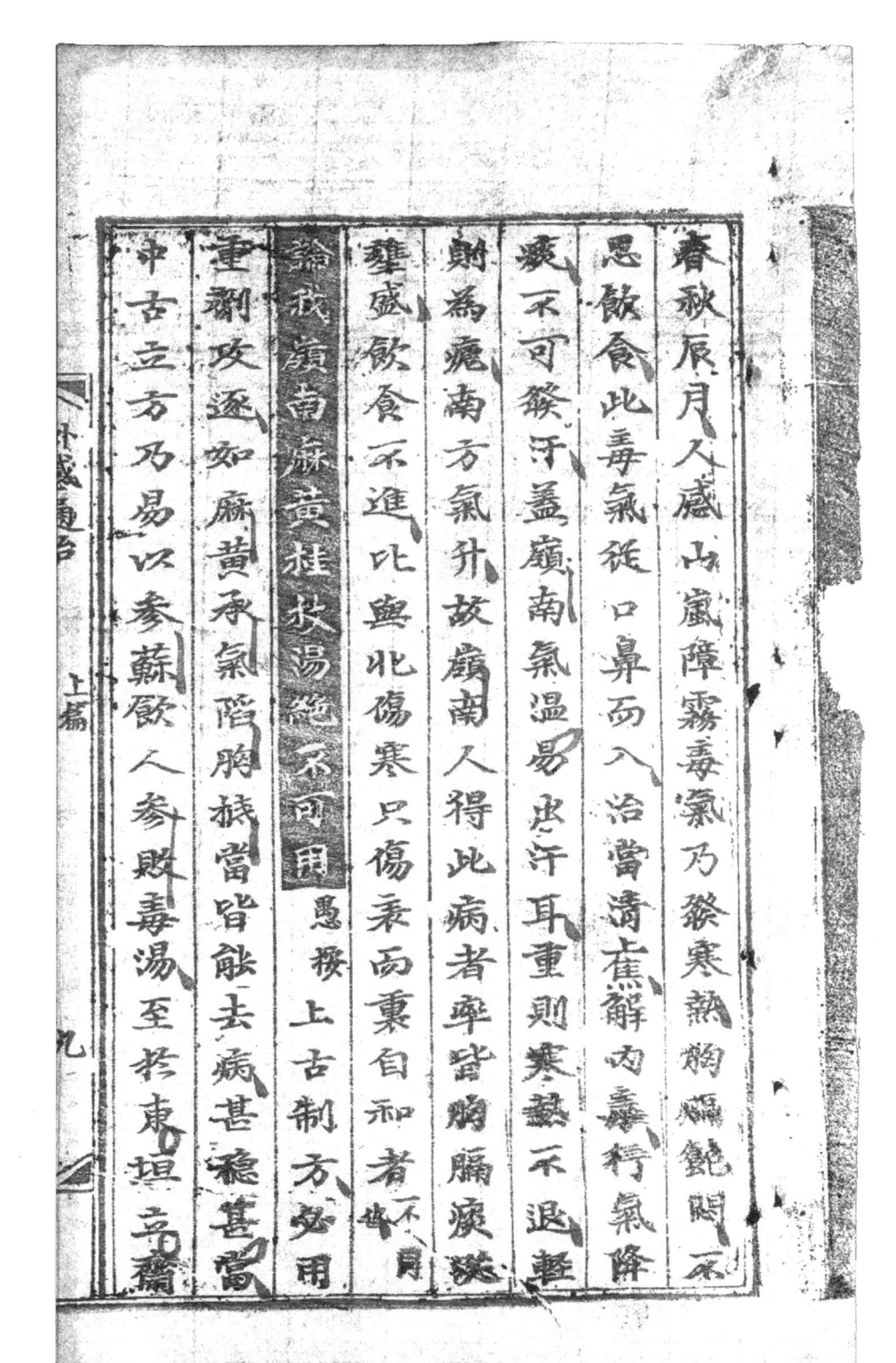

又易以補中益氣人參養榮諸劑率皆扶正散邪之用
可見天地氣化有薄漓厚薄之殊人之稟受有古今
強弱之大異此先哲因辰而制宜也況至今下元之世
運之承會而病愈見其衰薄也豈可肆行剋伐令人懸
受其害乎此麻桂之絶不可用一也書云東南地氣溫
熱水土淺薄人多柔弱病多自汗西北高燥地氣嚴寒
水土深厚人多強壯病多無汗故仲景所著傷寒方法
惟爲北方彊壯而設也若夫東南之人豈可一例而混

按素書云西北居人麻桂四辰常服無不應馹自江淮以南惟冬與春亦可行之況我國去江淮幾千萬里分應翼軫令屬赤道桃放初冬不待一陽生而自萌動其溫熱之氣較之江淮更差勝矣則麻桂又有可行之辰乎此絶不可用二也李辰珍曰香薷乃夏月解暑之劑猶冬月之用麻黃若氣虛房勞暍感用之反成大害余臨此症會廿年來凡機在表散惟於氣血藥中用一二味輕揚之品如柴葛紫蘇羗附姜葱之類亦能鬆動腠

膚蒸出津津之微汗以散其邪未嘗著手君闌桂方為誡事

論中寒感寒傷寒異治法

○中寒春夏秋辰薰風和暢縱有涼雨亦是微寒第以天之陽升浮于外人之中氣亦浮于表在人中氣元陽虛極又遇強暴之寒邪即直中陰經手足厥冷身體強直口噤眩暈無汗或自汗盜汗息微體倦六脉沉細言語無力身不發熱不發熱者陰邪一定不發此正傷寒自受外寒皆同推裏之有火無火所以為中為傷之有異當急溫補即有微熱而口不渴乃虛陽浮表也脉必沉細而無神此辰急宜

溫補中氣以斂虛陽（如术附參附理中四逆之類）如有頭疼乃虛火上沖也脉必浮大而無力宜溫補下元以藏龍火（如八味之類此引火歸源之法以治假熱之病）感寒亦發於三季身或發微熱或不熱六脉無力神氣困倦當溫以調之傷寒冬辰氣嚴寒殺厲過甚偶失調護寒邪得以犯之但冬主閉藏天氣斂不之中氣不甚空虛天之陽氣人之陽氣並伏于內外邪不能直入但本身之火爲寒所束故身發熱由表入裏宜表散寒邪調其榮衛表裏而裏自和可得相安

殊無事矣勿拘三陽傳變爲𠫵之説故有冬月爲傷
寒三季爲中寒重輕顛倒正此義也

論傳經之法不可泥六經之症由失治

古人治傷寒有傳經之法此不過辯引陰陽之理以明寒邪自陽及陰自表入裏然邪之所湊豈有定位况陰陽相關表裏輸應表病不解裏亦隨害陽病不除陰亦隨傷此表裏陰陽本氣爲病之必然也豈待外邪傳遞之所致乎若善治者散其外邪調其榮衛而病自已豈俟傳足六經以竟

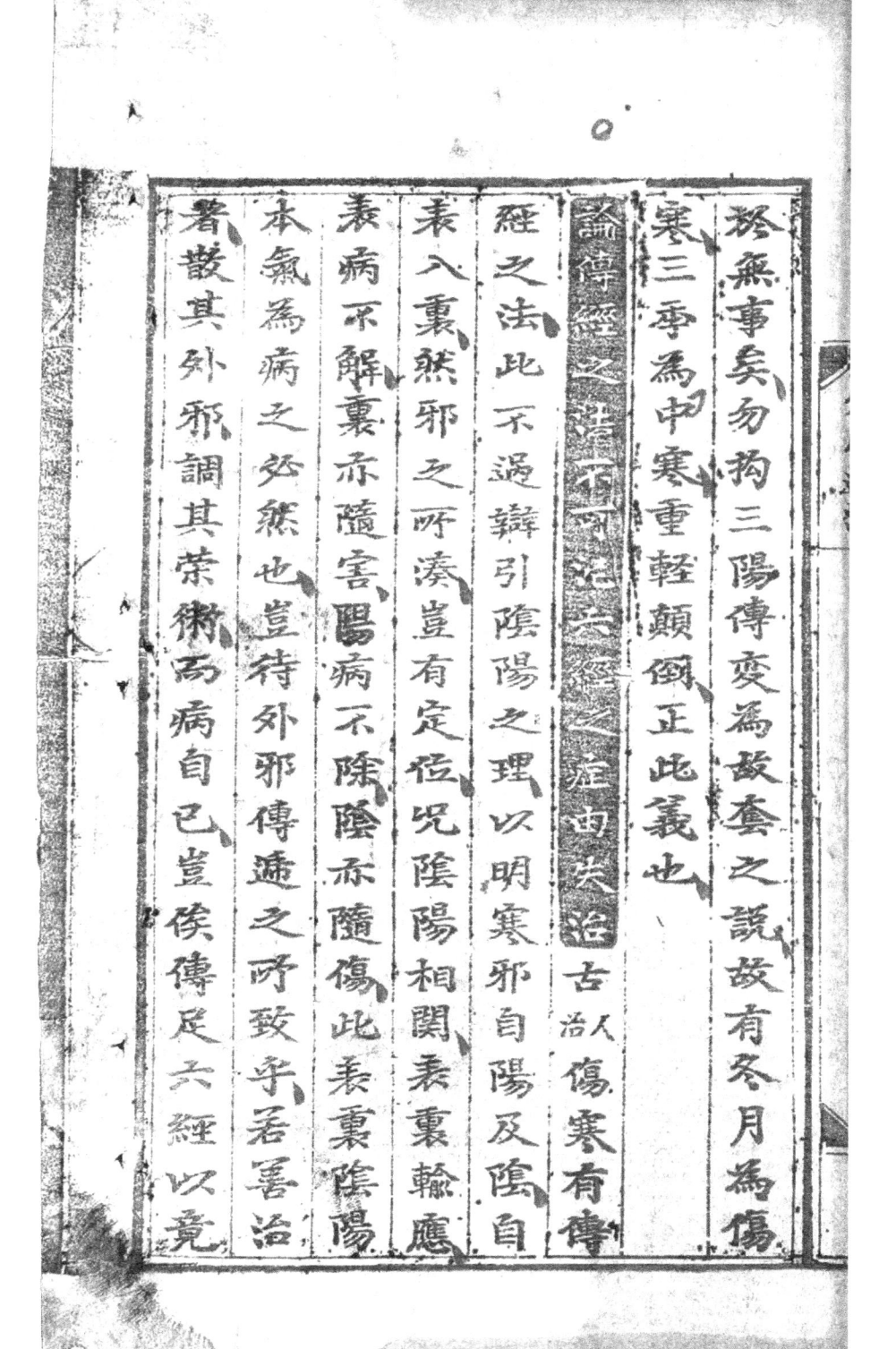

其旨耶奈何後人不明陰陽之至理竟將傷寒別立一門設一局過求其端反增其惑沽高尚異流散無窮故每見發熱頭疼即云太陽經受邪重加發散津液耗亡欲不口乾發渴得乎於是復謂陽明症見矣妄投寒凉以虛其裏大加辛散以虛其表則化源之生机既竭陰道之清鑠日深欲不耳聾脇痛得乎於此復謂少陽症見矣柴芩清解之劑一投引邪深入其害甚大以致脾虛氣弱欲不腹滿咽乾得乎於是復謂太陰症見矣重

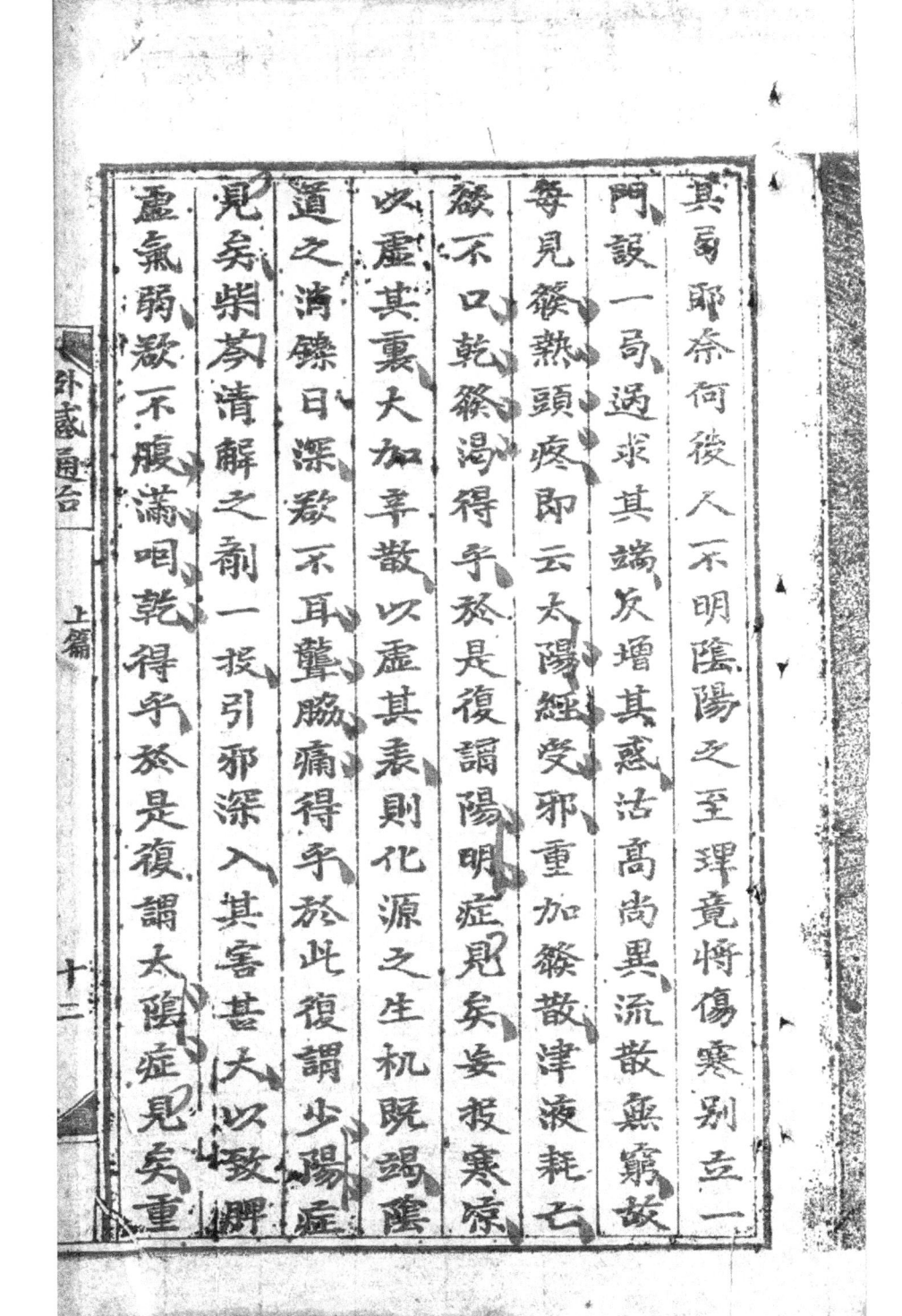

為峻攻其裏脾陰虛損欲不口乾大渴便秘煩燥得乎投此復謂少陰症見矣寒凉峻利之藥一投肝腎之陰愈損欲不煩滿舌卷囊縮得乎於此復謂厥陰症見矣不知个个症候調治失宜皆由遵行舊法執守古方徒以逐邪為事不顧正氣之虛以致邪氣日深正氣日消直至手足厥冷脉細欲絶脱症顯露始認虛症方議温補此辰恐無受補之理矣學者不可不求至理徒遵上古治真傷寒之舊則而投於稟受虛弱感冒易傷者甚

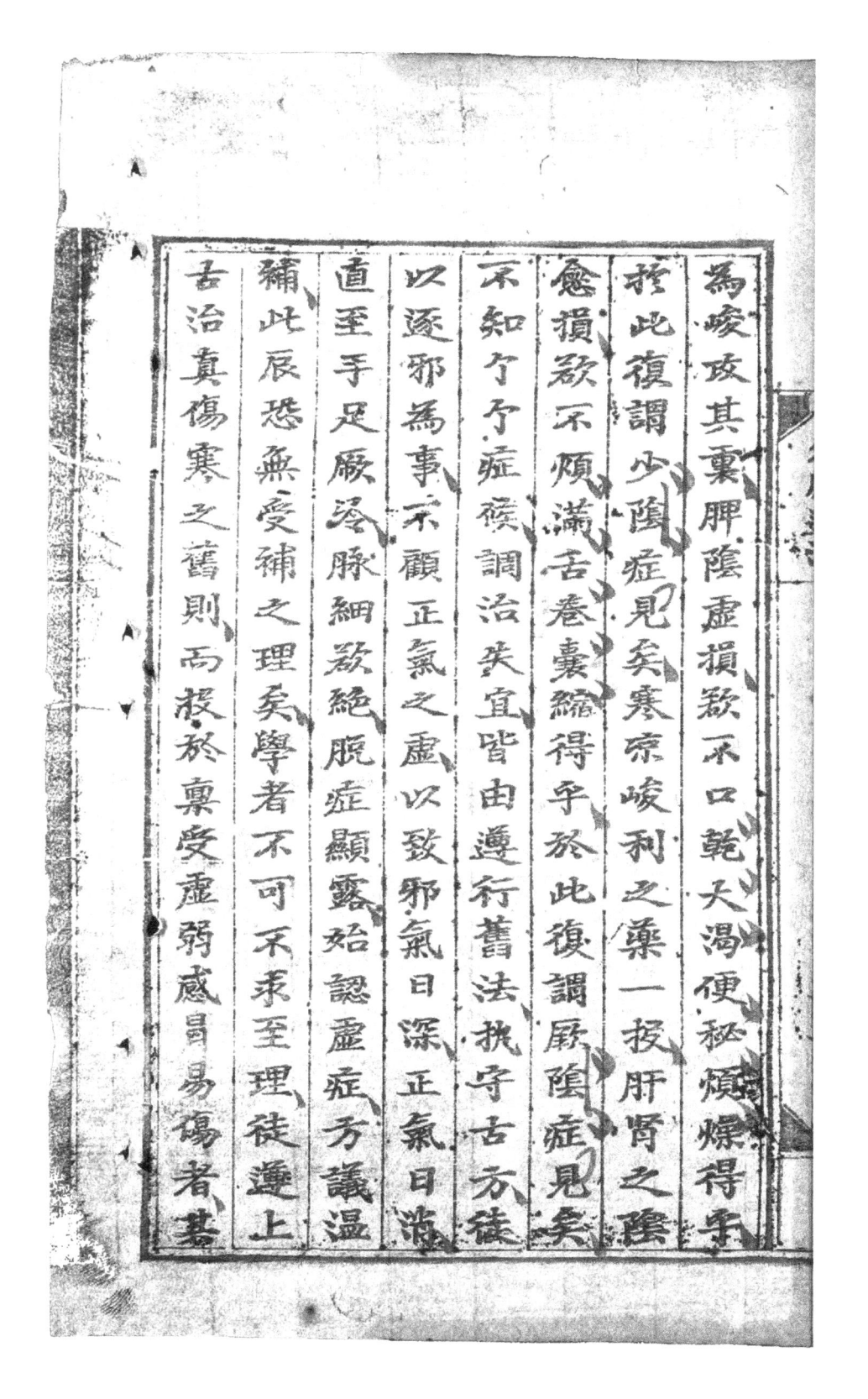

不驗者變希

論傷寒爲鬱火症并治法

凡冬辰傷寒者乃是火鬱之症若其人素無火則反爲直中矣惟其有火故由皮毛而膩肉膩肉而臟腑今人皆曰寒邪傳裏寒變爲熱既曰寒邪何故入內而反爲熱又何故而能變爲熱耶不知即是本身中之火爲寒所鬱而不能泄一步反歸一步日久則純熱而無寒矣所以用三黃解毒解其火也升麻葛根湯即火鬱發之也三味承氣湯即土鬱達之

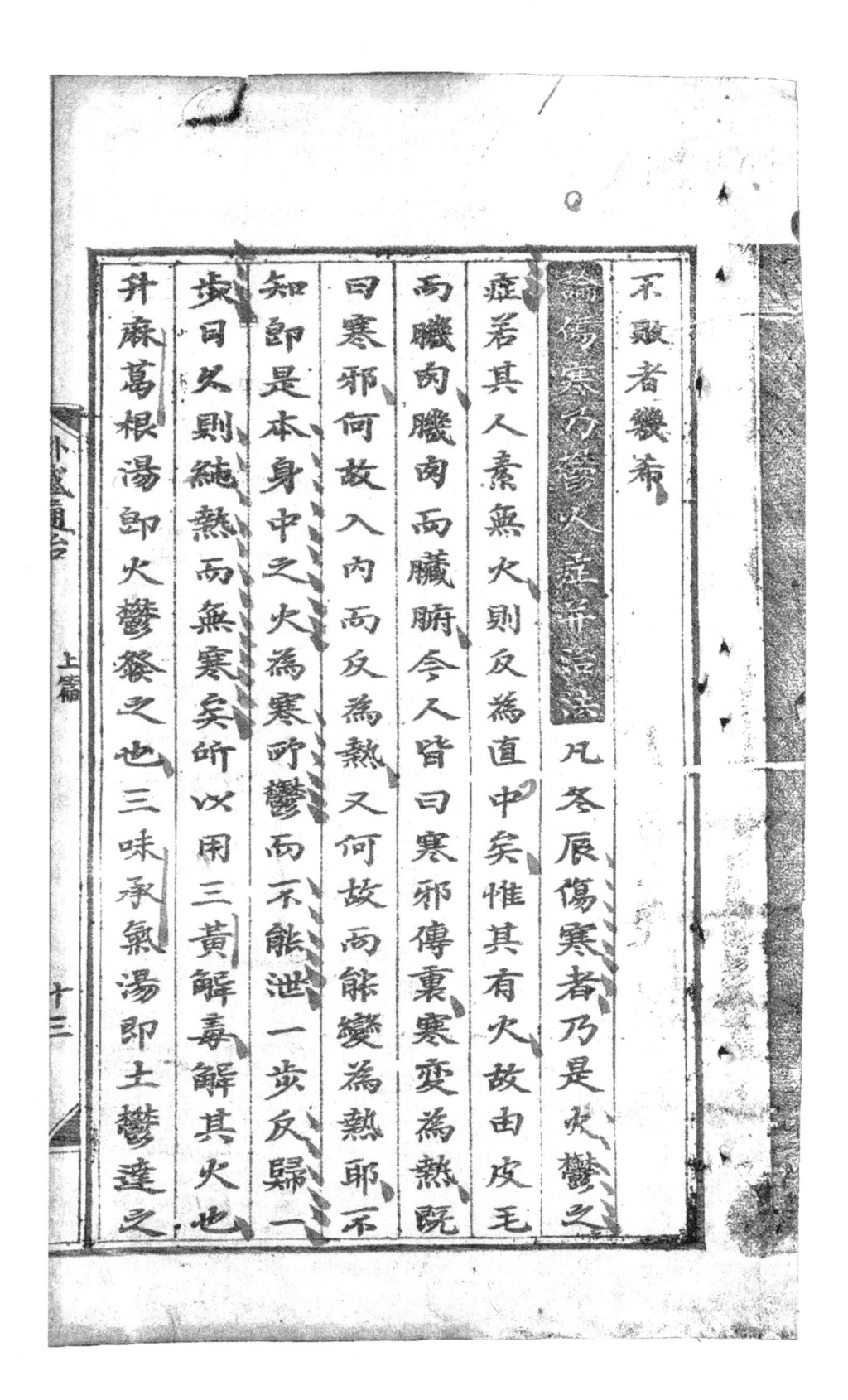

也小柴胡湯即木鬱疎之也此理甚簡而易何事乎傳經之語反為多岐之惑凡雜症發熱者皆有頭疼項強目痛鼻乾脇痛口苦等症何必拘拘於傷寒曰以傷寒方治之乎惟於冬月正傷寒作寒鬱治其餘諸症俱不惡寒者作火鬱治

論逍遙散通治五鬱并治外感諸症述古

按八味逍遙散一方專治木鬱而諸鬱皆因自愈更可變者方中惟柴胡薄荷二味最妙蓋人身之膽乃甲木少陽之氣氣尚柔嫩象草穿地始出而未伸此時倘被風寒一鬱即萎軟抑遏而不能上伸不上伸則下克脾土而金水並病

矣惟其温風一吹鬱氣即暢達蓋木本喜風風搖則舒暢萎風寒則畏矣惟温風者所謂吹而不寒楊柳風來之所喜也柴胡薄荷辛而温者惟辛者故能發散温也散入少陽古人立方之妙如此甚者如左金丸黄連吴茱二味此不直伐木而佐金以制木猶伐木也繼用六味加柴芍以滋腎水俾水能生木逍遥散者風以散之地黄飲者雨以潤之木有不得其天矣豈惟是哉推而大之其益無窮凡寒熱往来惡寒惡熱嘔吐吞酸嘈雜胸

痛脇痛小腹脹悶頭暈盜汗黃疸瘟疫痢氣飧泄等症皆為對症之方與傷寒傷風傷濕除直中之外凡外感者俱作鬱看以逍遙散加減出入無不取效倘一服即愈少頃復發此必屬上熱下寒之假症當用溫補之劑如陽虛四君加溫熱藥陰虛六味加溫熱藥

論內傷寒并治法○人惟知有外傷寒而不知有內傷寒即訛作房勞陰症非也凡冷物傷中而得便是內傷寒蓋陽症多得之風寒暑濕燥火邪生於太陽外入者也

陰症多得之飲食起居七情邪上於少陰內起者也凡傷寒內症十居八九救裏解表霄壤不同桂枝下咽陽盛則死承氣入胃陰盛則亡可不辯乎合而言之陽虛則補中益氣湯陽虛直中則附子理中湯陰虛無水則六味腎氣湯陰虛無火則八味腎氣湯其間有似陰似陽之假症則寒因熱用熱因寒用之法不可少緩惟以補正為主不必攻邪蓋正氣得力自能推出寒邪之謂也

論風寒同治　風為陽邪寒為陰邪風屬陽而淺寒屬陰

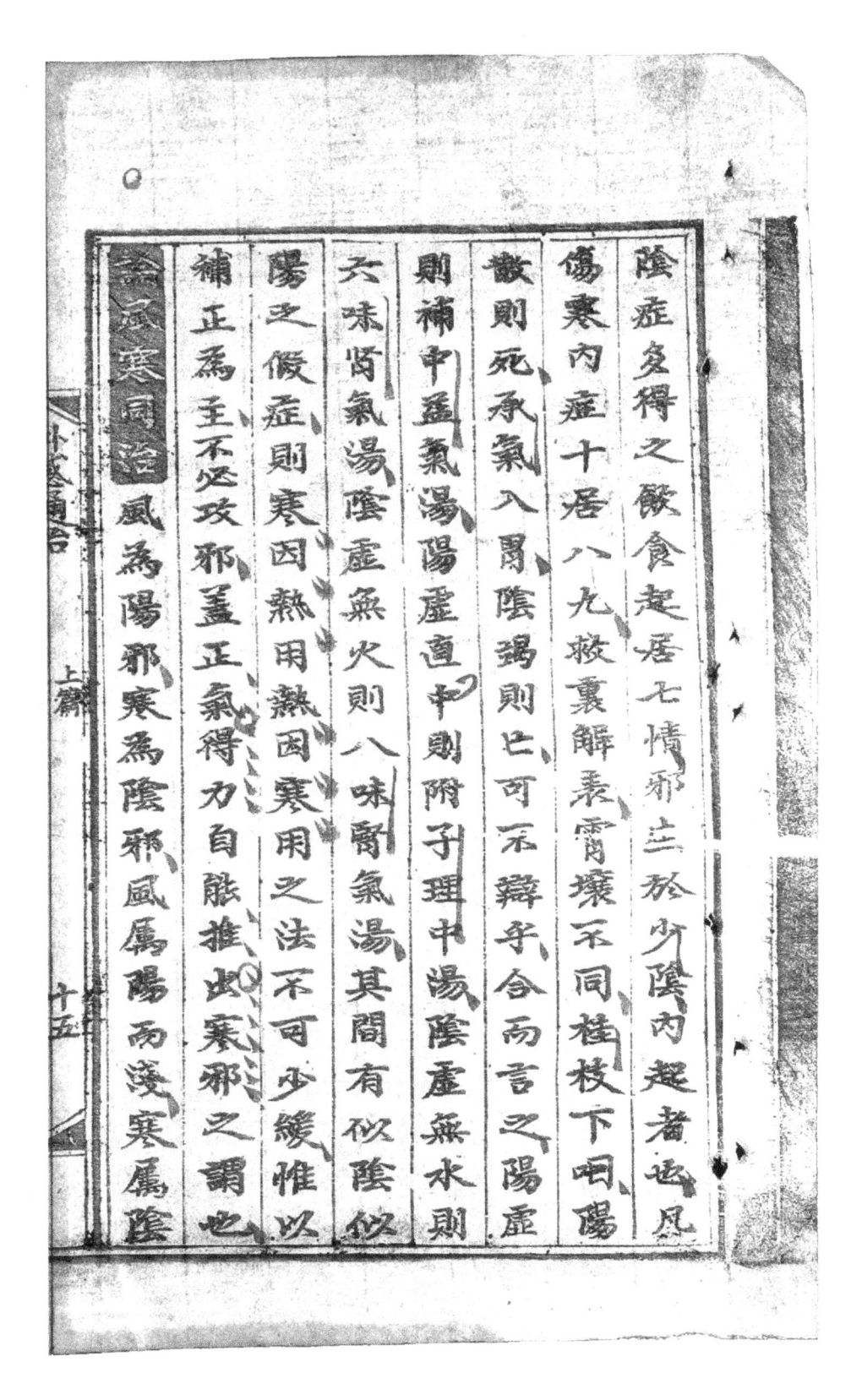

而深景岳云風即寒之帥也風従寒来寒隨風入透骨
侵臓本為同氣安凡寒之淺者即為傷風風之深者即
爲傷寒誠千古之難言發前人之未發百問篇言風感
爲寒熱此乃深指風爲寒邪也凡外感而能致病者則
無非因寒亦無非因風而入也奈何膠執欵圖以脈則曰
浮數為傷風浮緊為傷寒以症則曰寒傷榮爲傷寒無
汗風傷衛爲傷風有汗又曰傷風惡風傷寒惡寒殊於
此則悪於此又曰傷風挾寒傷寒挾風又曰風寒兩傷一

一卬定以為成規誰敢異議以惡膚見凡病傷風無不惡寒傷寒無不惡風凡外邪之客于人身表虛則自汗表寔則無汗大要治感冒之症通論為客邪不必深措為風為寒乃可耳用法甚簡而取效甚速也

論傷寒治法

人之一身以陽氣為主陰盛則陽衰陰至陽竭則斃矣其在表者則用辛溫以散之在裏者則用甘溫辛熱以調之務要袪其陰寒之邪以復其陽氣也

凡見表症具則治其表裏症全則治其裏發表攻裏皆

爲實邪而設也倘脉弱形衰之症切不可言發言攻只當從其平補矣
凡表邪初客急爲疎解使無深入以傷其裏繼以調和
之劑則表邪解而中氣和自可相安而無事矣
凡傷寒自利當分陰陽切不可槩投補藥煖藥止瀉以
致殺人惟自利身不熱手足溫屬太陰或身冷四肢逆
冷屬少陰厥陰係是陰症其餘身熱下痢者皆爲陽症
凡傷寒不思飮食切不可妄用溫脾健胃之藥以致反
增熱毒爲害不淺但因邪去裏和則能自食矣

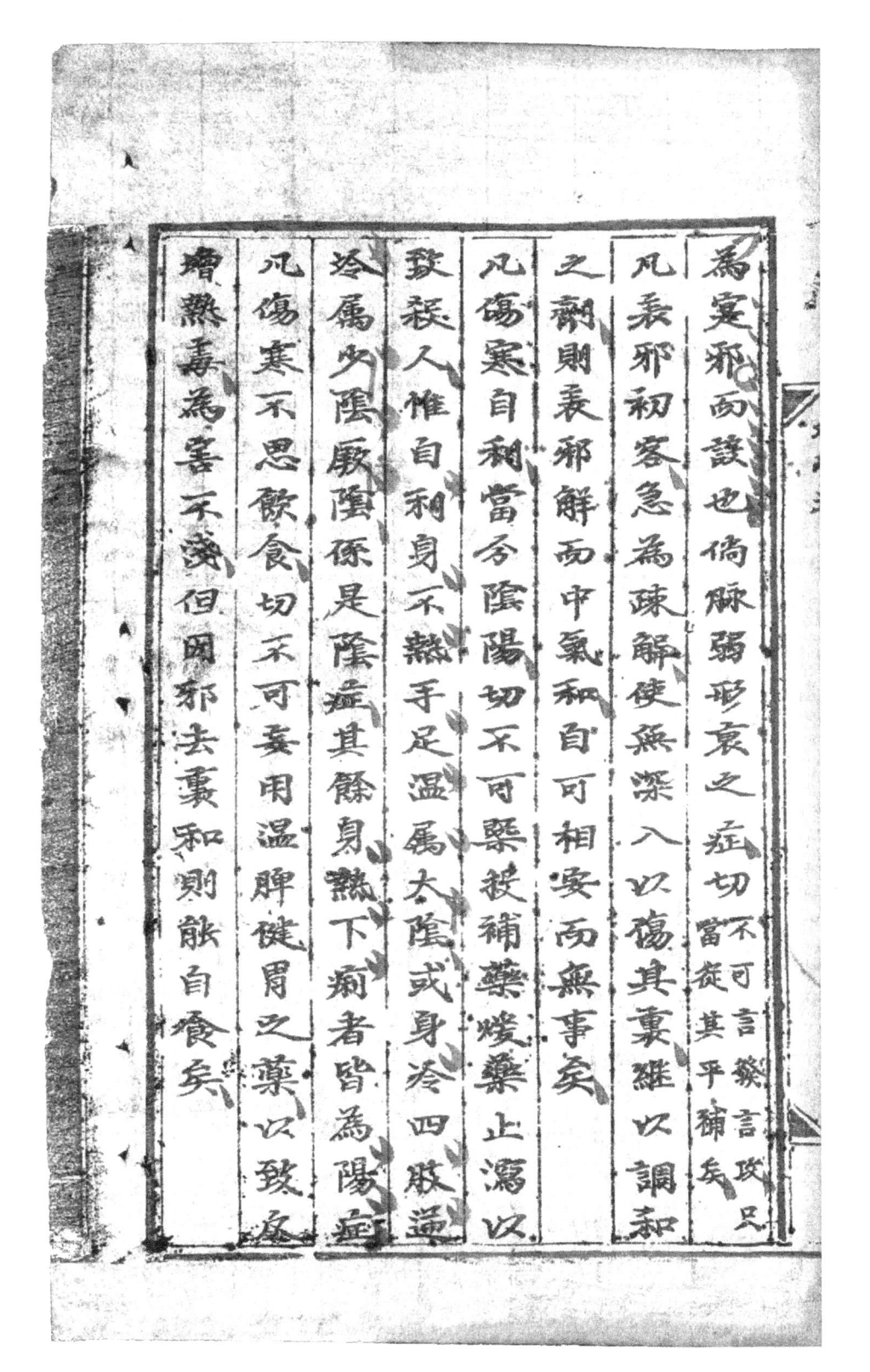

凡初病正氣尚旺客邪牢固急爲驅逐勿致蔓延若一緊壅顧固稍猶閉門留寇反受其殃

論傷寒有補法

諸病變化只以虛實二字盡之矣不獨傷寒一症也蓋一實一虛邪正相爲勝負凡氣實而病者但去其邪攻之無難挾虛而病者不補其虛邪何能退奈何昧者有傷寒無補法之議以致虛症蜂起束手待斃良可慨哉獨不觀仲景爲傷寒之祖立三百九十七法脉症之虛寒者一百有餘定三百一十三方用參

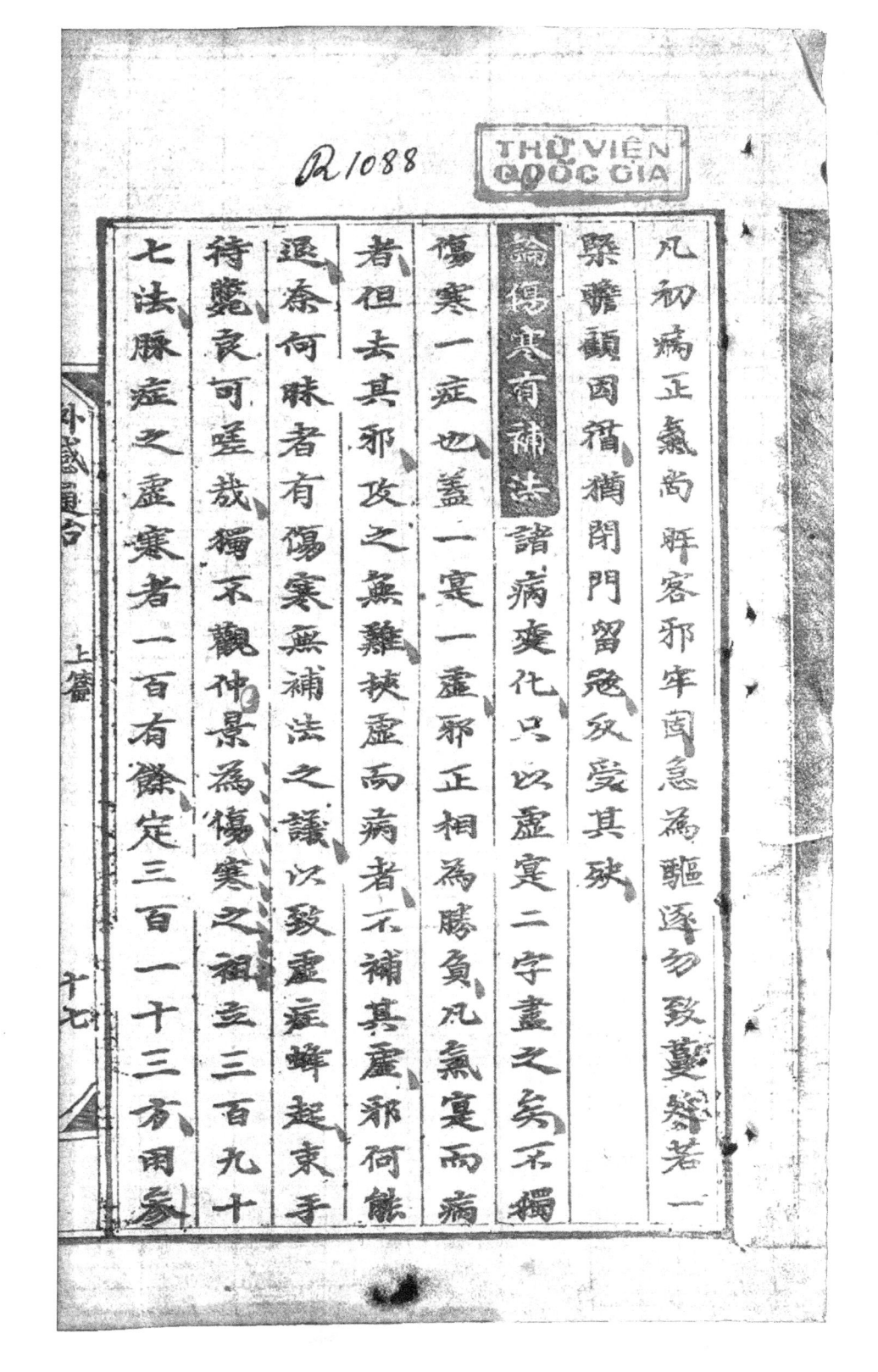

者三十用桂附者五十餘即東垣丹溪節菴亦有補中益氣回陽返本溫經益元等湯未嘗不補也豈謂傷寒無補法哉況今人患挾虛傷寒十常六七虛症類傷寒十常八九皆因此語爲誤虛而不補且欲攻之危亡立待抑不知發散而汗不出者津液枯竭陰氣不能升達也人知汗屬陽升陽可以解表矣不知汗生於陰滋陰所以發汗也清解而熱不退者陽氣無陰斂陰不足也人知寒涼可以去熱而不知熱生於內養陰即以退陽也

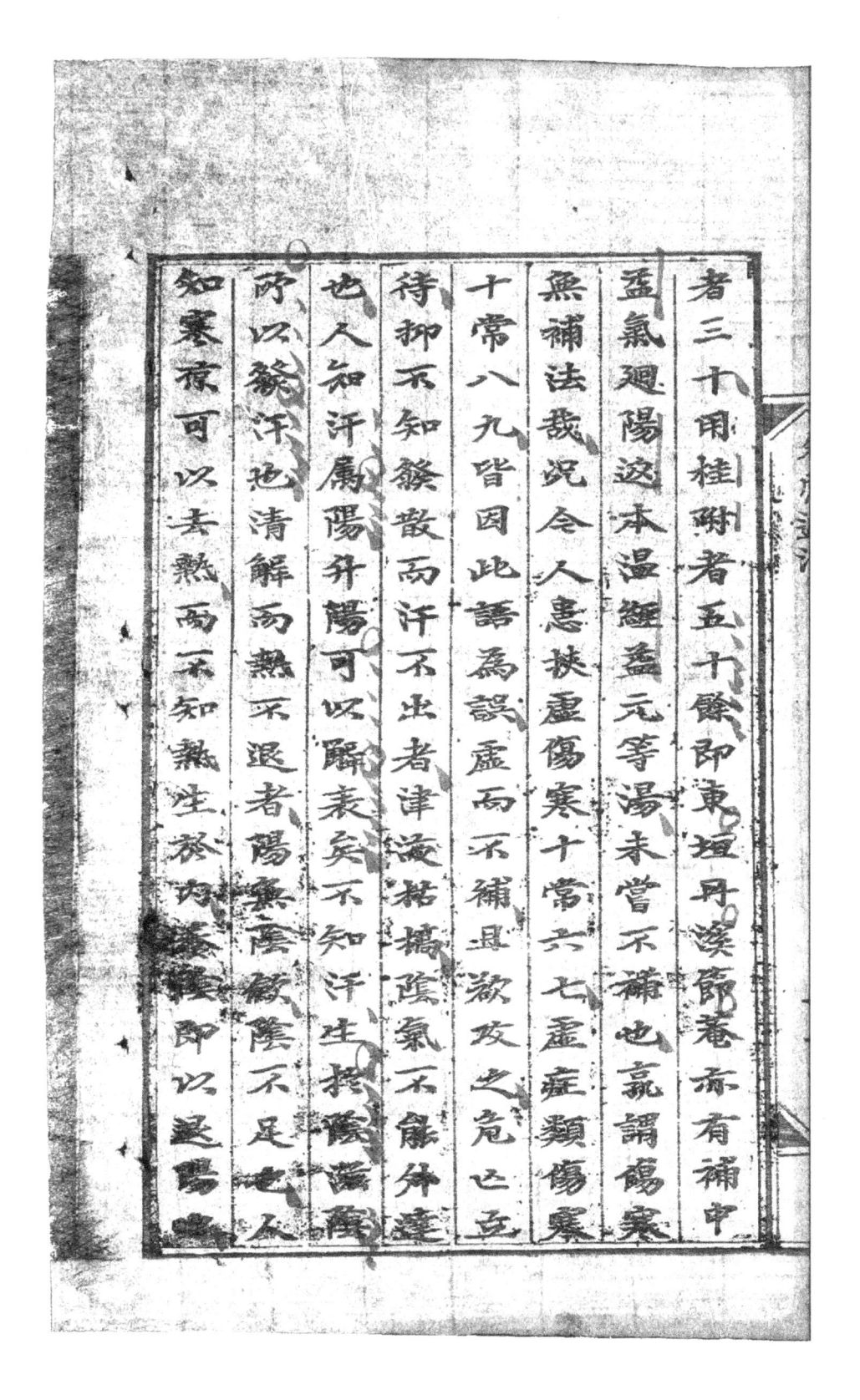

元陽中虛以至陰寒內襲壯元陽所以散外邪也脾胃土虛而元陽不能藏納以致虛熱不止者補脾胃所以歛浮陽也要知正氣不足邪氣有餘正不勝邪邪必不解正氣一旺邪無容地不散表而表自解不攻邪而邪自退奈何一見發熱等症便以攻邪為主邪氣未去而正氣受傷皆一言之禍而不知治傷寒法最關發補矣

論傷寒久熱并治法

凡表熱皆由裏陽外越上熱皆由下火上乘縱有外邪感觸亦不過發病之端而繼以陰

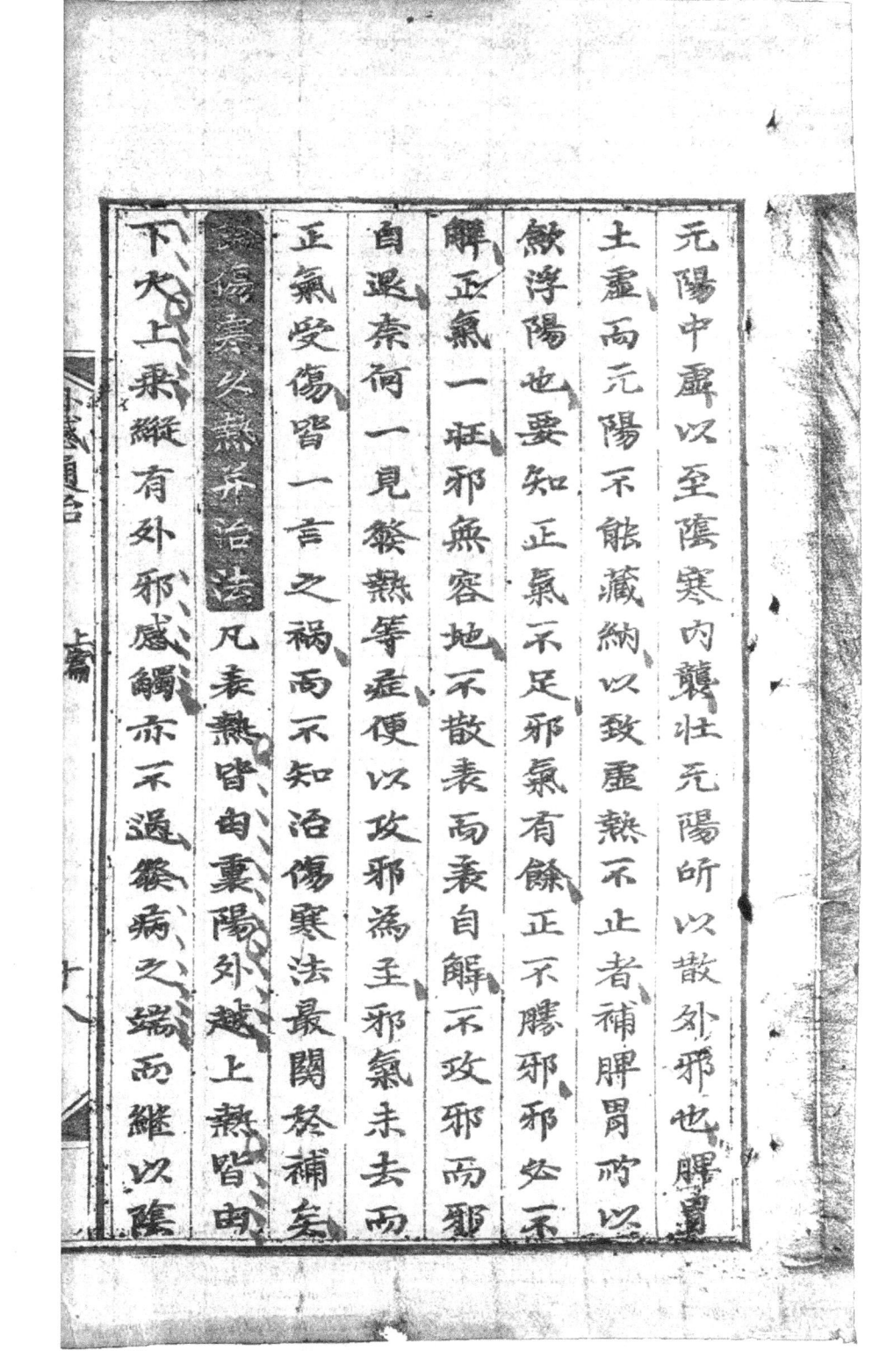

陽本氣自病矣故名傷寒復云熱病傷寒者已往之病
源熱病者現在之寔害寒既爲熱則所傷之寒早已消
釋經曰藏於精者春不温病原由陰精不足而致病熱
病温既病而今陰精愈耗愈竭此辰寒雖散奈真陰之正氣堂
傷更熱更損莫可發生以制陽亢故久熱不已乃由
津液陰虛不能退陽也若能以外邪爲治病之因以陰
陽本氣自病爲繼病之寔善爲調之通之則何有久熱
不已之候乎夫大之藏納不外乎水土之中故發熱者

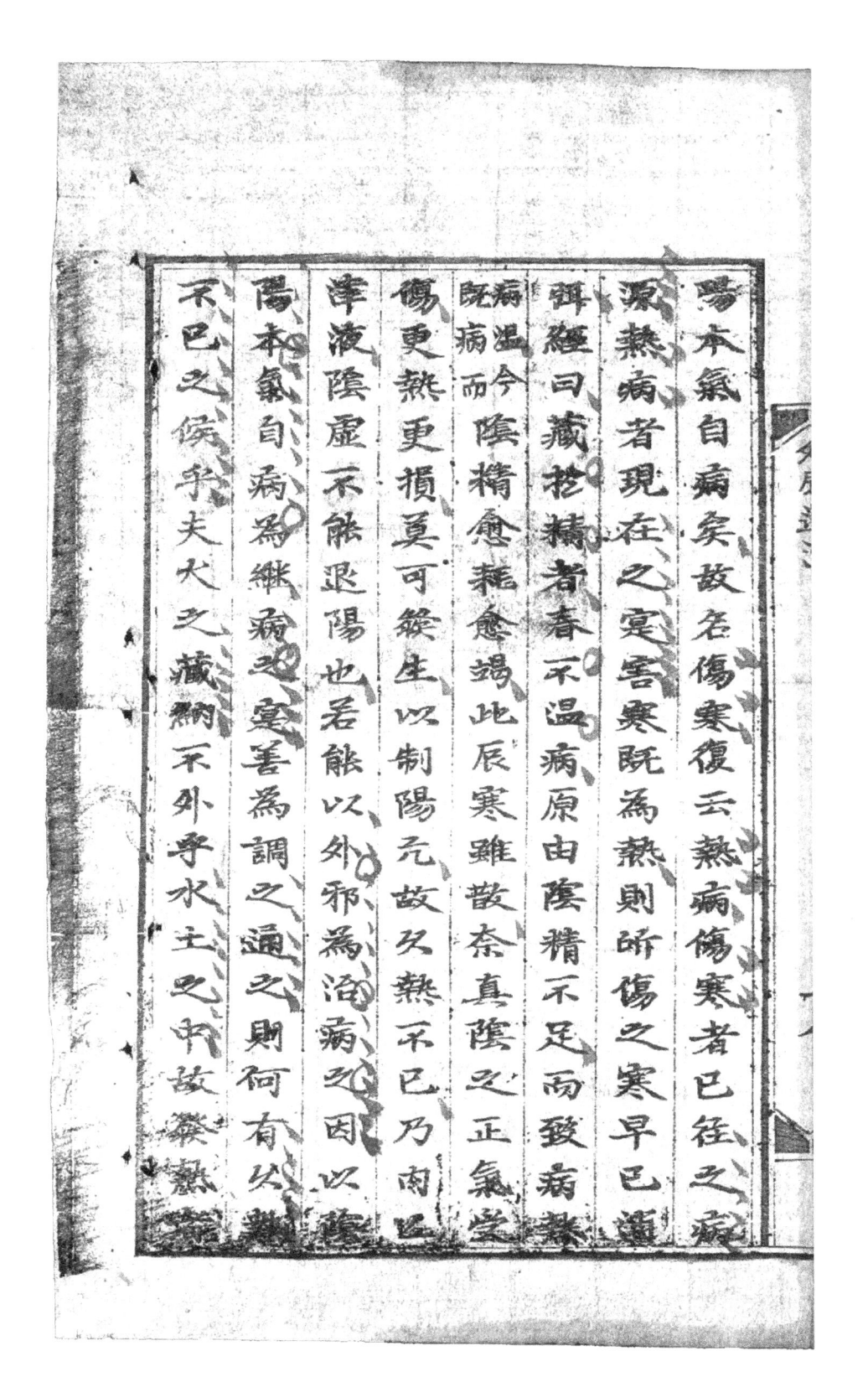

即我身中之火因正氣虛不能接納邪得乘虛而激也之乃陰陽本氣反常之變症寔非外來之火也凡遇客邪一發脾元虛者調中以斂陽陰中水虛者補水以配火陽中火虛者補火以藏源則故物仍歸病即愈矣如不知此竟以外邪為寔跡重汗以亡其陽陽無歸源之方重下以耗其陰陰無配陽之能復加寒涼峻劑脾元益傷矇表之浮陽何能斂納將此身內必要之火驅滅而殆盡雖欲不死其可得乎

論陰虛發熱與傷寒無異　凡真陰虛而發熱者十之六七亦與傷寒無異昧者不知此一見發熱則曰傷寒即用發散而致斃者多矣其病大熱面赤口渴煩燥宜用六味地黃飲大劑投服立愈如見下部腰寒足冷渴甚燥極或欲飲而反吐即以六味加肉桂五味甚者加附子冷服下咽即愈

論陰虛難補與畧陳治法　古人云醫之爲病所固惟陰虛難補以積難除以玉山自倒養虎遺患比譬形於藥

懨之雖然治積之法古書辯論自甚委明人無間言書
曰壯人無積虛人有之初病以消為補久病以補為消
要使正氣無傷而邪自退至於陰虛難補一症書未講
明先哲雖有啟其源而未窮其流使學者茫然如渉海
問津不知涯岸余臨症遇陰虛者十中六七遇難補者
亦百中之四五大凡症見形體瘦黑髮焦氣短性急多
怒六脉浮數無倫或陰分發熱無汗骨蒸面黎舌黑体
似乾柴小便頻數大便燥結或乾咳乾嘔喉乾咽痛此

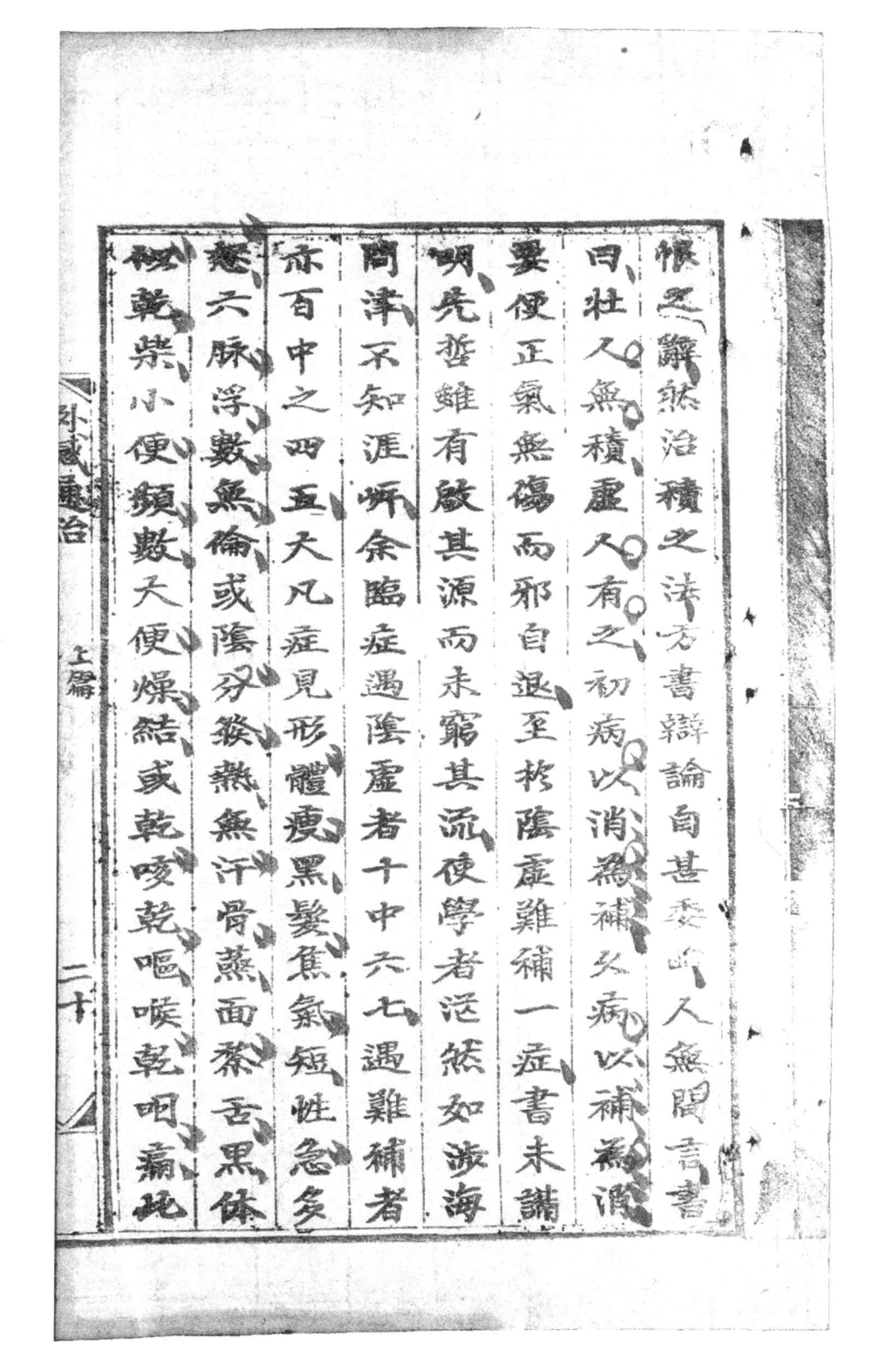

皆陰虚之兆若病家專心守一醫者定見不移勿圖目
前近功方能有濟何則水一火二又云一水不勝五火
男二八女二七天癸始旺七七八八天癸已竭此可見
陰常不足之機也故囙人生自少至老所生疾病靡不
由於真陰不足又曰一勺之水難救車薪之火若一
星之火能燒萬頃之山此陽火易長而陰水難成也訣
補陰之功無速法亦無巧法惟於治療之間務在細心
詳察補還須緩勿得少偏大要補陰之藥宜於至靜至柔

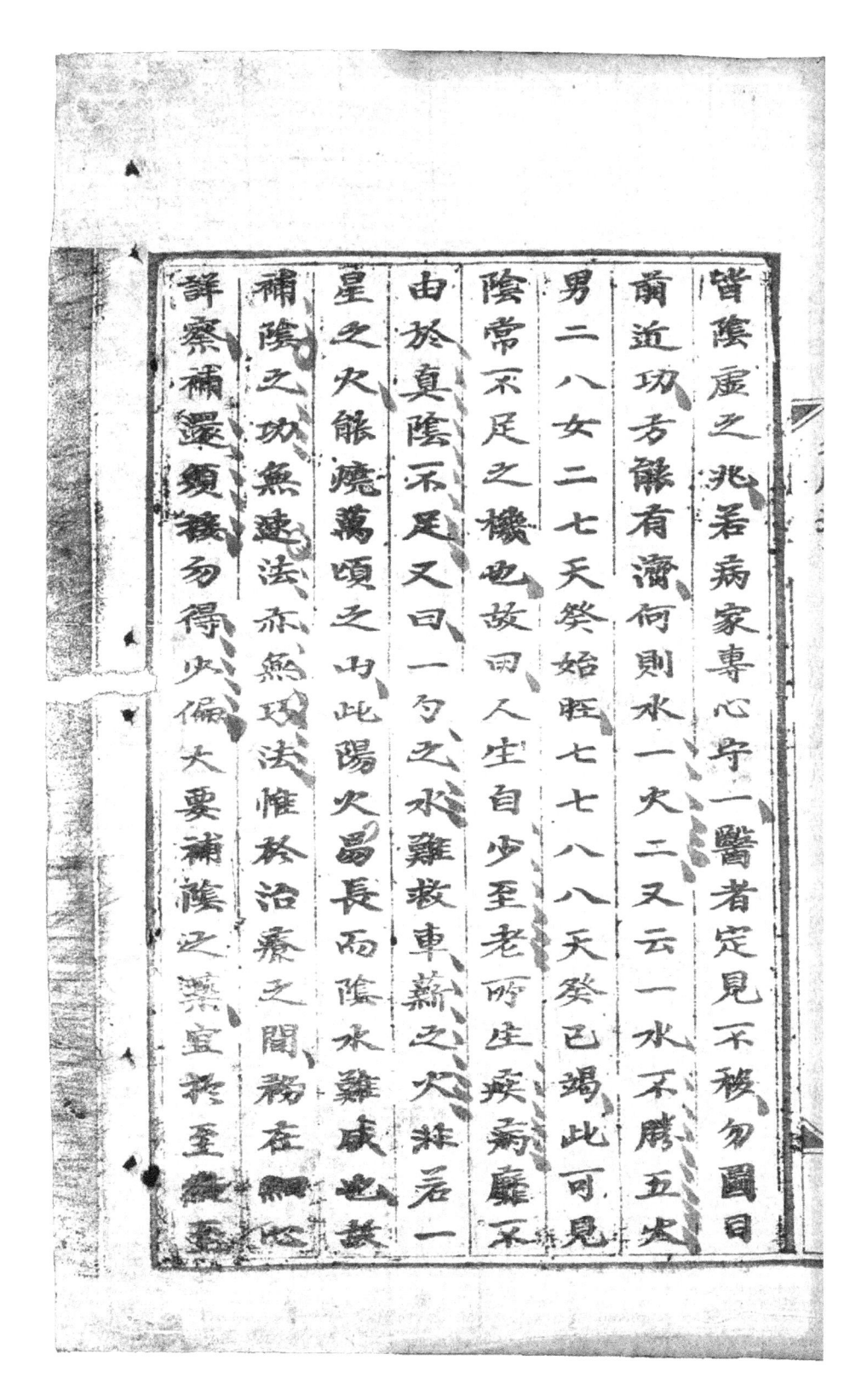

靜者最忌辛香溫燥之劑然久服純靜則陰柔之性
反致泥脾陽胃自虧生化之机難得陽生陰長之理若
少偏於香燥則亢烈之陽益劫其陰自無潤澤還耀陽
盛陰消之機得此失彼惧熱思寒之兩難也故久虛者
用一羣陰藥宜間入陽藥一二味更採陽中之陰既能
補氣又能益血者亦可相須而取效大虛者只宜峻補
滋陰益血之劑日夜接續力弱者用大劑濃煎頻飲如
果熱已稍退陰分稍旺更畧援陽藥一二劑使補中有

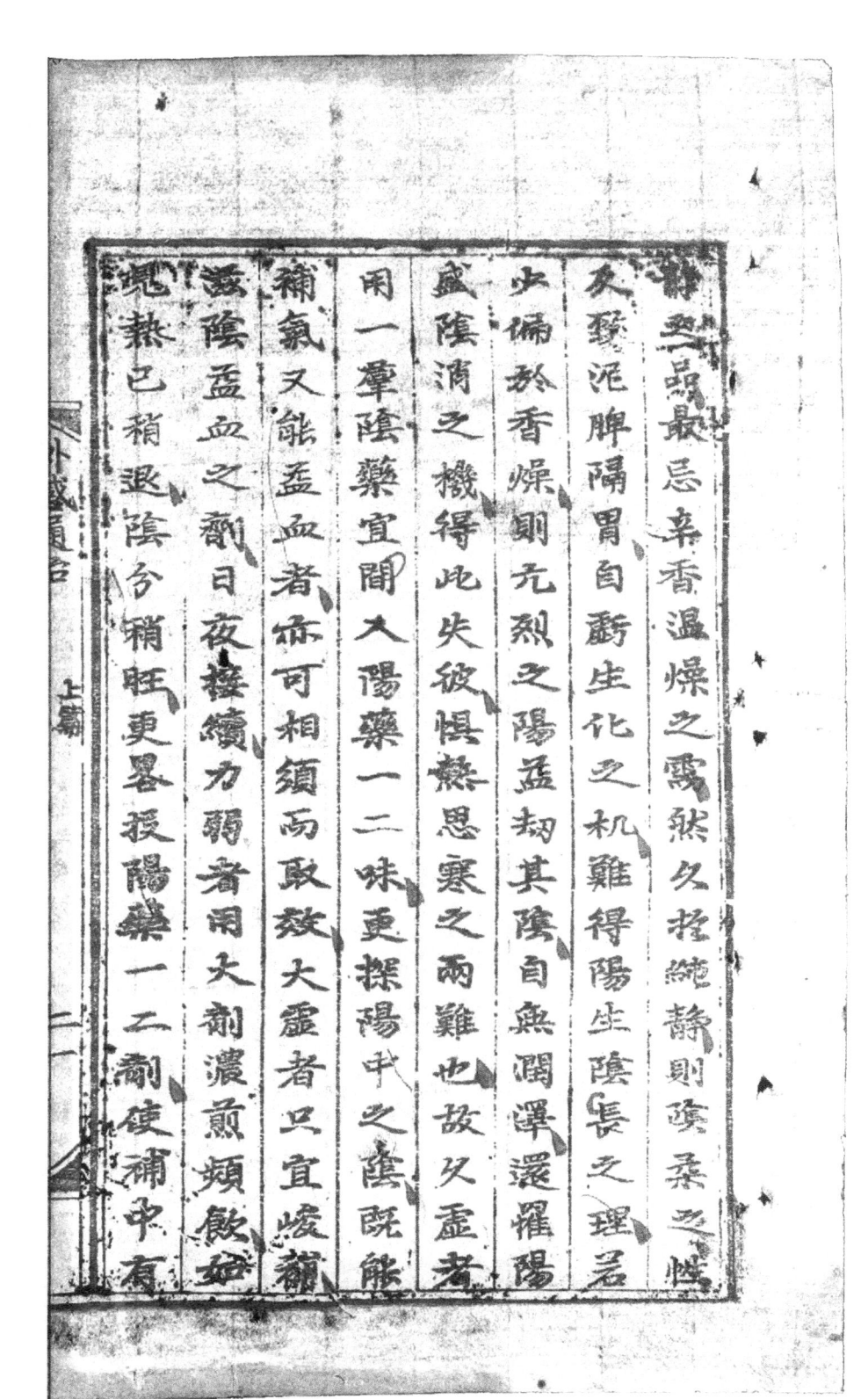

接大要陰分十分強健陽分亦可三四分接續起發如此則血得氣生而易長陰得陽衛而自守要知熱者火也火即氣安可惡熱而盡清之無熱則氣亦絶矣人可無氣乎治熱而熱已減半更察胃氣之強弱強者以平爲期亦無大害弱者飲食不進則以陽藥急扶胃氣以培生化之源書云脾胃一敗百藥難施勢如絶弦挽之何及故補血每以胃藥收功亦深理也倘捨胃藥而熱更起只憑飲食漸進仍照前陰藥以治熱如此調停尤當

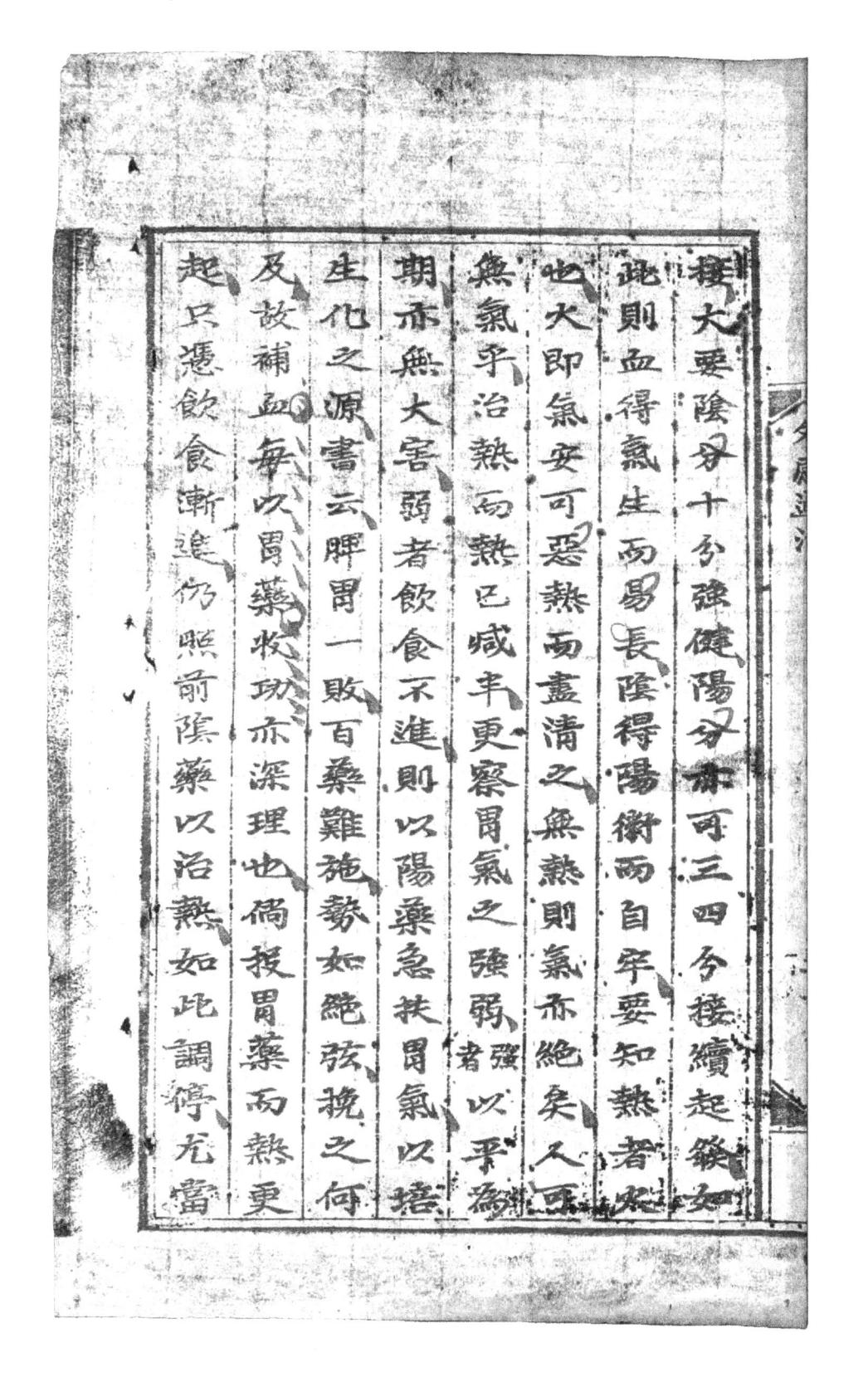

領脾胃氣為主而其中又有補土以藏陽之妙法此余之心領神會一團活法甚穩甚當不忍私藏願陳嘗見囊隱求情恙未聯

辨陰症論

陰症者則身靜氣短少息呼不出吸不入目不了了（謂見一半目不見一半目是也）水漿不入二便不禁痛如刀割色青面黑喜向壁卧閉目不欲見人鼻氣冷唇青白手足冷指甲青小便白手重按無大熱若重陰者冷透手初起便怕寒或戰慄蜷卧不渴腹痛腹滿嘔吐泄瀉或口出涎沫面慘引衣自蓋身重難於轉側不發熱而

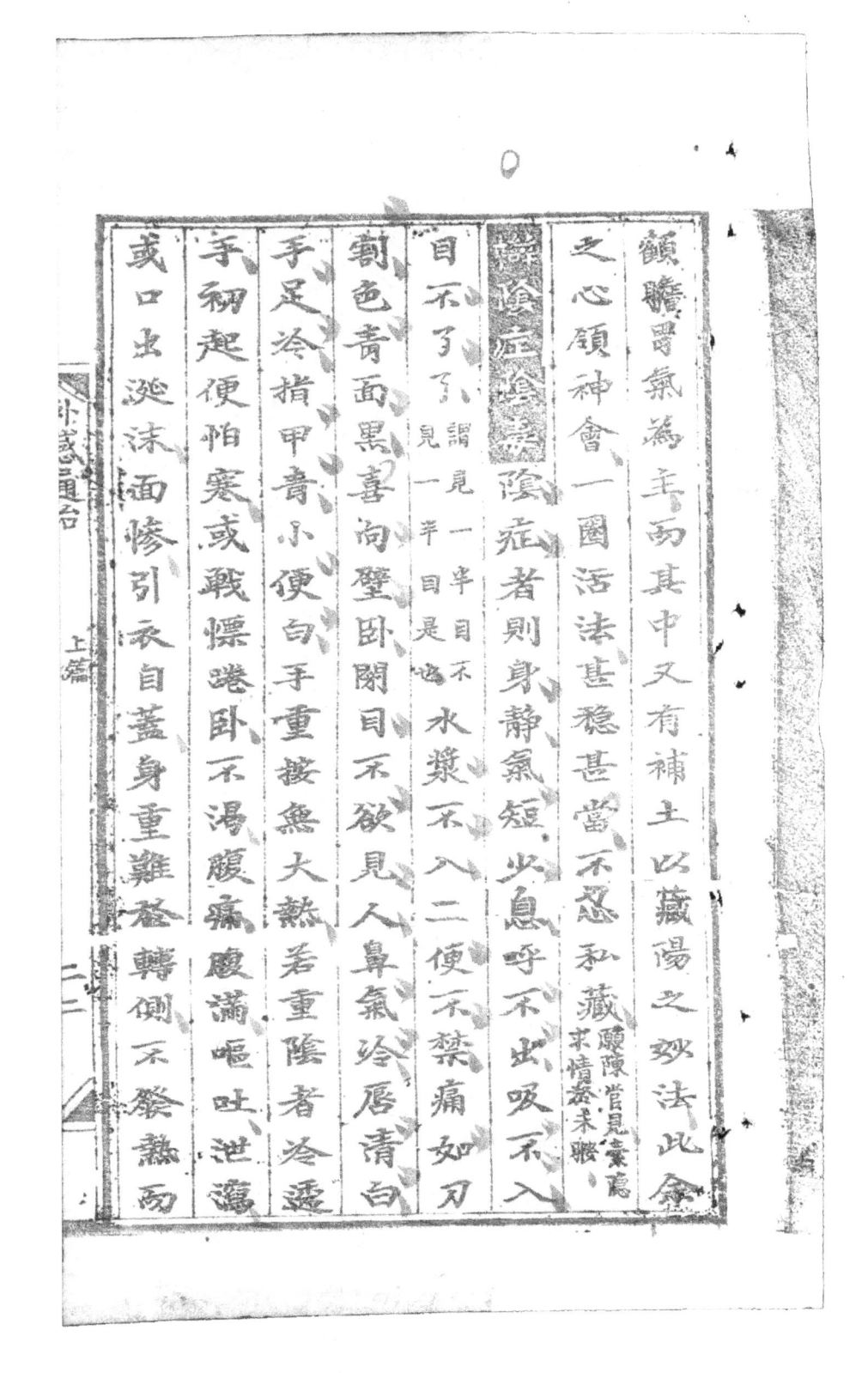

脉沉遲或細數無力此自陰經受寒真陰症也輕則理中湯重則姜附湯四逆湯以溫之不可少緩愚按此脉與症及用藥治法乃是中寒症而諸書以為陰症又以為直中陰症並類在正傷寒門余意此症發在三季辰即名為中寒固矣若發在正傷寒月亦是中寒症大要邪實則正虛陰盛則陽微病根於無陽故症顯純陰多氾冬月中氣閉藏邪不直入之義姑斂之以俟高明　陰毒者本病素無虛寒或觸冷物或過汗過下亡陽變成陰毒手足指甲皆青黃腹中發痛

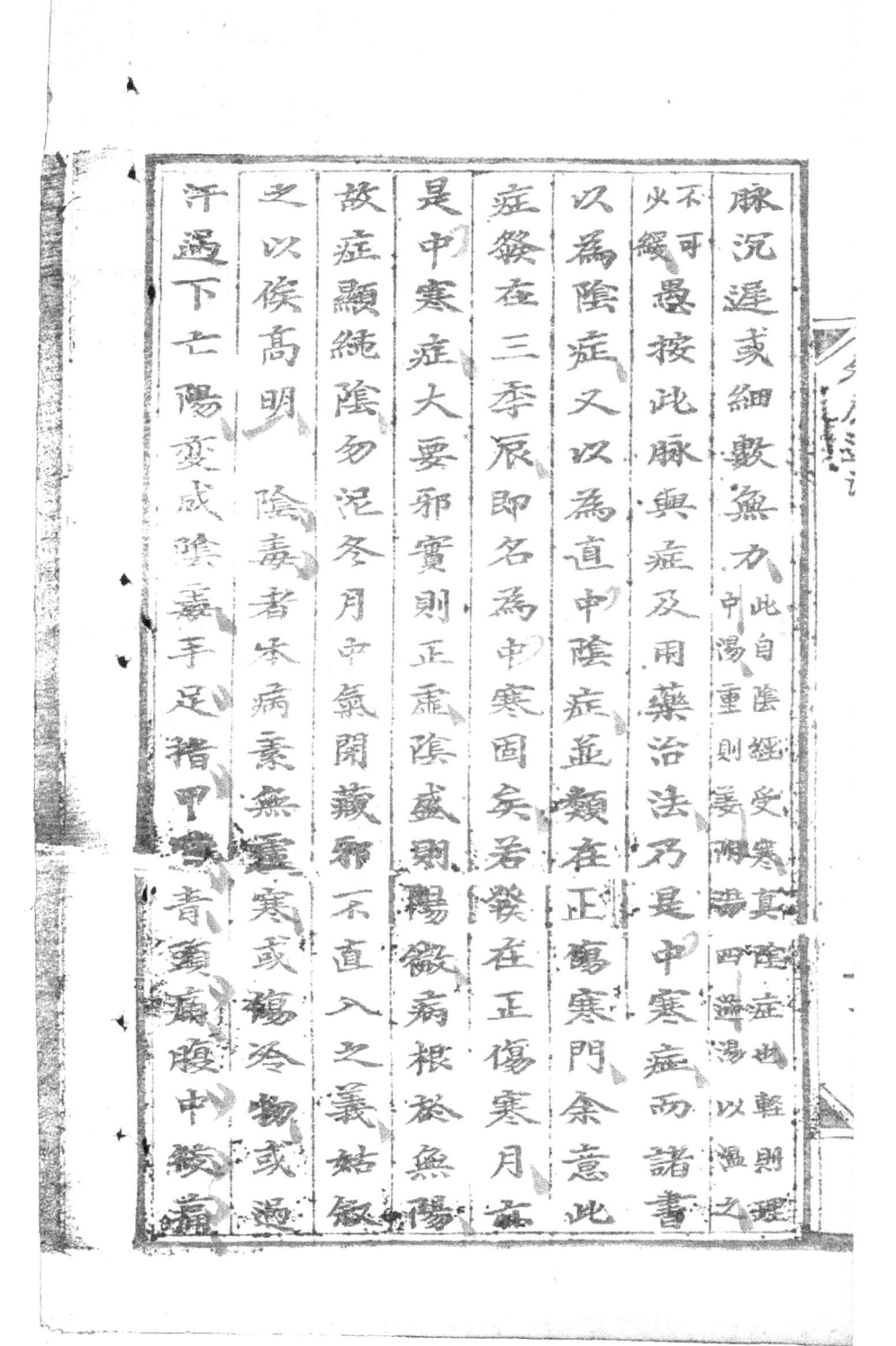

眼睛痛身體倦怠身不甚熱四肢逆冷頭上手指皆有
冷汗恍惚擲聲嘔逆身痛如被杖虛汗不止六脈沉微
或尺微寸盛五日可治七日不治

陽症陽毒

陽症者則身亢動氣高而喘目睛了了氣
粗息壯口鼻氣熱面赤唇紅口乾舌燥譫語能食喜飲
凉水身輕如常小便赤大便閉手足溫熱指甲紅六脈浮
數有力　陽毒者熱邪深重或由失汗失下或誤服熱
藥熱毒散漫舌卷焦黑鼻中如烟煤咽喉痛甚身面錦

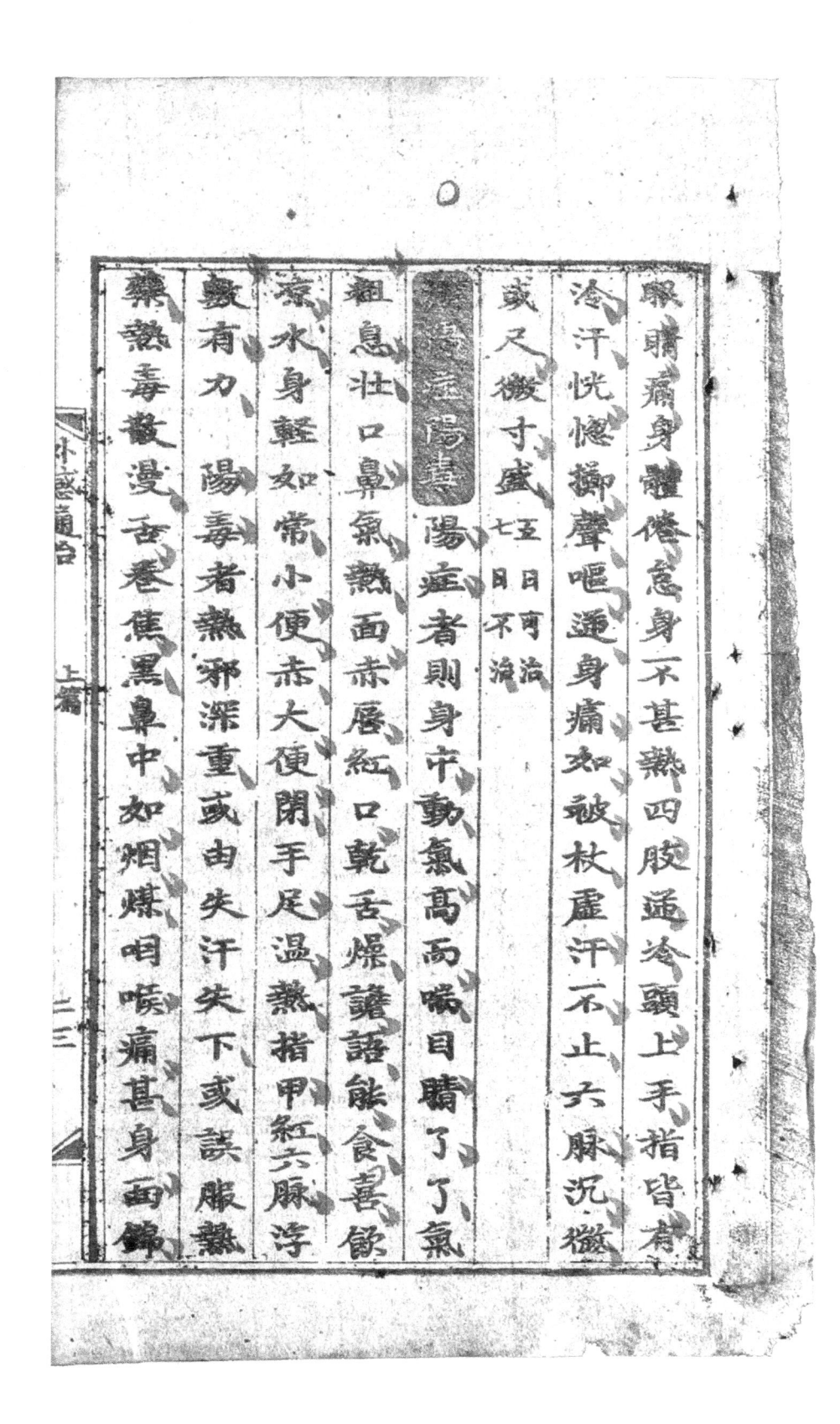

斑狂言妄走踰墻上屋登高而歌棄衣而走脉洪大滑促或骨禁咬牙或見鬼吐膿血觀者可以詳備（五日可治七日不治）

（凡症見狂陽假熱戴陽逼陽陰症似陽水極似火皆別名也）

陰盛格陽症

凡陰盛極而格陽於外內寒而外熱（經曰重陰必陽重寒必熱又曰寒極生熱蓋陰極反餘燥熱即真寒假熱之症）症見身發大熱面赤煩燥口渴舌乾咽痛揭去衣被或身熱反欲得衣口不渴舌青指甲黑囊縮舌卷手足冷下利清穀而便泄小水清沉骨多眠脉沉微或大無力或七八至按之則散或尺弱而無

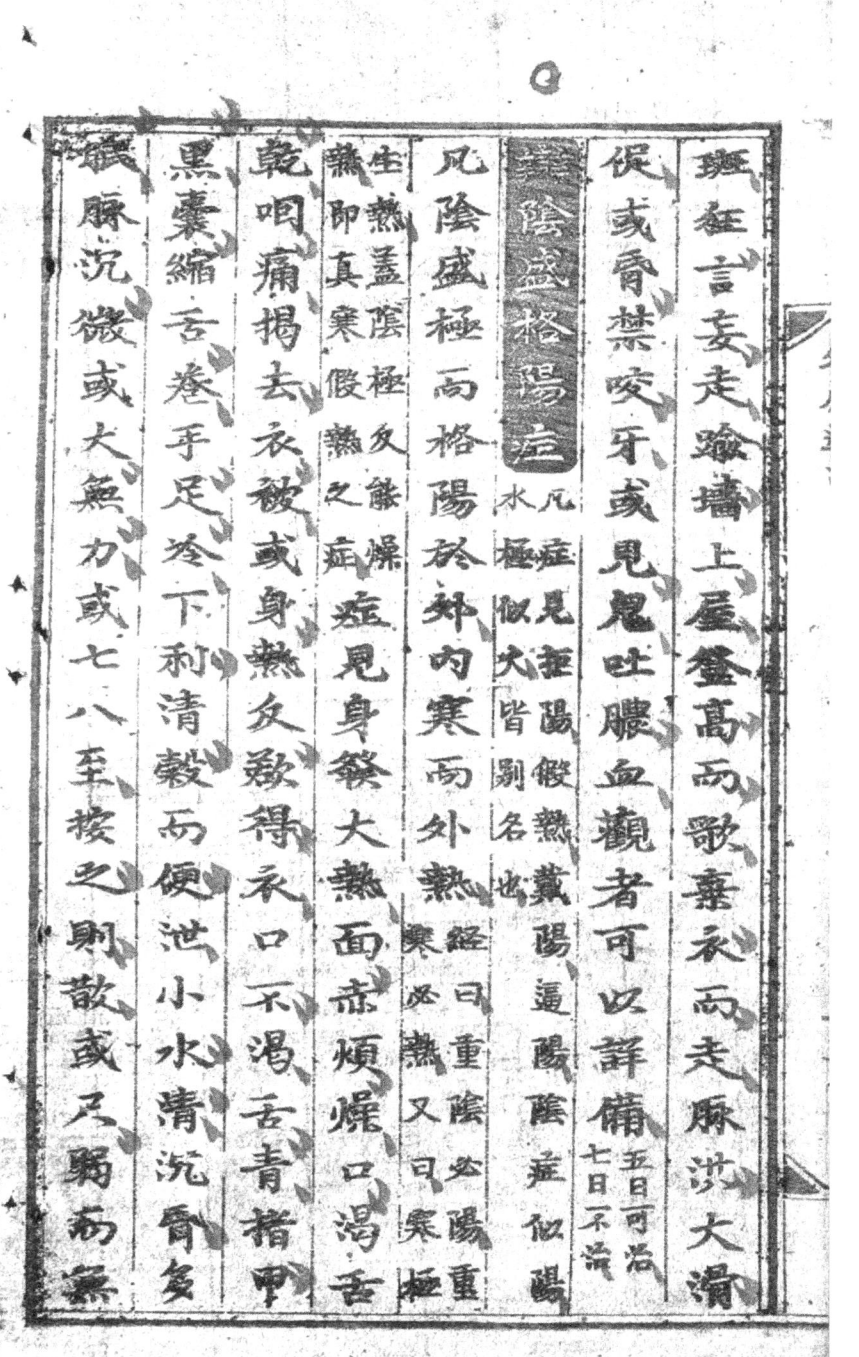

方寸關豁大而無倫或數按之不鼓動者倘誤認為陽症妄投寒涼必死經曰陰症似陽清之必死如誤服寒涼藥以冷水試之假熱者必不喜水倘有喜者欲亦不多或欲後必嘔便當以溫藥解之大要陰症不令熱與不熱不論脈之沉浮大小但指下無力重按全無便是伏陰于內逼陽于外宜急以五積散以通表裏之寒內見沉寒必須姜附方可挽救不可遲延一云急者四逆理中無脈則通脈四逆湯陰毒則甘草湯一云熱藥冷飲從其性而折之此所謂陽欲暴脫者外顯假熱又以小便分之清者外雖燥熱而中必寒然余謂未必然也經曰中氣不足則溲便為之變余臨症不敢以小水赤白以為寒熱也但見症當

以本氣脉候以爲真的餘無足憑又看口中潤而有津液爲中寒又看舌胎白而活潤者丹田有熱胸中有寒然亦有舌胎黑爲寒者必舌無芒刺口有津液

辨陽盛格陰症

凡陽盛極而格陰於外内熱而外寒經曰重陽必陰重熱必寒又曰熱極生寒盡陽極及能寒厥乃内熱而外寒即真熱假寒症也症見形症似寒煩悶昏迷不眠身寒惡寒亦不欲衣口渴指甲紅脉沉滑或四肢厥冷陰厥則脉沉弱指甲青而冷陽厥則脉沉滑指甲紅而温倘誤認爲寒症妄投温藥必死經曰陽症似陰温之必死如[illegible]服熱藥以冷水試之細審假[illegible]

者必多喜水或服後反快而必所逼使當以寒冷藥解之要以小便分之赤者外雖冷而內寔熱已論在前又看口中燥而無津液者為內熱又有舌胎燥而澁熱聚于胃也宜承氣白虎湯一云以辛熱之藥溫而行之一汗而愈微之炎夏林木流津火極似水嚴冬流水氷堅陰極似陽可知矣若口乾舌黑乃腎水刑心火熱益深而病篤矣

外感症虛寔

半表半裏將傳裏症

表寔者表熱惡熱無汗書云寒表者表者無汗火盛熱表者有汗脉浮緊呻吟不安能食雖頻不嘔頭痛身痛腰脊強脇痛　表虛者自汗肉戰怯寒脉浮緩無力

體痲羞明舉動不勝煩勞皮膚肉削凡表症悉具脈見沉微此元陽不足不能外達也但當救裏助陽散寒爲上策半表半裏則寒熱往来与不欲食未至不能食表將傳裏則心煩喜嘔胸脇漸生痞滿

辨裏症虛實　裏實者裏熱潮熱不惡寒脈浮大有力或沉數有力掌心液下有汗心腹痛煩燥悶亂能食煩滿而嘔小便赤咽乾口渴舌燥大便閉譫語胸中憹膿血滯氣積或痞或堅　裏虛者無熱惡寒脈沉細腹鳴自利不渴脣青舌卷下利清穀身痛心怯心跳心驚神寛

不寧津液不足畏張目好閉目惡人聲饑不能食渴不能飲

脉沉微無力惡寒欲衣飲熱氣少出言懶怯好

静惡燥泄痢小便頻數不甚赤白飲食不入大便溏泄或為

氣虛脹悶及大病後與久病久則總致一虛內出之病或顏色

憔悴稟虛體弱或有痼病總皆虛症書云內出之病多不足又云中氣虛發熱總皆虛熱之症

心虛多悲多驚悸　脾虛肢倦不能食腹滿善憂

肝虛目暗陰縮筋攣善恐懼　肺虛氣少毛焦

腎虛二便不通或不禁骨痿　大虛者神氣不足頭眩畏寒

水虛者失血、戴陽、骨蒸 氣虛者氣短聲低

血虛者職濇諸痛受按（此醫畧舉其綱然觸類旁通難形於筆札）大凡症見

屬虛者雖有外邪表症且在不可旁觀支離惟以求本

爲治（正旺邪消）補接切不可間斷緩則變生

辯寔症 脉浮數有力或沉數有力皮熱飲凉惡熱揭衣

不畏風寒或爲痞脹嘔逆脇痛前後不通禀寔體強氣

粗能食聲厲欲明惡暗小便赤澁大便燥寔與外入之

病總皆寔症（書云外入之病多有餘） 心寔多笑 肝寔脇痛多怒

氣實者喘粗聲色壯厲　脾實脹滿身重
血實者凝聚且痛且堅　肺實氣逆咳喘
火實者善食而瘦（率為見症之大畧也）　腎實下焦壅閉
水實者浮腫泄瀉（惟以形脈為憑）　大凡症見屬實者初發急
爲表散務使熱邪清無傷正氣倘瞻顧因循亦（猶開門留寇）

辨症似實　一如脾胃虛損甚則脹滿食不得入氣不
得舒便不得利又如饑而過辰反不思食又如脾腎虛
寒真陰症也陰盛之極往往格陽面目紅赤口舌破裂

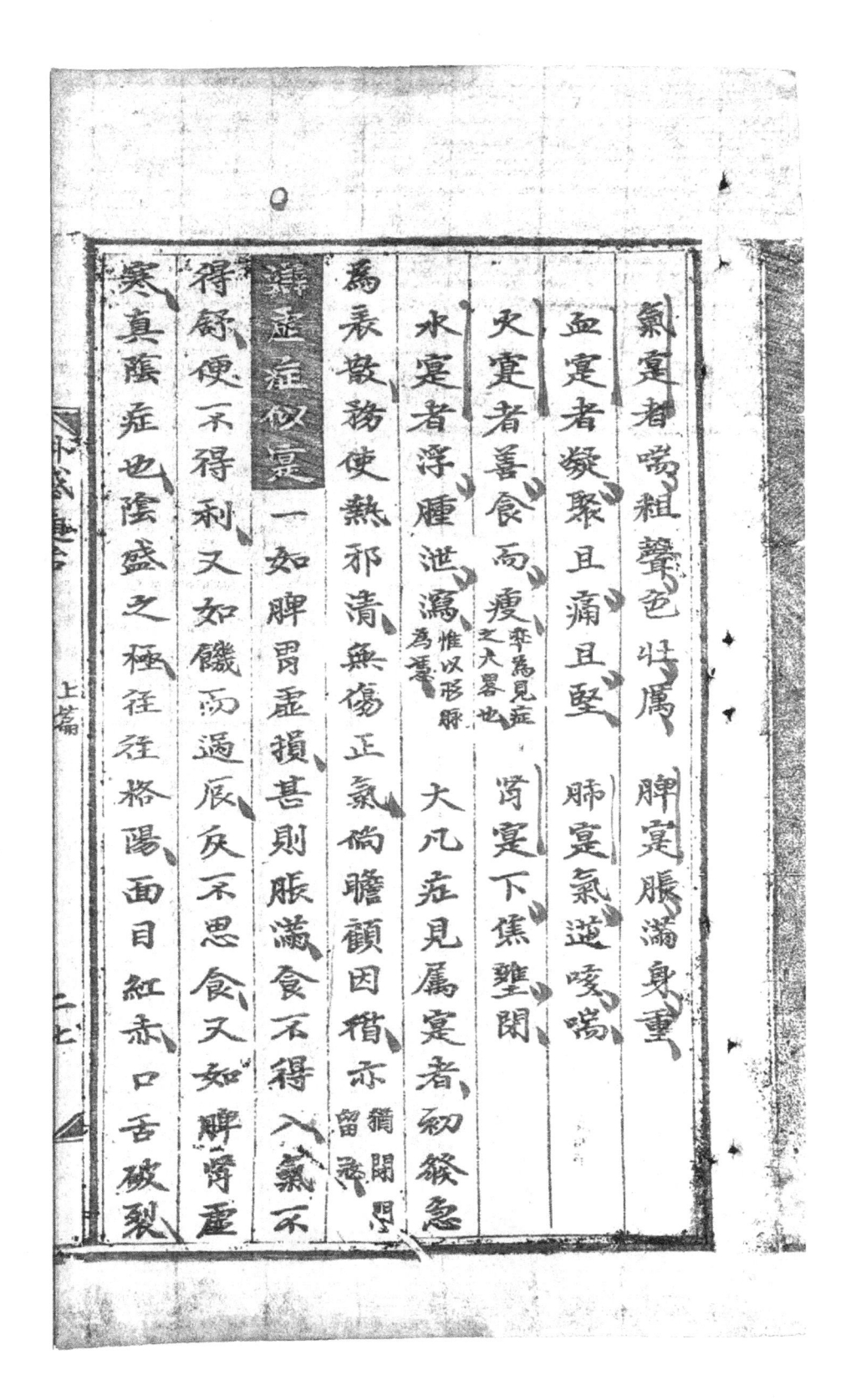

脈滿虛狂假癥揚手擲足言語錯亂此皆至虛有盛候反瀉含冤亦曰陰症似陽清之必死

辨實症似虛 一如積聚在中寔也甚則默默不欲語肢倦不欲動或眩暈眼花或泄瀉不食又如食而過飽反倦怠嗜卧又如外感未除熱邪未解留於經絡真陽症也陽盛之極往往發厥厥則口鼻無氣手足逆冷此皆大寔有羸狀誤補益病亦曰陽症似陰温之轉傷

愚按虛而反瀉則曰含冤則曰必死寔而誤補則曰益

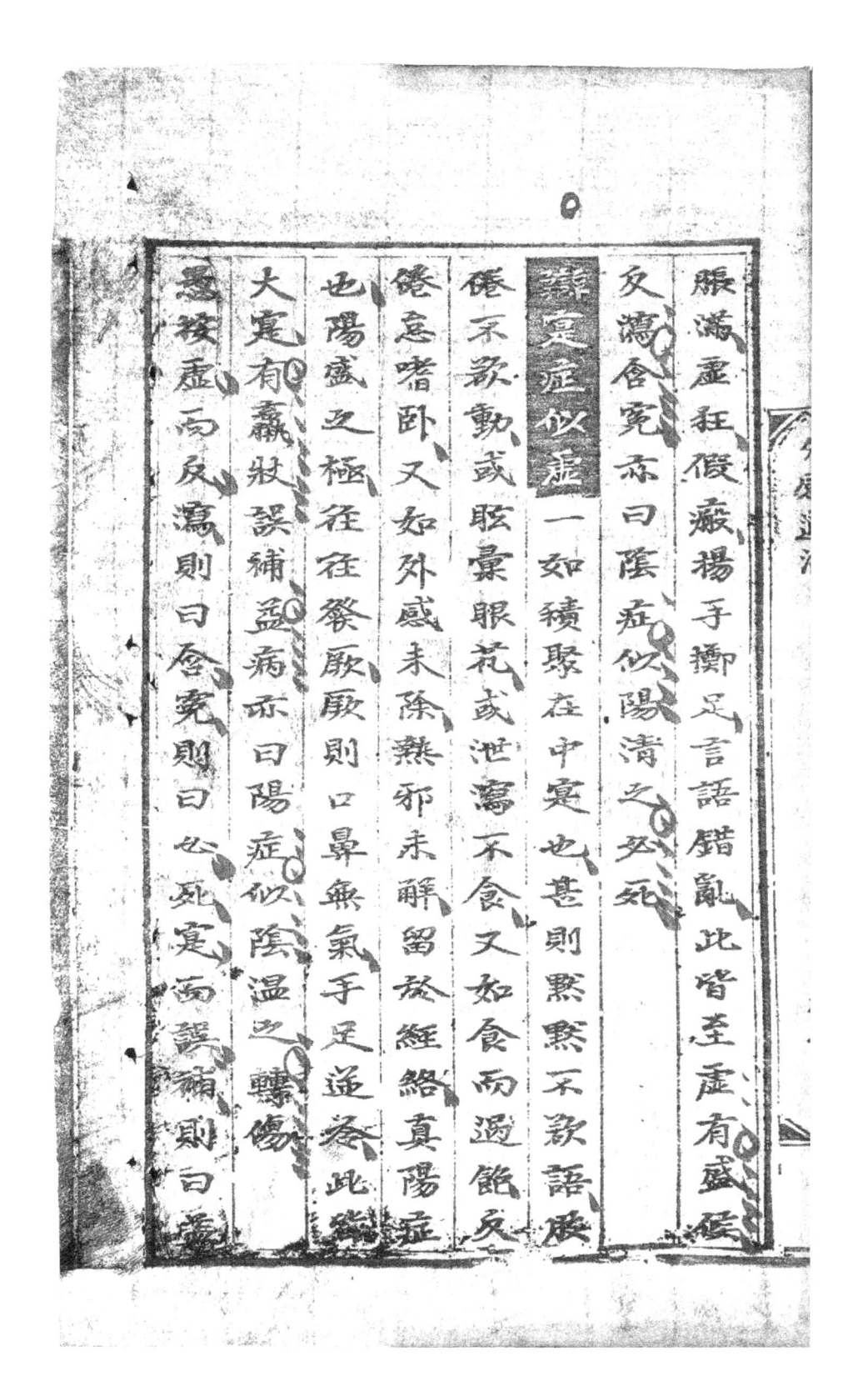

病則可轉僞醫以術坐爲道先哲慈濟苦心教人之旨則有深義學者不可不進思焉王應震曰寧失於溫補不寧失於寒凉又曰寧以不足之法治有餘則可一不寧以有餘之法治不足則不可誠格言也耶病傷猶可救藥傷寃死不可挽回輕重判焉

第一症之中有虛有實該二十八條

一頭疼實者有風寒所鬱有濕熱內蒸有濕熱外襲有痰鬱有熱鬱虛者非虛火上浮即血虛作痛有陽虛而陰乘陽位有傷食氣鬱寔者益氣湯有痰加半夏熱加白芍虛者腎氣湯傷食加查麥

一身痛寔者有寒傷榮則痛有風濕相搏有傷濕身痛
且重而色黄有風入臟肉血脉凝滞而痛虚者有血虚
榮血不足有肝虚筋無血養而攣疼有腎虚精血衰筋
骨皆痛寔者用蒼白二陳湯虚者理陰湯加杜仲
一身重寔者乃挾濕氣滞有氣寔火鬱痰壅重而且痛虚
者氣血虚筋骨不能仁寔者六味異功湯虚者八味湯
一腰痛脊强寔者有邪入太陽有濕鬱而脊强有氣滞
而腰痛有痰涎壅滞虚者有腎虚腰痛寔者二陳加細

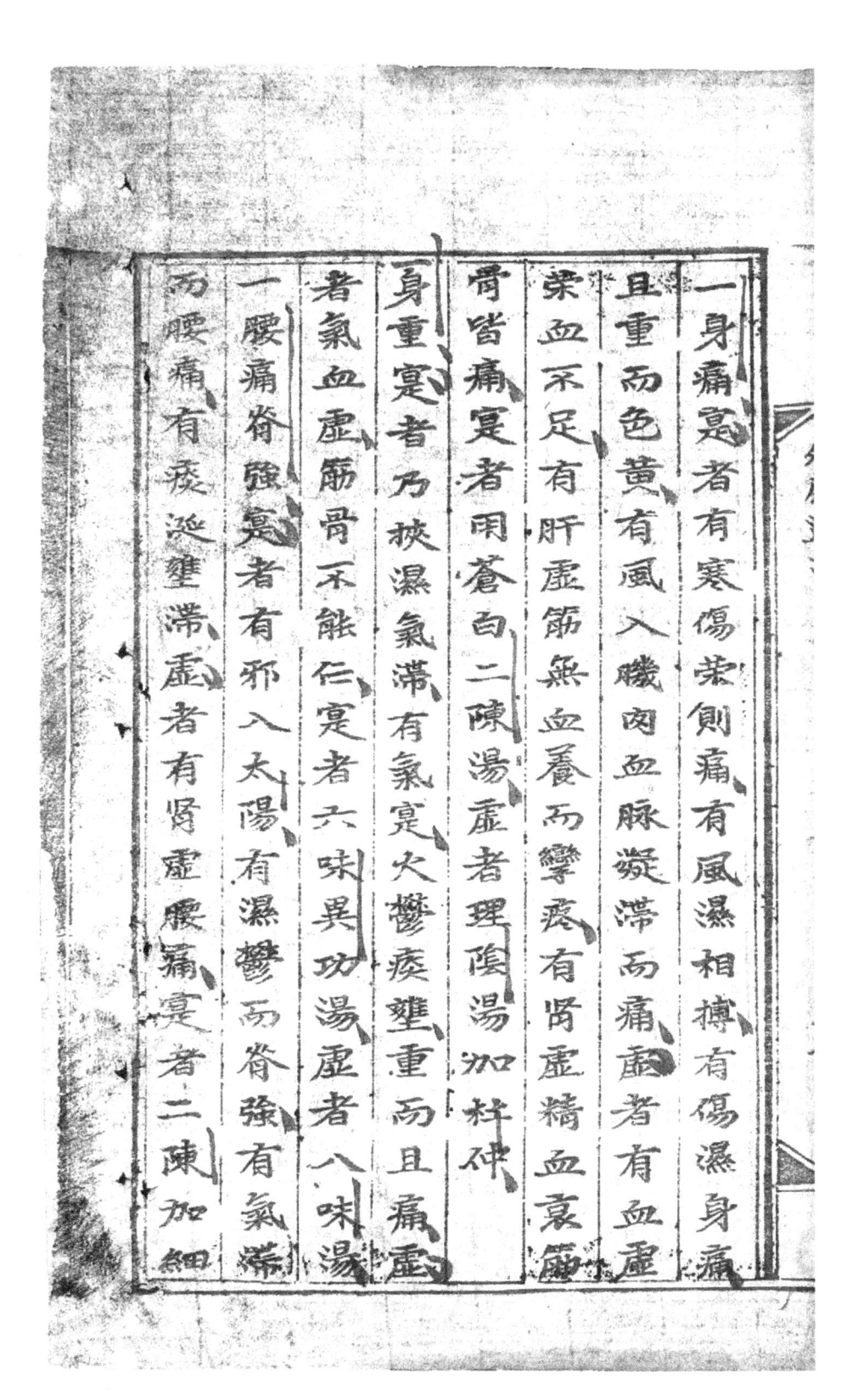

辛杜仲虛者腎氣凡

一惡寒寫者寒邪外來二陳湯加柴胡虛者陽虛生外寒理中湯

一發熱寫者有寒邪外來內火鬱而發熱有傷食胃臟不行氣鬱而生內熱有過食熱物有誤服熱藥而生熱虛者有後天陰虛生內熱有後天陽虛土不藏陽有先天水衰不能制火有先天火虛火變為壯火浮游三焦已詳註在傷寒門

一盜汗自汗寫者表寔無汗有鬱熱于表而汗出譬猶塌蓋有頭汗用補中湯由熱邪上壅有頭汗六味加柴

調有寒濕上蒸而汗自出六君加歸芪湯者有表虛自
汗有陽虛不能衛外而自汗用黃芪建中湯陽虛不能
内守而盜汗用八味湯有陽脫而頭汗用五君子湯有
産後亡陰孤陽而頭汗用理陰湯
一小便赤或閉塞者有内熱赤澁而發渴有濕熱色濁
如米泔有熱鬱膀胱而短赤用補中湯加木通湯者清
利而頻有肺虛氣不能下降有命門火虛不能秘別用
八味加故紙有腎水衰而乾枯有夜赤尿清有陰虛而

小便難用六味湯勿以赤而誤用爲熱經曰中氣不足溲便之爲變
一大便秘塞者有熱邪傳裏有過服乾燥用四物湯加
柴胡虛者有血少四物湯加參茋書云大腸得血則潤
亡血則燥是也有腎虛則津液竭而大便秘燥六味湯加當歸
一口渴塞者熱邪入裏胃口乾枯有過食鹹味鹹能走
血故也有持重疾走而渴用八仙湯虛者真水衰真陰
内水乾求外水以自救有血虛而渴故曰渴病每生[illegible]
血虛者有因潰汗而渴有因痛瀉而渴皆用八味湯加參附五味

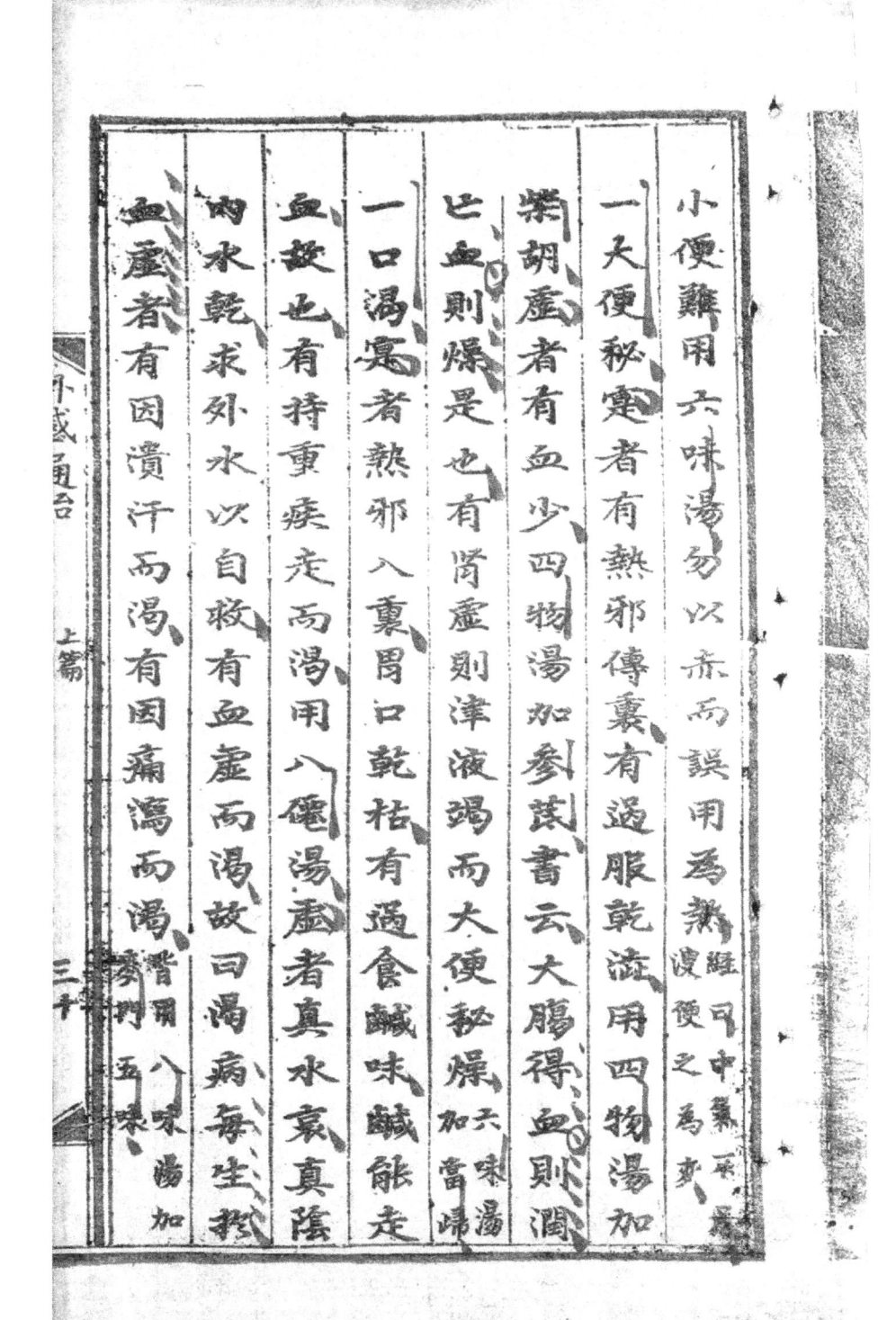

一煩躁寃者煩屬陽多出於心獨煩不躁多屬熱有因傷食氣壅欲嘔不嘔而煩用歸脾湯加麥味處者躁屬陰多出於腎獨躁不煩屬虛寒有因憂思心脾血損而煩皆用八味湯　一嘔吐寃者有邪熱入裏故曰諸嘔逆上冲皆屬火有食不得入是有火也用六君湯加[illegible]胡姜汁有過食腥辣而嘔有痰結在胸上而嘔用香砂六君湯有肺氣逆不下降而乾嘔用四苓散[illegible]便致為虛者有胃虛則嘔用五君子湯有虛火上冲[illegible]

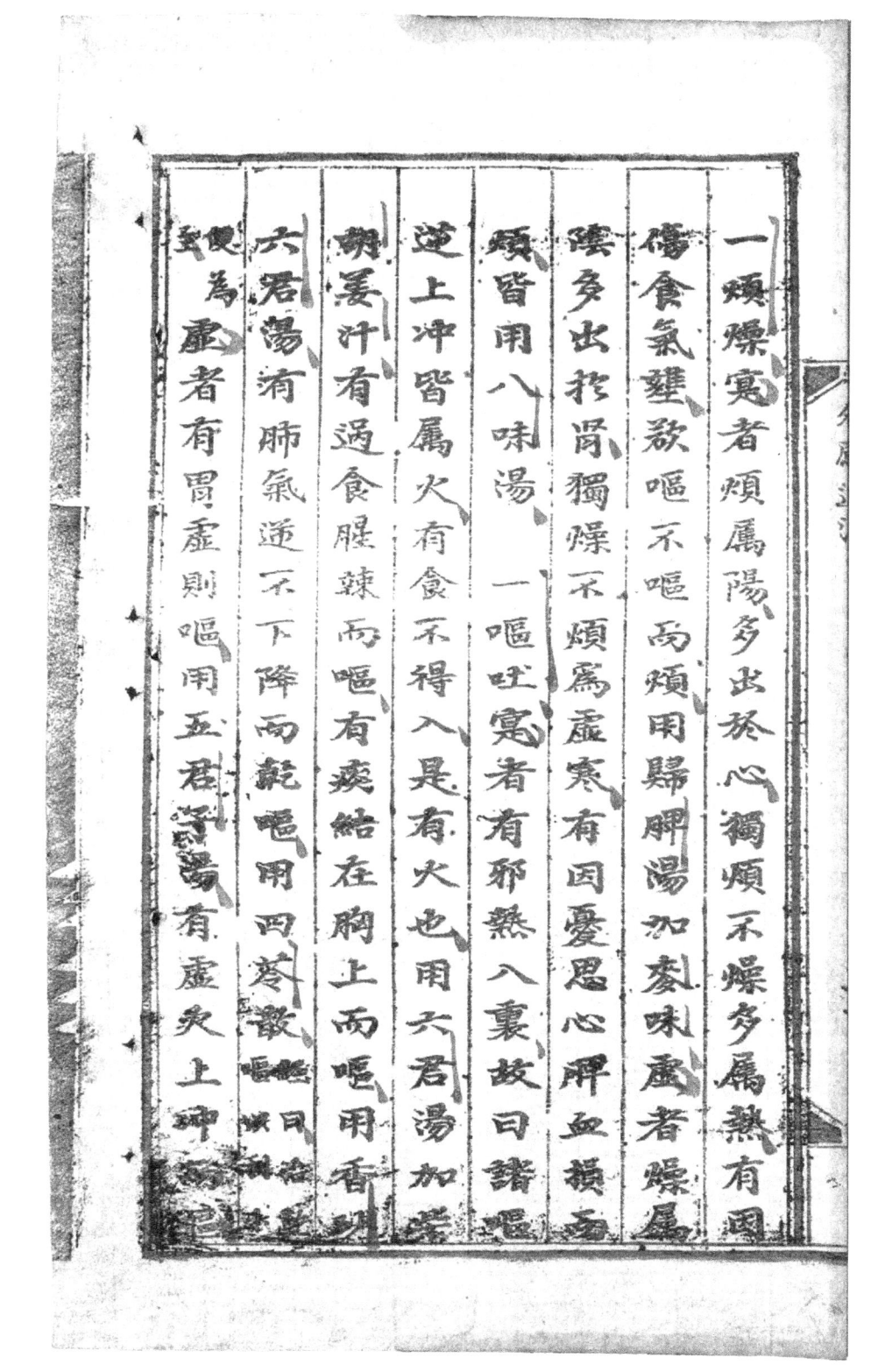

有食入而反出是無火也皆用八味湯
一脹滿寔者有熱邪入裏用二陳加柴胡有傷食痛食
汞滯用和脾湯加查麥虛者有氣虛而氣脹有陰陽否
能升降中焦無火脾不健運有濁陰在上則生塡脹皆
用理陰湯東垣以血蠱而治脹滿人所罕知　一泄瀉寔者有熱邪入裏
用二陳加柴胡口乾涼飲身熱便赤痛瀉如注用四苓
散有熱鬱而瀉有水停而瀉有食積而瀉用香砂六君
湯虛者有胃虛則瀉用五君子湯有腎虛不能閉藏有下

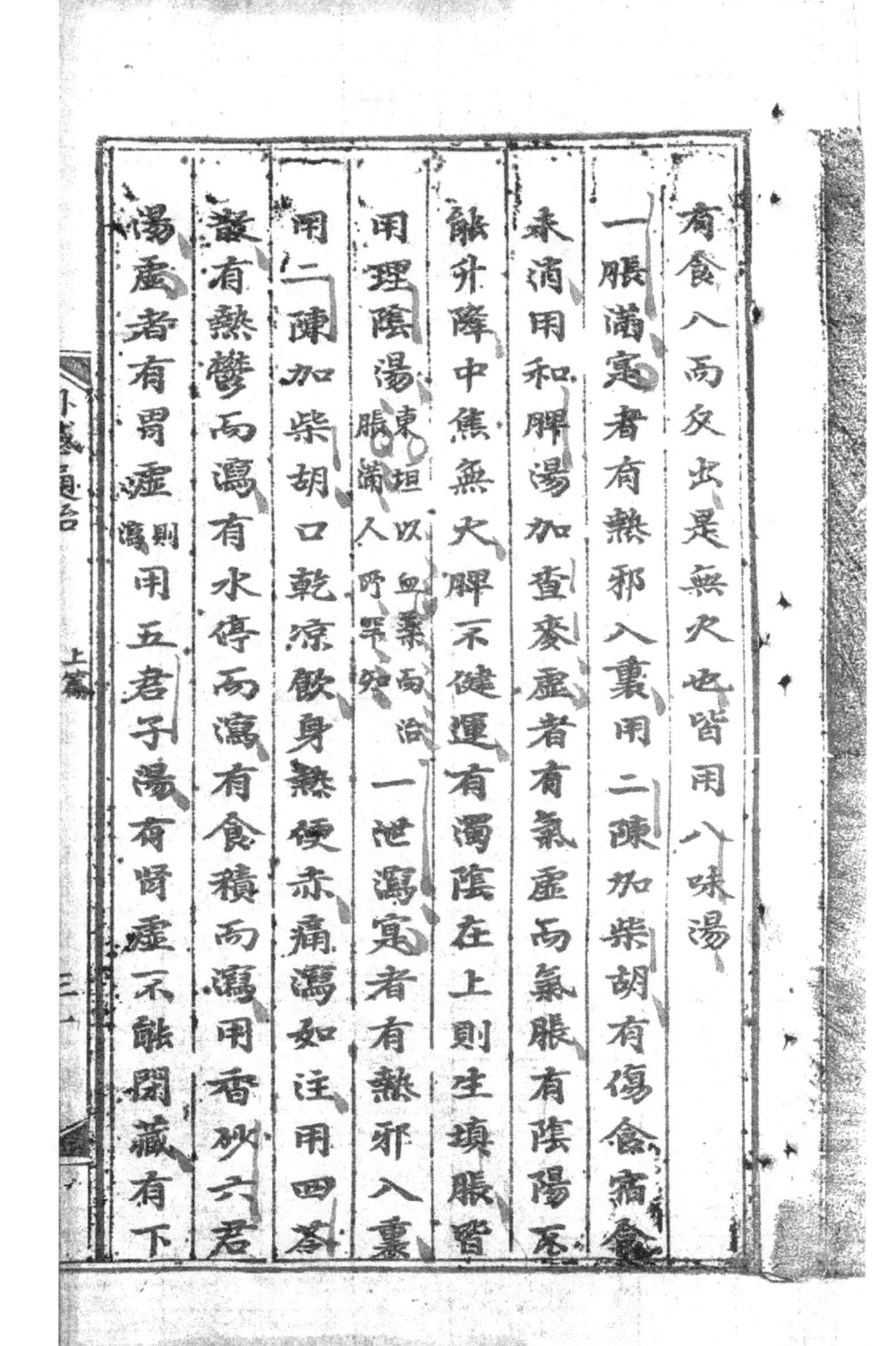

焦火虛不能秘别水穀併歸大腸有腎衰晨瀉並用胃
関煎有傷風脾虛而濁柴苓散叁風好侵土故也用柴苓湯
一氣短倦怠寔者表邪傳裏熱則傷氣有傷食肢麻請
脾虛者有元氣虛有肺氣虛並用增减歸脾湯有肺氣
虛不能出氣四君湯有腎氣虛益傷肺氣乃見呼吸短
氣用腎氣湯　一脇痛寔者風邪乘肝肝氣亢急有暑
怒肝氣鬱而脇痛並用補中湯加香附白芥之類虛者
有水衰不能養木肝血虛而肝氣亢有腎虛水不能養

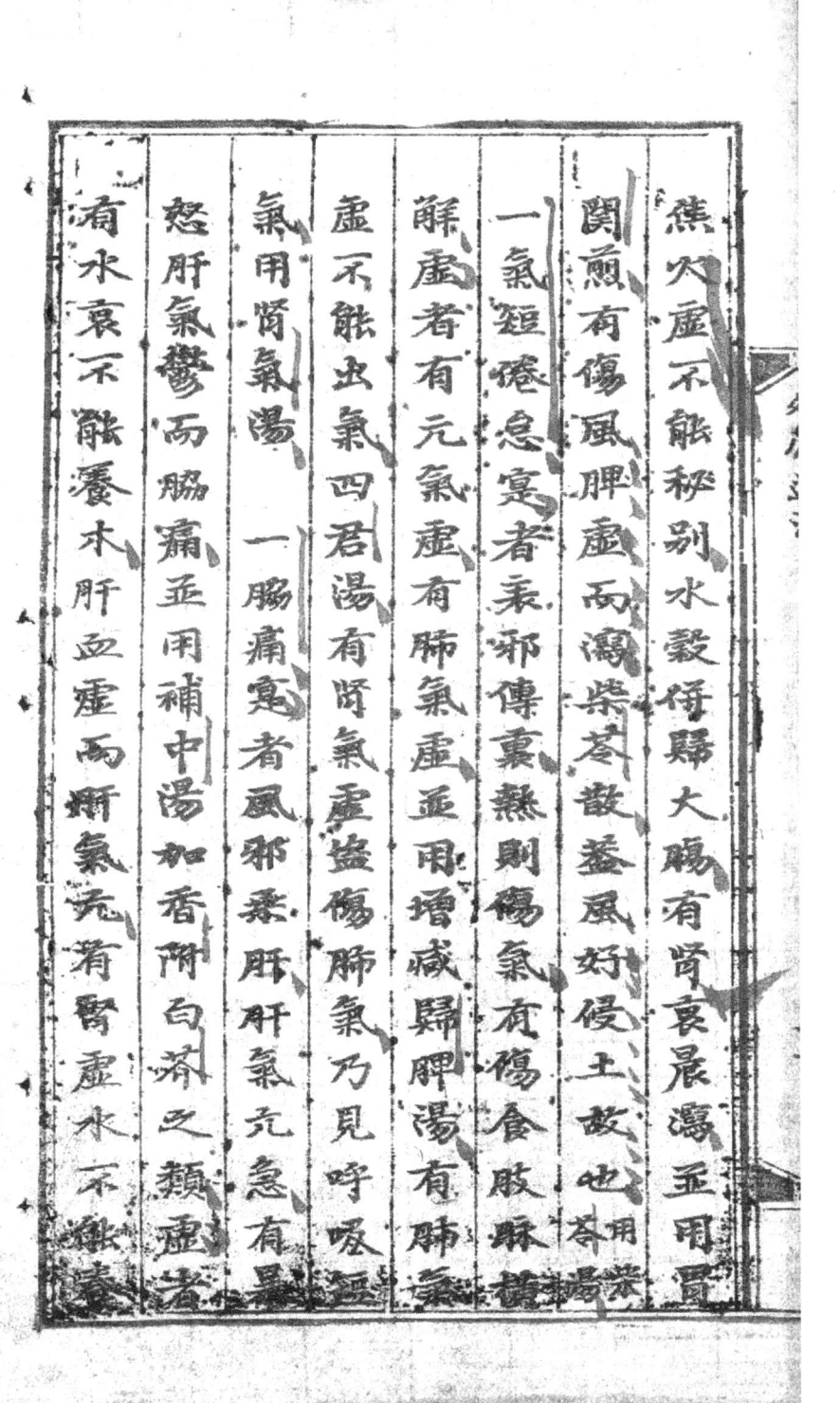

求肝血少筋攣急而痛六味八味隨宜而用
一發癍寒者有熱邪傳裏逼血於皮膚有火因風而發
用柴物湯虛者有陰虛火動有水衰火炎有汗下後中
氣虛極爲陰症發癍並用八味湯有發癍色淡細而隱
有内傷胃氣虛極而發癍用補脾陰湯
一發狂寒者有熱邪入裏曰陽毒故曰陽入陰則狂有
暴怒肝氣鬱用柴物湯虛者有陰血虛陽邪乘之用四
物或六物有腎水衰雷火獨炎此假陽症有陰極似陽

而發狂皆用八味湯　一舌胎唇裂𤺋者熱邪入心舌
者心之苗也甚則舌黑芒刺全無潤活用柴物湯劇
者有陰虛火動有腎水衰相火上炎此格陽症舌無芒
刺而潤活用理陰煎冷服或八味加牛膝
一喉乾咽痛𤺋者有熱邪入裏胃火上衝有中風失音
咽痛有痰結痛並用理陰煎加柴胡劇者有真水下虧
虛火上浮有後天陰虛火動用腎氣湯　一鼻塞聲
重𤺋者有風寒外感氣道阻塞此肺主皮毛故也用紫

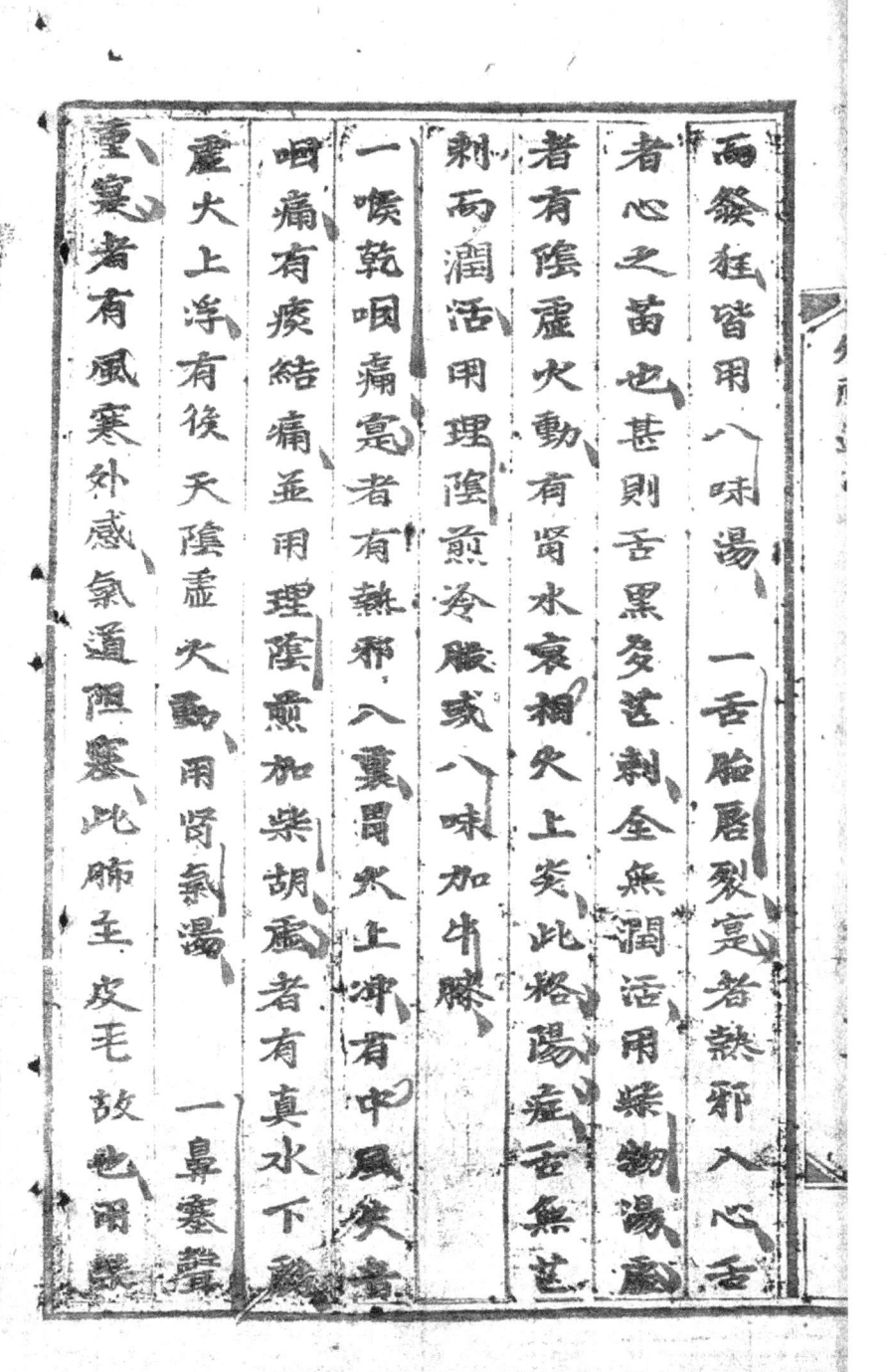

陳湯虛者有陰虛火傷肺氣有肺氣虛不能出腎氣虛
不能入用一氣湯　一咳嗽寒者有風邪外盛先感寒
毛傷於肺而發咳用梁陳湯虛者有陰虛火動傷肺而
咳有腎虛不能納氣氣無歸源逆上而為咳　並用八味湯
一痰盛寒者有積滯而生痰有寒邪外束氣鬱而生痰
用六安湯虛者有脾氣不運用六君湯有腎虛水泛而
生痰用八味湯[illegible]　一頭暈目眩寒者有風寒外鬱有痰
鬱有濕熱上冲用補中湯虛者有血虛有氣虛有陰虛

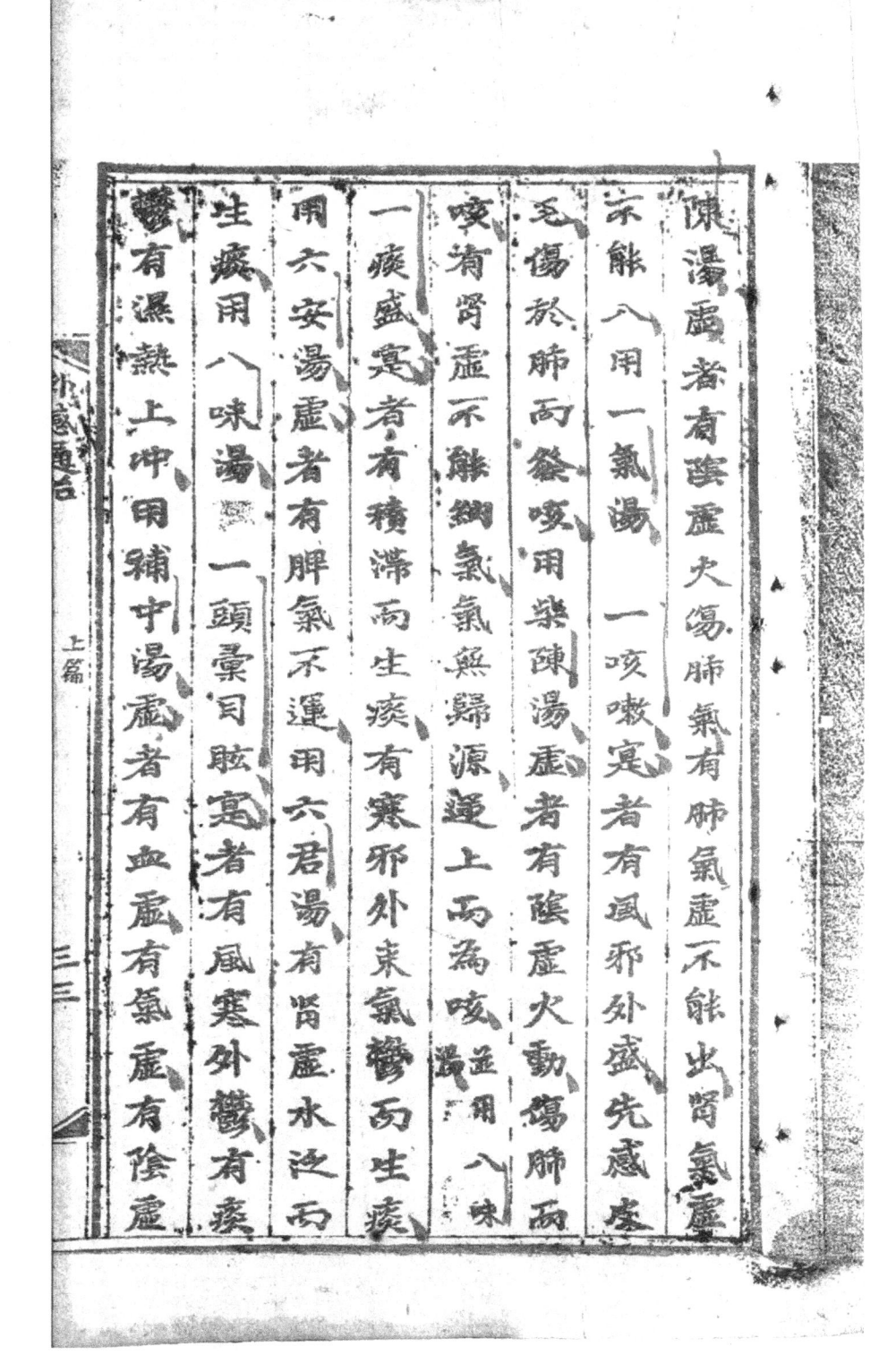

火動有腎虛水衰虛火上炎並用一氣湯經曰上氣不足腦為之不滿頭為之苦傾目為之深視

一譫語鄭聲寔者氣粗聲壯而多狂妄之言用柴胡湯虛者則鄭聲氣短聲低而少不正之聲歸脾湯書云有鄭衛之声遣次不出喉嗌

一不眠恍惚寔者乃熱邪入胃故胃熱而臥不安有肝氣亢極而侵脾用補中湯虛者有血不養心神不能藏有憂思傷脾而血不歸肝故臥不安用歸脾湯

一耳聾寔者外感風寒正氣為邪所鬱用補中湯有因

物傷虫入處者有腎氣虛則關竅不利有陽氣下脫用一氣湯　一易生嗔怒寃者乃肝氣元用解肝煎處者乃血不足則忿用八珍湯有陰虛則多怒用補陰方有失志則鬱怒用化肝煎凡百病皆然非特外感諸症中之有虛有寔也願學者勿以一偏之見每於頭疼身痛發熱惡寒便云傷寒鼻塞聲重咳嗽便云傷風一見脇痛耳聾便云半表半裏發瘧發狂舌胎譫語恍惚不眠便云熱邪入裏而汗下清解通以寔治倘有是病則病

受痛何傷無是病則正氣益閑虛虛實實生死關頭甚
爲驚懼余不辭管見陋陳所蘊以明實者乃虛之標虛
者乃實之本惟一症之中虛實有異或曰醫之四關以
問爲上問之確見有是症措爲實亦可措爲虛亦可則
何以爲準的毋乃使人增其惑乎余曰虛實乃醫家關
健若不融會貫通而亂投藥餌則殺人速于用刃余有
二法愈用愈驗病無遁情一則憑脉全不問沉浮太小
但切至骨猶見有神有力者爲實無者爲虛二則着地

元氣稟寔體彊者為寔稟虛體弱與大病後久病癒後高年產後雖兒者為虛若形脈果已虛者則諸症皆從虛治形脈的皆寔者則諸症並從寔治立齋先生曰凡診疾病當察元氣為主豈不為真論也耶

中篇

可汗症　脈浮太有力頭疼身痛發熱惡寒內無裏症病如瘧狀日晡發熱脈浮宜汗

不可汗症　凡諸虛症雖發熱惡寒而脈沉細無力咽喉乾燥乃津液枯槁之候淋家津液耗竭之症若汗衄血則亡血家

汗亦血之異名腹中左右動氣（乃真陰虛）產後潰瘍年高久

病氣血大虛無表症六脉遲（此榮血不足）尺脉弱厥家汗家

痞症上實下虛身痛心悸瘡家身雖疼（如汗則痓）不可汗

愚按經曰汗者所以急散外邪之要道也其中更有宜

忌之多端總其要不外乎虛實而已凡遇脉實體壯稟

實症實者皆可發汗謂邪氣實也脉虛體虛症虛者俱

不可汗謂正氣虛也青裁（仲景）之言曰不可汗諸虛症

則禁汗條中足以盡之矣上大汗之猶云不可副其餘

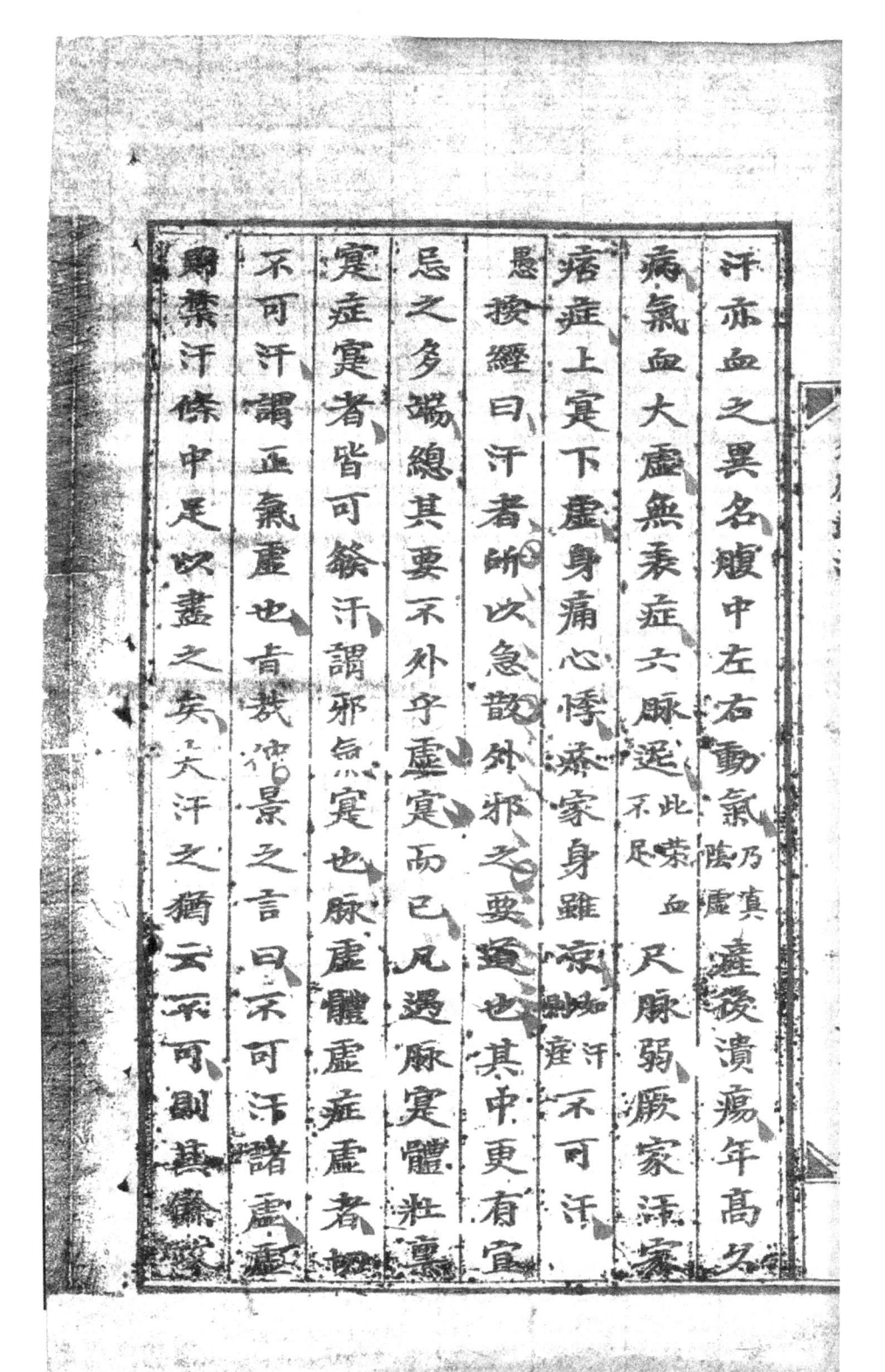

伐自可知矣每見外感之輕症而脉弱者其汗最不易
出即發亦無能益中氣虛則無以托送昧者不知此愈
發則愈虛危亡旋踵蓋汗者本由乎血血由營也營本
乎氣氣由中也未有中氣虛而營能盛者未有營氣虛
而汗能達也但遇脉息微弱便知正不勝邪必須急固
根本以杜深入專助中氣以托外邪諄諄於調補爲事
以待自解自汗爲宜古之汗法有三一曰溫散於寒勝
之辰及臟寒者二曰涼解於炎辰表裏枯涸三曰平解

於陰陽偏勝之間。今余散邪之術亦有三：一曰和榮養衛散邪方，以治體壯邪寔之人，急宜表散；二曰調氣尉鬱方，以治氣虛體薄之人，爲外寒所鬱，氣鬱於中，此所謂從陰引陽，升陽可以解表，降陰可以散，大蓋氣虛於中，安能達表，非補其氣，識能解乎；三曰涼血散邪方，以治陰虛黑瘦之人，此謂滋水以發汗，亦謂求汗於血，蓋汗本於陰血之屬，血亦水也，血虛於裏，安能化液，非補其精，汗能生乎？可見雲騰雨致之義，倘投以風藥，更耗

莫隱可乎余每用之無一不应解蓋不許寒邪自陽及陰自表及裏所謂正氣得力自能推出寒邪不攻邪而邪自退之妙不知麻桂為何等物此種仲景方爲法也守仲景

新製解表三方 通治大人小兒胎前產後四辰感冒諸症

訣云 和榮保衛散邪方升葛香蘇防獨羌生地草芎葱白煎四辰感冒是堪嘗

和榮保衛散邪方

生地三ツ　川芎一ツ半　羌活二ツ　獨活一ツ　香附一ツ　紫蘇五分　防風一ツ

升麻八分　葛根八分　甘草五分　生姜三片　葱白連鬚頭一　水煎熱服

便速達表分也凡四辰感冒麻寒體壯發熱惡寒頭疼

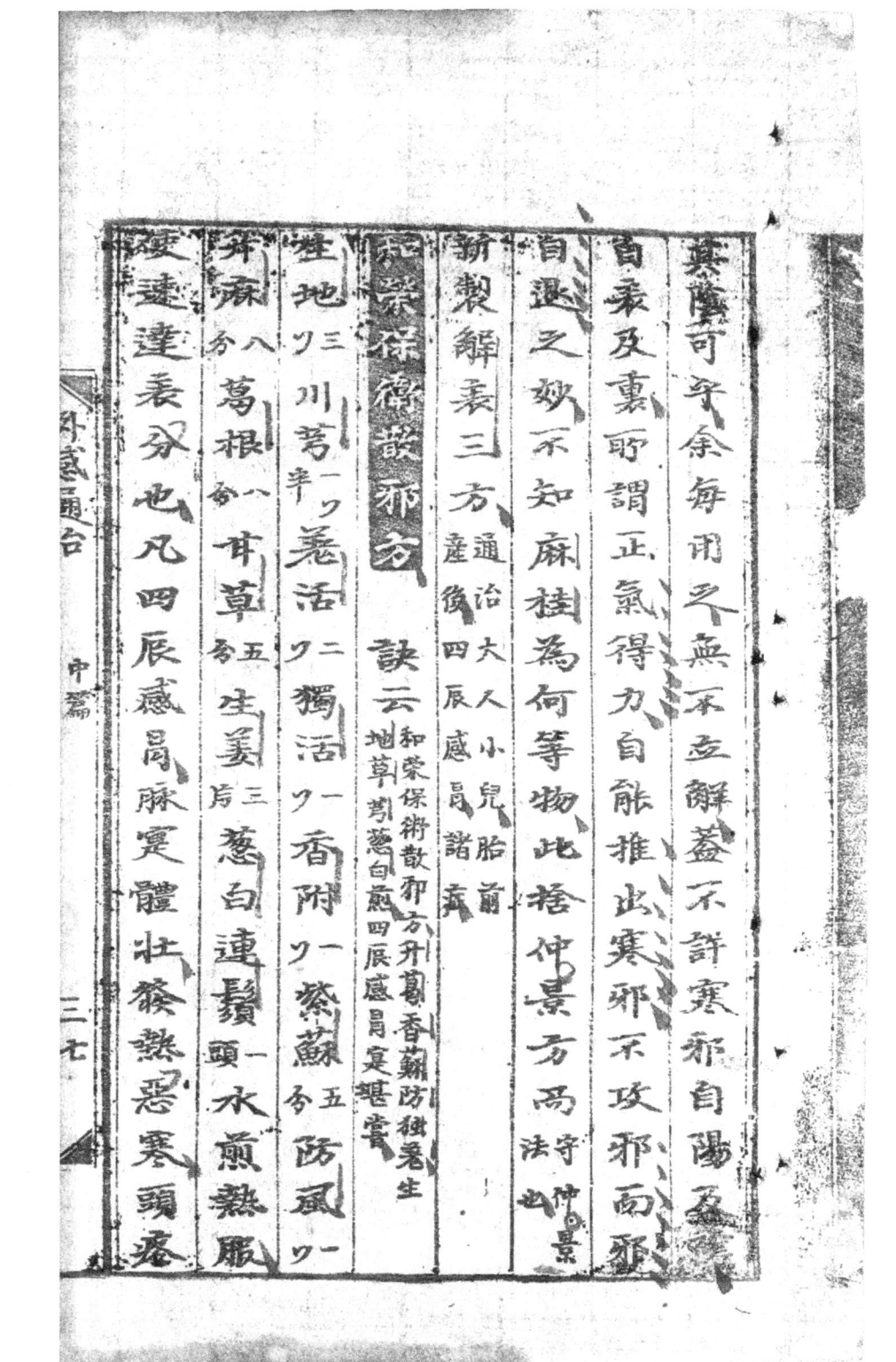

身痛脊強項強無汗能食小便清大便潤諸陽症表症並皆治之

增損式

一如表熱盛水母受傷氣短煩渴加麥門

一如濕勝身痛且重去生地自家之濕非生地之所宜加蒼朮[illegible]

已熱鬱蒸甚加黃柏　一如表熱盛發斑加連翹荊芥金銀花

一如濕熱上沖頭痛眩暈沉重如裹去升葛芎加牛膝蔓荊

一如咳嗽加前胡黃芩半夏陳皮

一如心煩喜嘔嘔乃氣逆上沖此邪將入裏不可再升去升麻葛根加半夏黃芩[illegible]

一如脇痛此邪將入裏不要輕揚去葛根紫蘇防風加[illegible]

半夏陳皮比特舉其綱善用由人存乎通活
按書云升陽可以解表又曰發表不遠熱凡新邪之未
客也未有不傷人膚腠急宜逐之使邪不得留連自表
入裏寒變為熱為久熱傷陰之害益寒傷榮則痛風傷
衛則熱雖係肺主皮毛然沖鋒易入則榮衛先之故用
生地退火清熱涼血補陰以和榮衛川芎血中氣藥治
一切風邪以保衛氣羌活入太陽而治遊風獨活入少
陰而治伏風兼能袪濕除痛香附開鬱發表紫蘇溫中

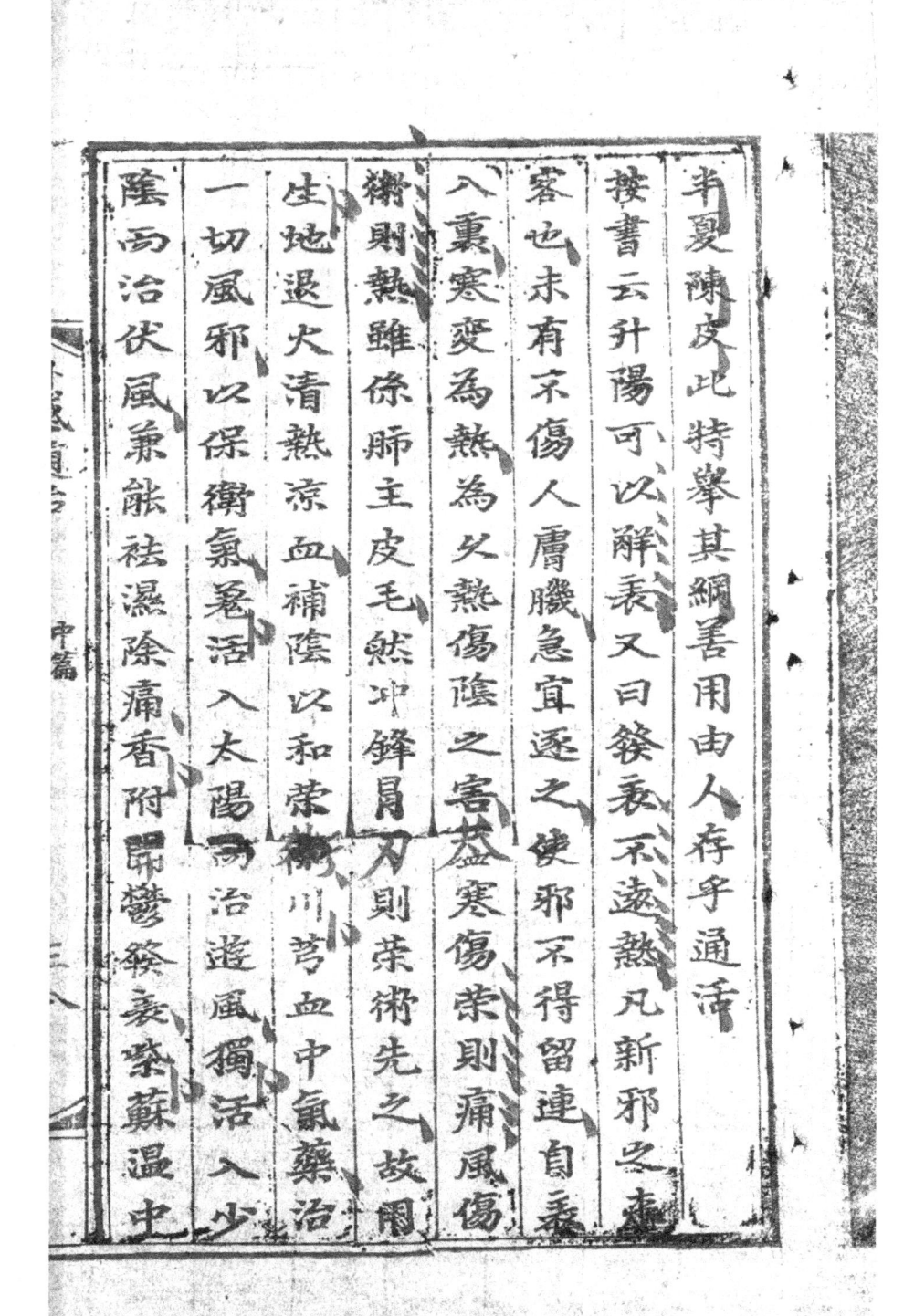

達表皆辛香和氣之品以之升陽解表防風治骨疼主風邪在表升麻散風邪主寒熱初症葛根解肌散表升陽散鬱甘草和中瀉火再加姜葱散表出汗率皆輕揚之品以之急散表邪使衛氣得保護於脉外榮血得和暢於脉中陰平陽秘腠理緻密則外邪無隙可乘而自解

調氣舒鬱方

訣云 調氣舒鬱方骨皮參姜草藥柴胡苓朮二陳姜棗煎偏氣虛人体舒[illegible]

人參ク二 茯苓ク一 蒼朮ク一半 柴胡ク二 羌活ク一 地骨ク一 梔子ク二

陳皮ク一 半夏五分 烏藥五分 炙草五分 生姜三片 大棗二枚 水煎[illegible]

服要入陽分故也　凡四時感冒傷氣虛人體弱色白或肥白性遲滯好靜症見發熱惡寒氣短體倦言語懶弱頭疼身痛腹痛泄瀉脇痛胸膈熱鬱脹滿小便赤澁痰盛咳嗽等症並治

增損式　一如寒熱似瘧發於陽分寒多去梔子清三焦火加草菓莃薟熱多加牡丹去莃薟　一蒸熱骨痛加玄胡丹參　一瀉甚挾濕加豬苓澤瀉

一口渴去烏藥半夏羌活加天花粉葛根夏天加麥門五味

一傷暑陽症去地骨烏藥加香薷扁豆厚樸

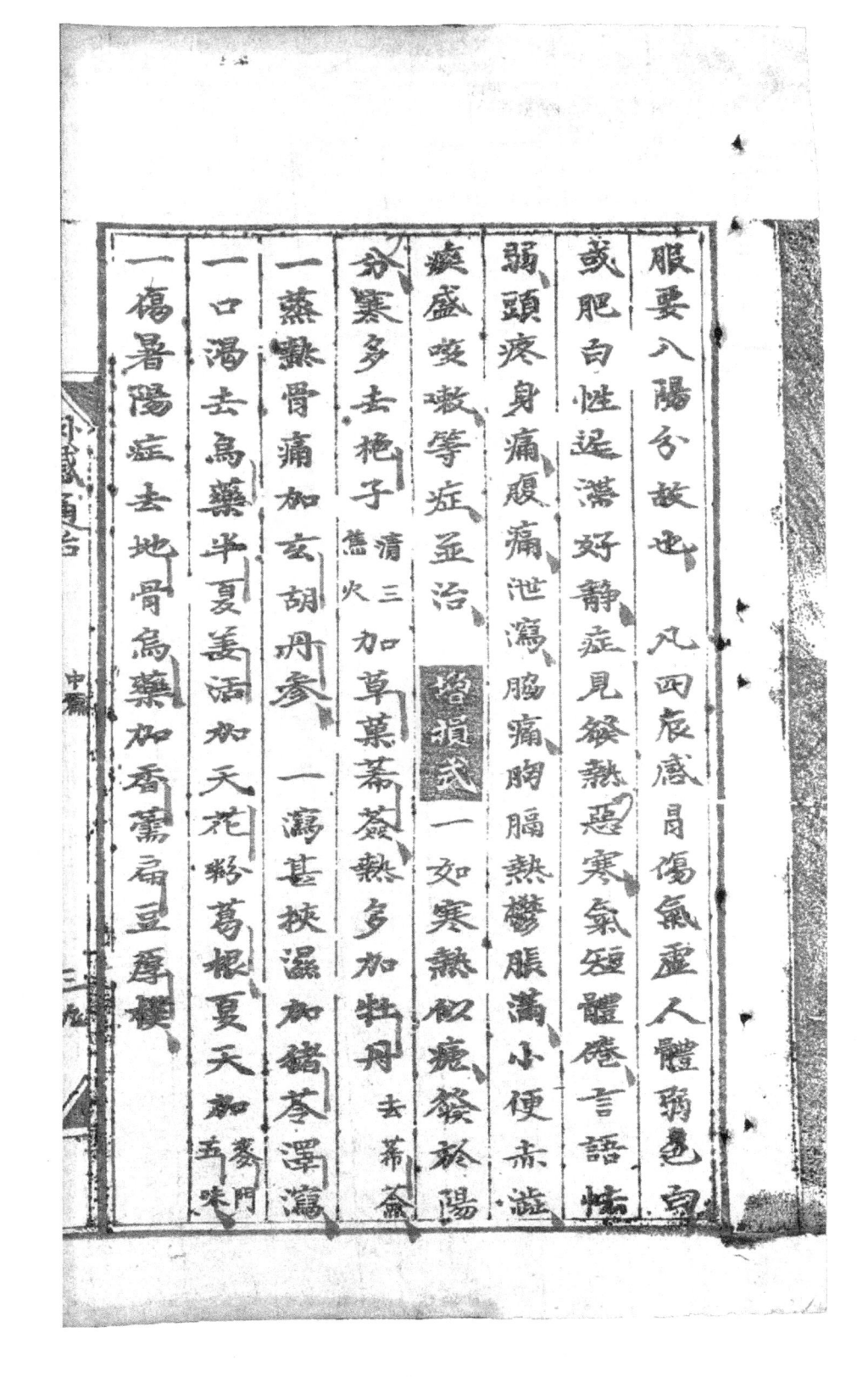

一小便閉加澤瀉車前木通傷濕加豬苓澤瀉厚樸
一痰盛咳嗽氣逆去地骨姜活梔子柴胡蒼朮加前胡桔梗
一嘔逆加藿香　一噎氣惡食去梔子加沉香砂仁
一有汗去蒼朮用白朮　一胸中飽悶加枳殼桔梗
一傷暑腹痛吐瀉寒熱交作去姜活地骨加香薷扁豆
厚樸木瓜此特發其源然觸類旁通難形於言語不可
執一例萬也　按經曰熱則傷氣又曰氣虛於中安能
達表非補其氣機能達守傷寒乃鬱火證既曰寒豈無

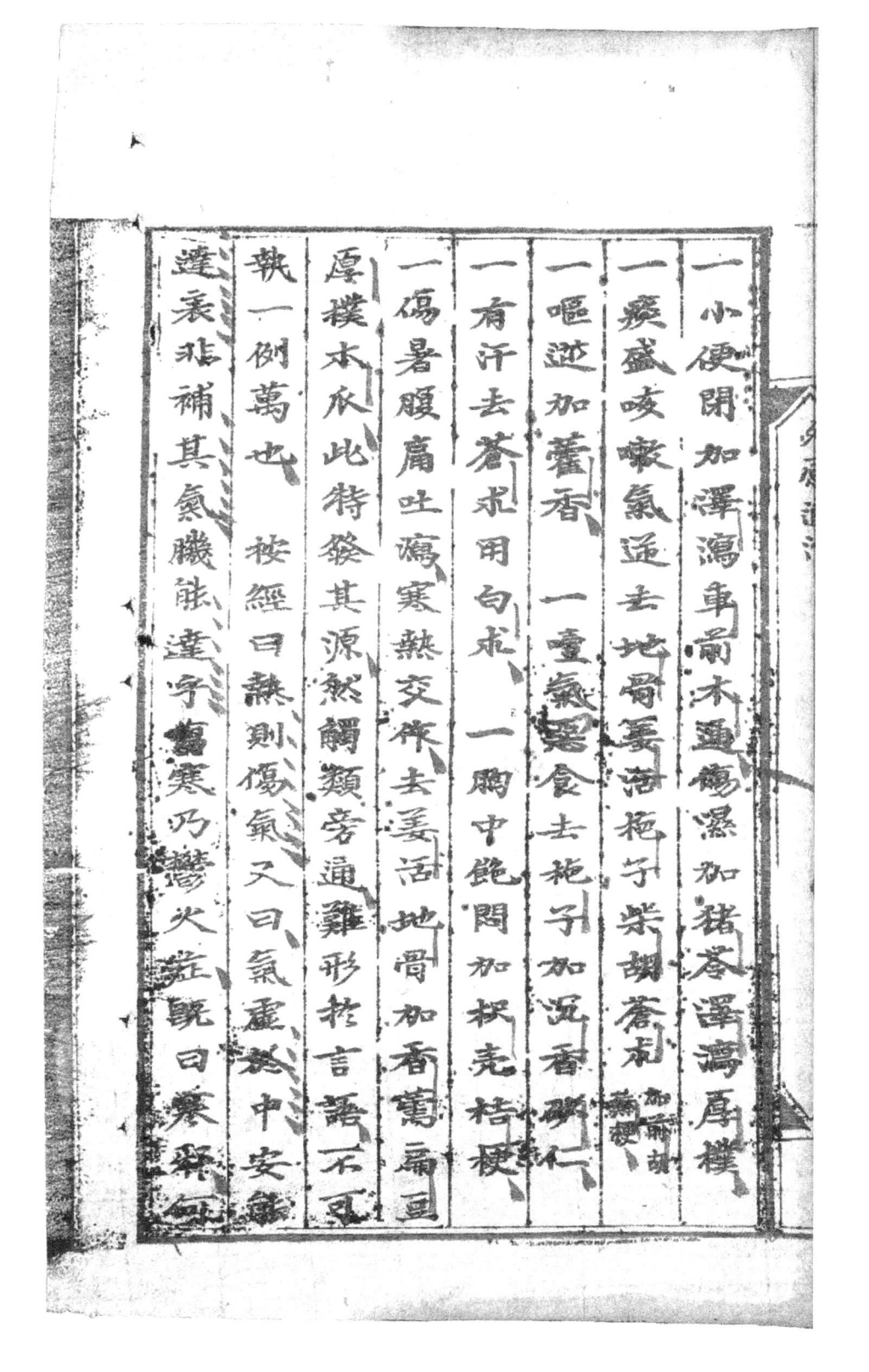

變入內而変爲熱殊不知即是身中之火爲寒所鬱而
不得泄一步変歸一步日久則爲純熱而無寒矣醫貴
明八味逍遥散治寒鬱及通治五鬱不事六經諸症支
離之語誠趙氏獨得之見人所難言經曰諸病多屬鬱
論鬱者雖有五鬱之分然總之無非一氣而已經曰水
鬱則熱火鬱則寒是知不獨寒邪爲能鬱火諸外感之
邪皆能鬱人正氣如欲袪除莫先扶調我正氣則外邪
不攻而自解也故以人參峻補元氣大力之藥匡正以

逐邪爲君茯苓定寒熱新邪補勞而益氣爲臣蒼朮發汗散邪袪風除濕更有健脾之能發中有補非如麻黄之峻猛柴胡定寒熱往來羌活治身疼風濕地骨治有汗之骨蒸梔子清屈曲之鬱火烏藥治冷氣行一切滯氣半夏健脾家之燥濕兼治氣症大鬱陳皮順諸氣[illegible]肝鬱炙草益中宮和諸藥並以爲佐使彼此相須爭能[illegible]努力扶正氣以驅邪舒外鬱以散表此攻補兼施[illegible]

涼血散邪方

訣云 涼血散邪四物湯牡丹諸草玄柴姜[illegible]
偏血虚入形黒瘦水煎[illegible]温感冒[illegible]

生地三ツ 當歸二ツ 白芍一ツ半 川芎一ツ 牡丹皮一ツ 丹參一ツ
玄參一ツ 柴胡一ツ 薄荷八分 炙草五分 煨姜三片 水煎微溫
服歡入陰分故也　凡四辰感冒偏血虛人形體
黑瘦髮焦短少性急多怒初發壯熱惡寒頭疼身
痛口渴小便赤無汗或既發而未解或久熱而不
已不可用風藥表散更耗陰血而汗愈難當以此
方發之爲雲騰雨化之妙

增損式

一頭疼猶斧劈重猶負石更昏暈而頭汗添蔓荊細辛此挾風濕上壅加羌

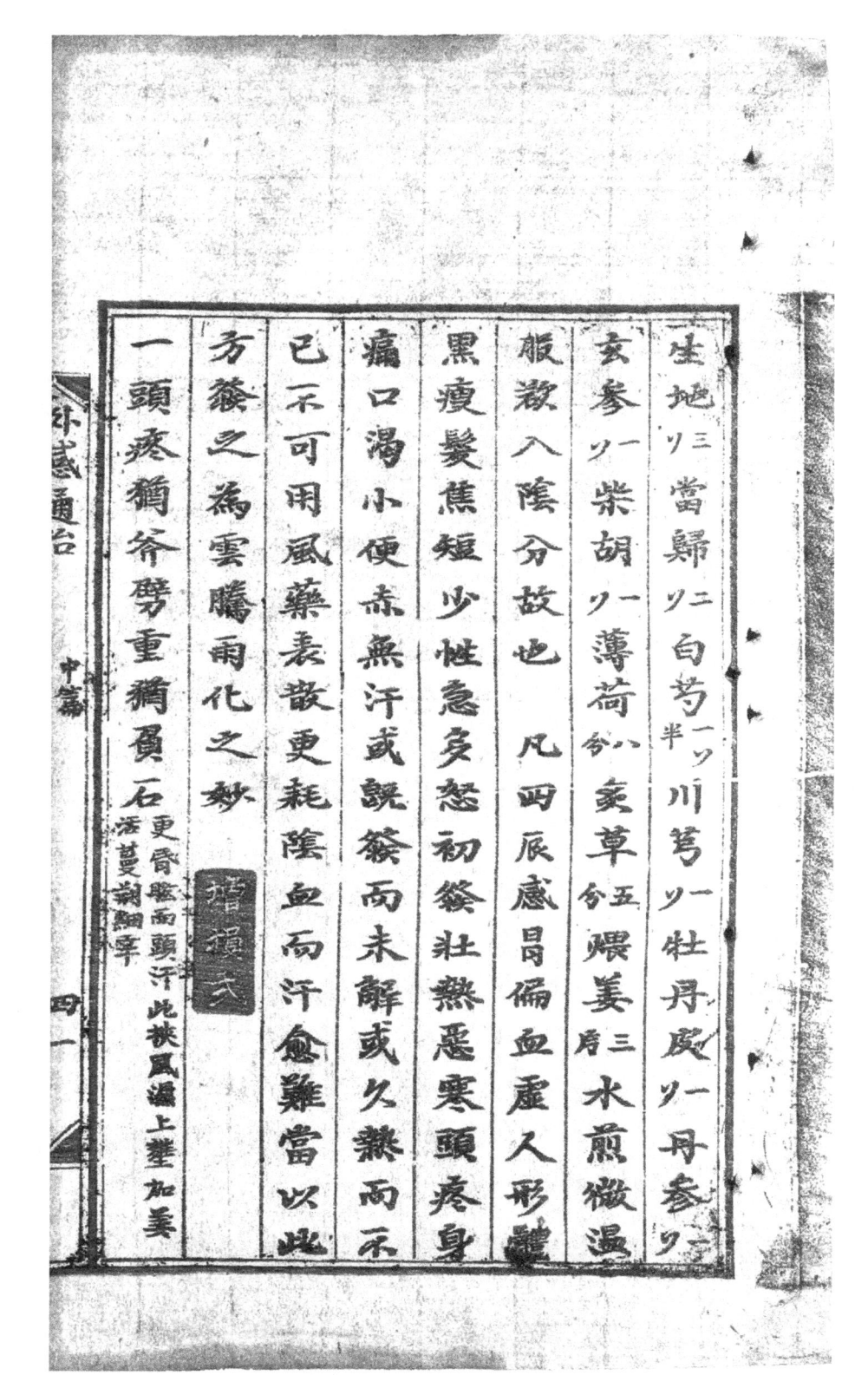

一陰虛夜熱甚體似乾柴倍牡丹去川芎加龜[illegible]

一火盛上冲嘔吐加半夏黃芩　一心煩去川芎柴胡加[illegible]胡梔子

一熱鬱腹脹加香附梔子　一不寐去川芎加人參棗仁

一熱盛傷肺氣短倦怠去川芎加人參五味梔子

一渴甚倍生地去川芎加麥門五味不止易用六味加麥門牛膝五味

一挾濕身痛體重加姜活獨活　一自汗去柴胡薄荷川芎加黃芪防風

一盜汗去川芎柴胡薄荷加黃芪白朮　一初起熱盛加炒知栢炒暫撤芪朮

一寒熱似瘧熱多加黃芩半夏茅蓉寒多紫蘇[illegible]丹參加草菓[illegible]蔘

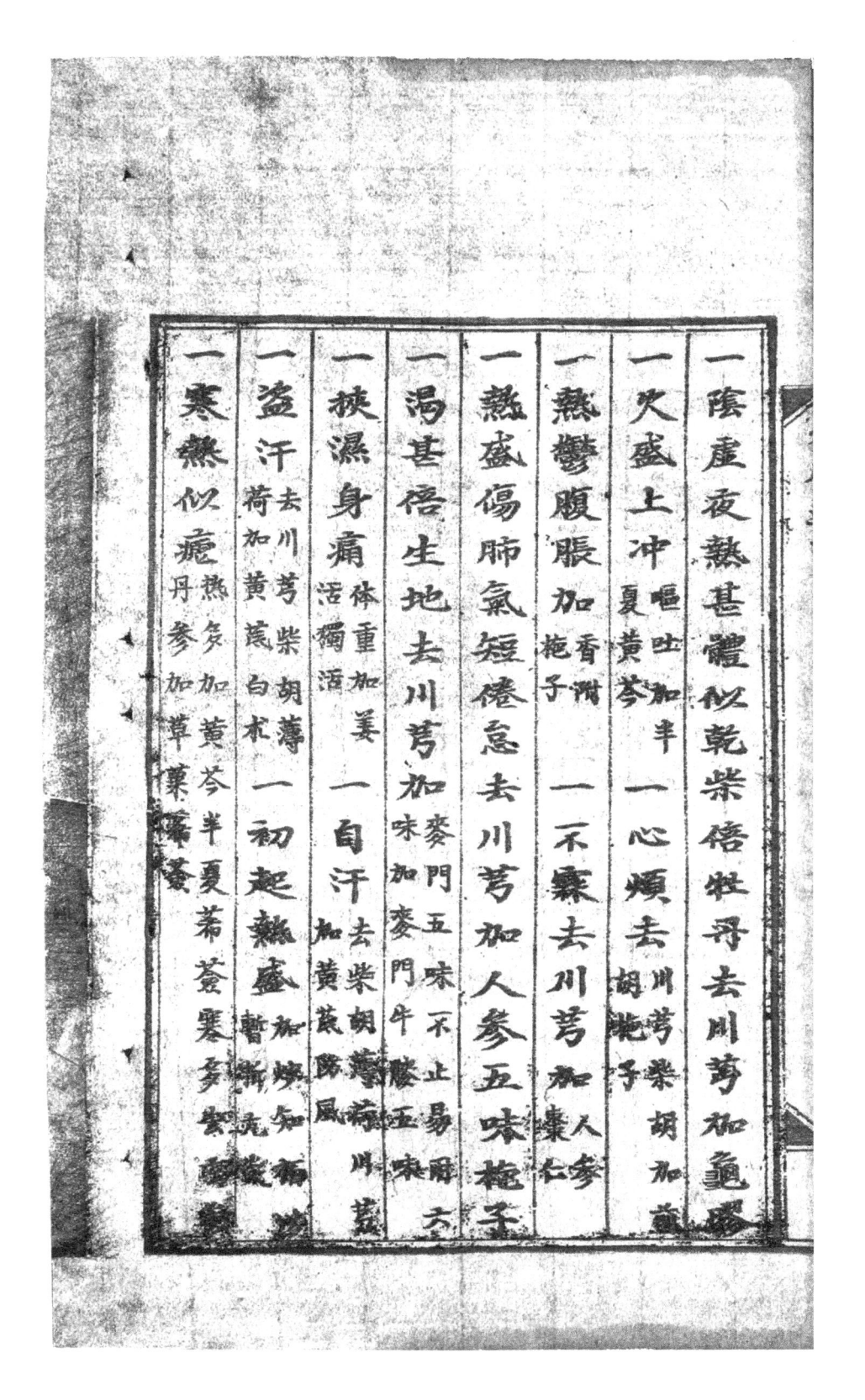

一熱鬱口渴水瀉小便短赤去當歸加白朮澤瀉
一熱甚逼血妄行去川芎減當歸或去加牛膝五味阿膠
一肝熱氣鬱脇痛倍柴胡加梔子青皮
一神昏譫語去柴胡薄荷玄參加人參茯神蓮肉遠志
一婦人經閉寒熱似瘧去玄參加紅花香附桃仁
一妊娠寒熱胎痛腹痛去牡丹加黃芩白芍
一妊娠寒熱胎漏下血有腹痛為胎動無腹痛為胎漏去牡丹加阿膠艾葉
一妊娠寒熱似瘧熱多胎動加黃芩白朮蕭蒼寒多加煨姜蕭蒼

一産後感冒者去玄參牡丹加防風羌活熱飲以微汗之

一産後脉和體寔裏熱燥渴便秘譫語去玄參牡丹薄荷加黄芩半夏枳殼大黄

一産後寒熱往來去玄參牡丹加黄芩半夏氣虚甚加薄荷加人參惡露未盡亦可用

一小兒外感壯熱無汗加防風羌活熱脹重抱以微汗爲度

一小兒熱盛傷血心不養神血不養筋發驚發搐去川芎倍熟地以熟易生加蓁艽勾藤有氣脹炒乾熟地加木香

一小兒熱盛丹毒赤色也去川芎加防風荆芥連翹金銀

一傷暑脉虚身熱口渴水瀉去牡丹柴胡當歸川芎加

人參麥門五味邪盛加香薷湯甚加石羔有瀉加扁豆猪苓澤瀉一燥火見症去柴胡薄荷川芎加龜膠麥冬牛膝以潤之甚加知母黄栢以抑之枯槁加乳粉易襄倍用之此余恚陳管見以爲間架智者因而通變之務宜善用

擬經曰治陰症以救陽爲主治傷寒以救陰爲主縱有陽虛當治必着其人骨肉充盈而不由陰分之虧者方可用陽藥如面黧舌黑體似乾柴一團邪火内熾者則陰已先盡豈敢補陽孟刼其陰耶經曰熱勝者陰必病

故治熱必從血分又曰火熱則傷陰陰傷而愈熱又曰陰虛生內熱曰補助真陰而爲雲騰雨化之機曰血虧指裏安能化液非補其精汗能生乎人知汗屬於陽升陽可以解表而不知汗生於陰養陰所以發汗旨哉傷寒以救陰爲主誠醫家治邪之規格然治邪莫要於發汗余每以從陽引陰求汗於血以爲心領凡見血枯熱盛者投之無不立解故以四物滋補後天陰血爲主立桂陣脚以涼血行血補血清東方雷火之牡丹滋陰發

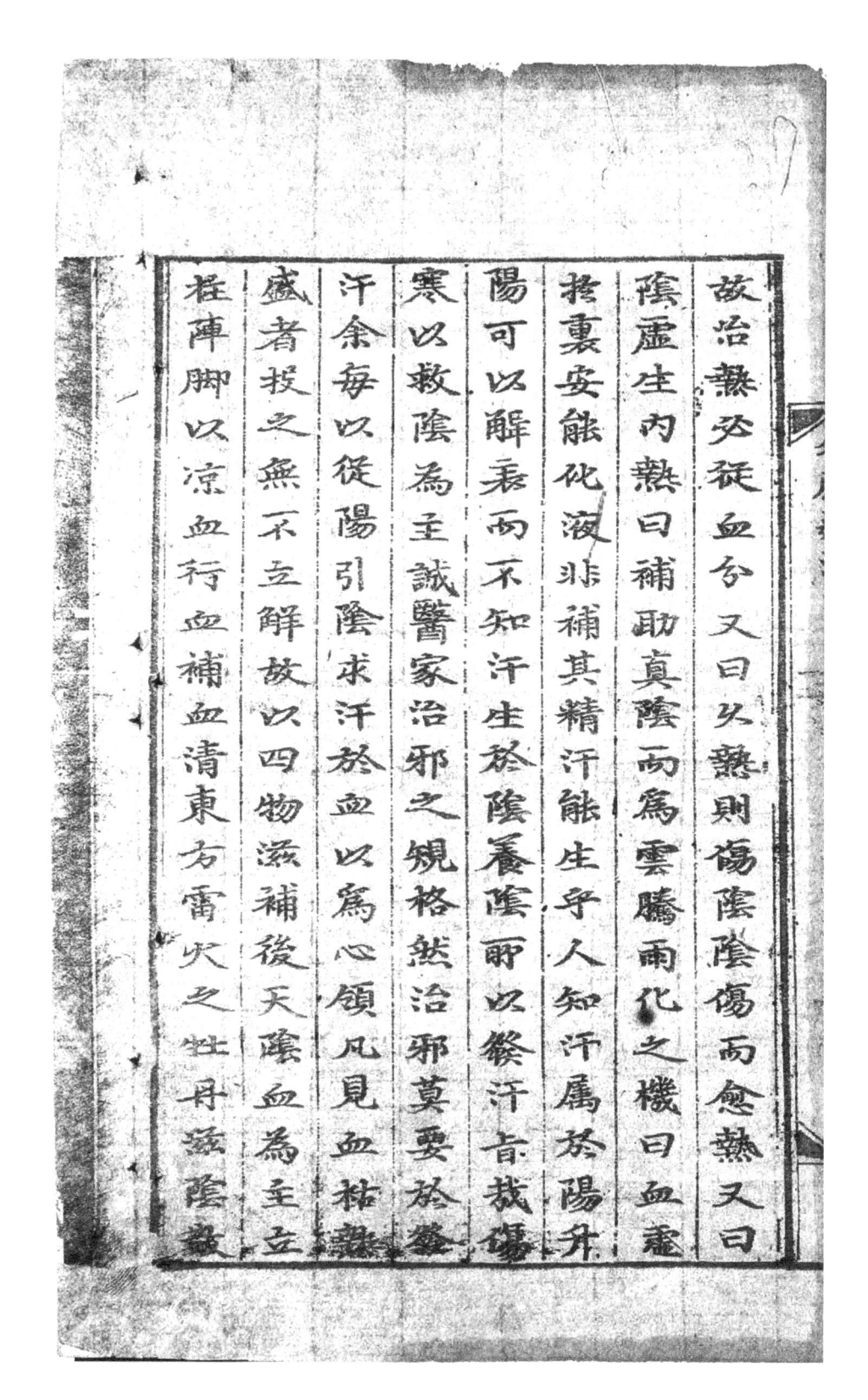

浮游之火治傷寒身熱腹滿口苦之玄參務爲左右護擊丹參一味補陰兼四物之功以爲裨販柴胡定寒熱等劑祛風鬱飄揚輕銳並以爲偏裨之將甘草調和陸之固守氣和意協首尾相應千人同心自有千人之力正謂兵識將將知兵所向克捷自能奏功矣

論六淫可通治

或問先聖慈濟著心設法立方不勝繁演至外感六淫治各有別而余只有三方以懸外感諸症何也余曰醫者理也散之則萬殊會之則一理蓋萬

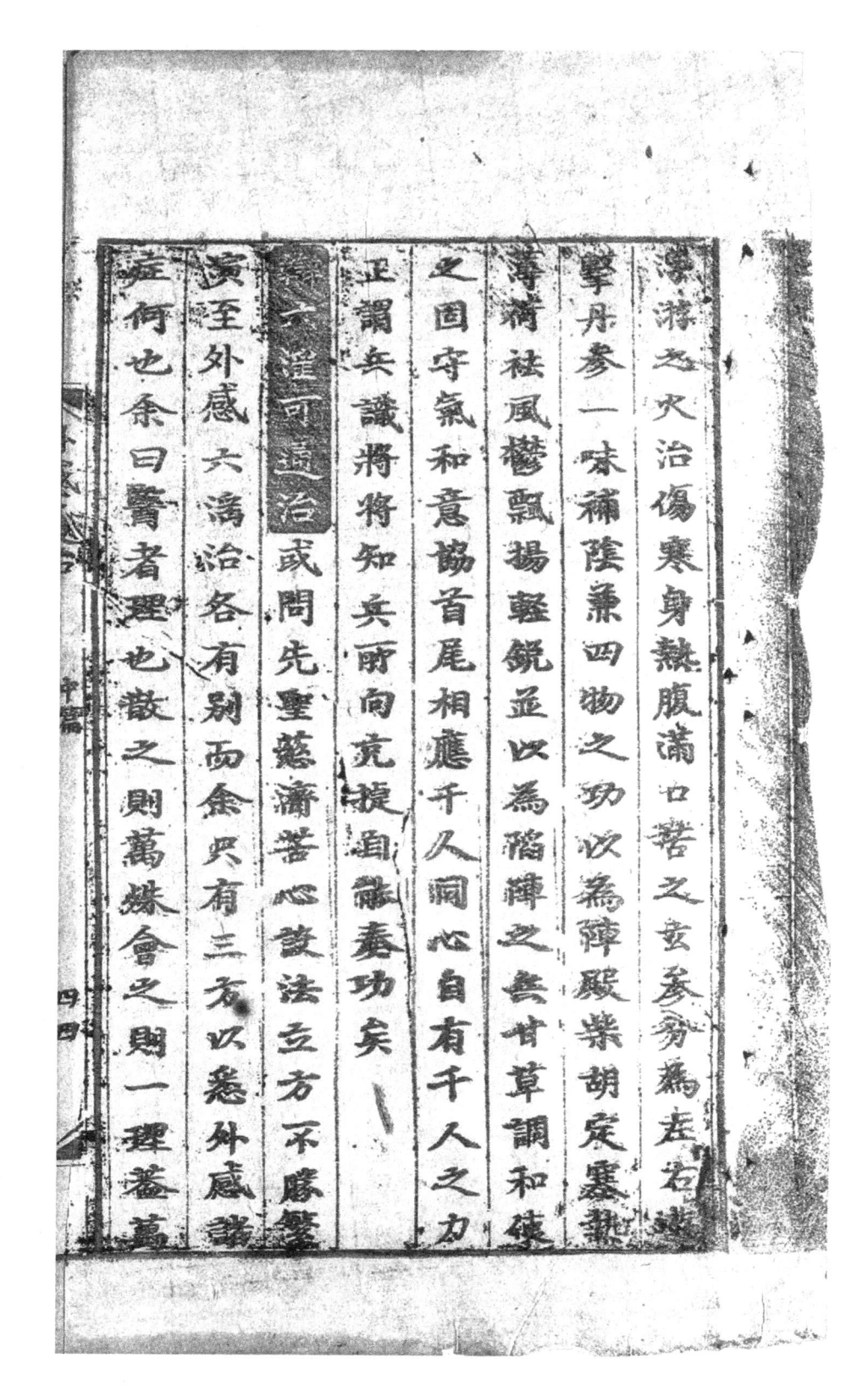

[illegible][illegible]面目雖殊其臟腑陰陽則一百病之名目雖殊總不外乎陰陽氣血之中盡試觀諸風寒門中則曰寒傷榮則痛風傷衛則熱曰傷寒以救陰爲主此以血虛[illegible]言也暑門則曰脉盛身熱得之中熱脉虛身熱得之[illegible]暑又曰熱則傷氣此以氣虛（寔）而言也濕門則曰陽盛[illegible]火勝化爲濕熱陰盛則水勝化爲濕寒又曰調則還[illegible]水穀而化精血傷則無火薰蒸水穀而爲濕滯此以[illegible]火虛寔而言也燥門則曰脾榮不足腎陰又虧[illegible][illegible]

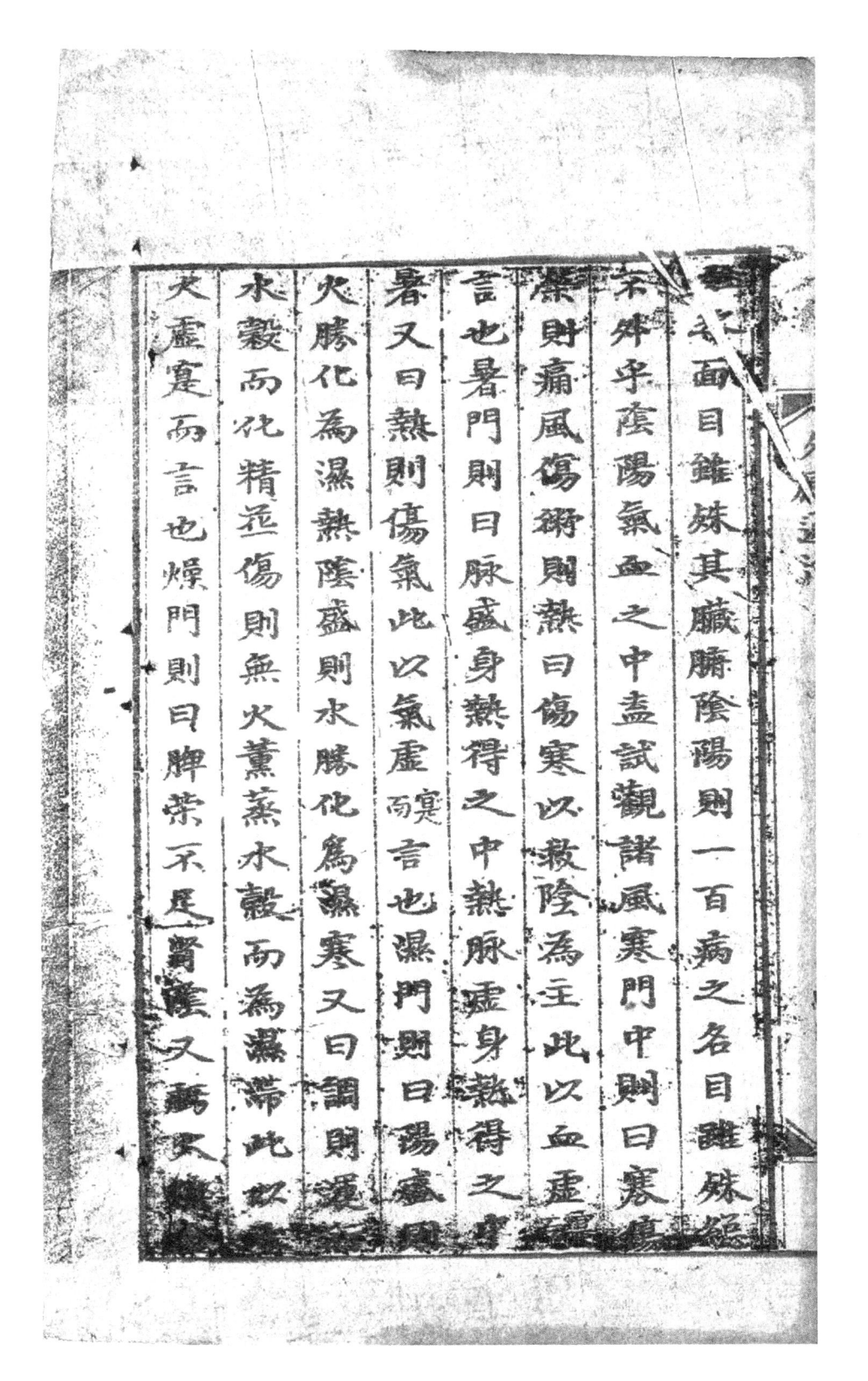

傷金無生水之能水失濟金之象真臟乃見又曰濟風燥莫先於養血清熱燥莫先於壯水此以真陰真水而言也火門則曰火之盛者即氣之衰也又曰火者即氣也不得其平而爲之也此以火虚寔而言也其間亦不潔指風寒暑濕爲甚別物傷人正氣纔是邪耶故分之則曰六淫要之則無非陰陽氣血虚寔之一理盡之矣其方也如風寒門則用輕揚之藥以汗散之辛涼之品以清解之暑門則偏用滲淡以除

濕甘凉以解熱濕門則專功滲利燥門則用陰藥以濡潤其枯槁火門則用苦寒以正治其寔火蓋用兵因地而制勝治病因症而處方似爲有異至於云虛則率皆辛温以補氣甘凉以補血辛熱以回陽未嘗別有奇方異品之能外也余豈敢沽高尚異新奇少哉顧學者以古方爲規矩合今病而變通得至奇至繁至遠之文章約歸最純最平最近之一理者是醫中之傑也先師曰以治一病之法可旁通以爲

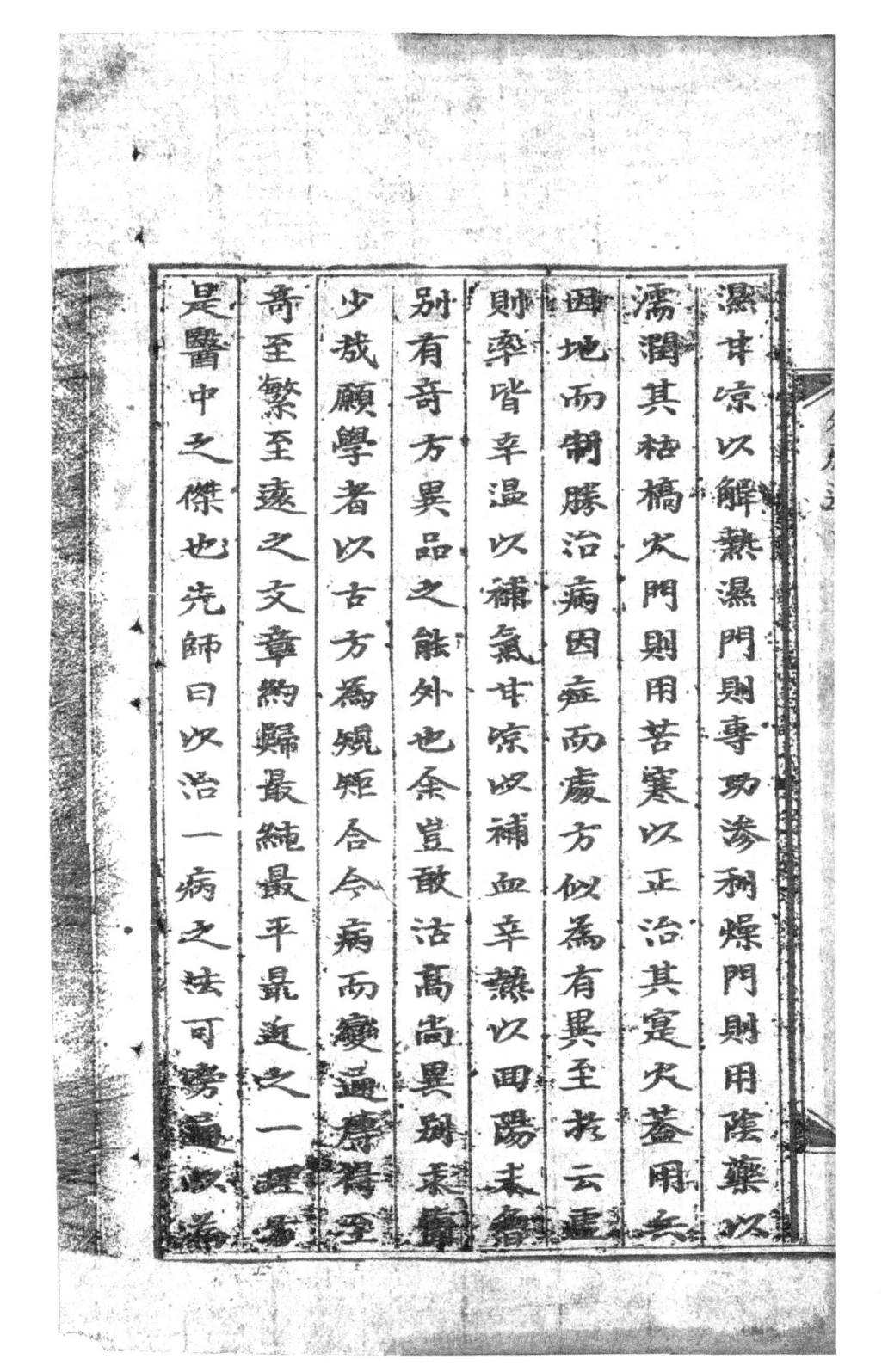

治百病之法究竟根本猶治夫一病詎不信然經曰
知其要則一言而終無別旨也

辯可下症 脉沉實大便燥小便數而赤發熱惡寒熱在
裏也 五六日不大便遶臍脹痛煩燥發作有辰此有燥
屎或見出氣甚臭腹滿不減減不足言有食停蓄而
體實者雖有食滯而元氣少虛者宜補中益氣加藥大黄下之汗
後不解熱邪入胃潮熱腹痛脉實陽明多汗譫語有
燥屎潮熱手足腋下汗出譫語吐後腹滿臍腹硬痛

不可按下後不瞬臍腹硬痛可再下結胸脉不浮大
陽症熱結膀胱小便不利小腹急結其人如狂畜血
症也陽明症其人健忘大便黑必有瘀血陽明無汗
小便不利心中懊憹發黄皆宜下之

表不可下症 諸虛者脉浮大虛小便清長表身熱惡
寒表症邪在表亡血潰瘍動氣惡心臍間六脉無力睡卧
安寧脾胃和故得安寧今而反為戰場之所乎虛結年高病久産後邪在
半表半裏汗下俱禁宜小柴胡從乎中治腹痛脹按之而减陽微者

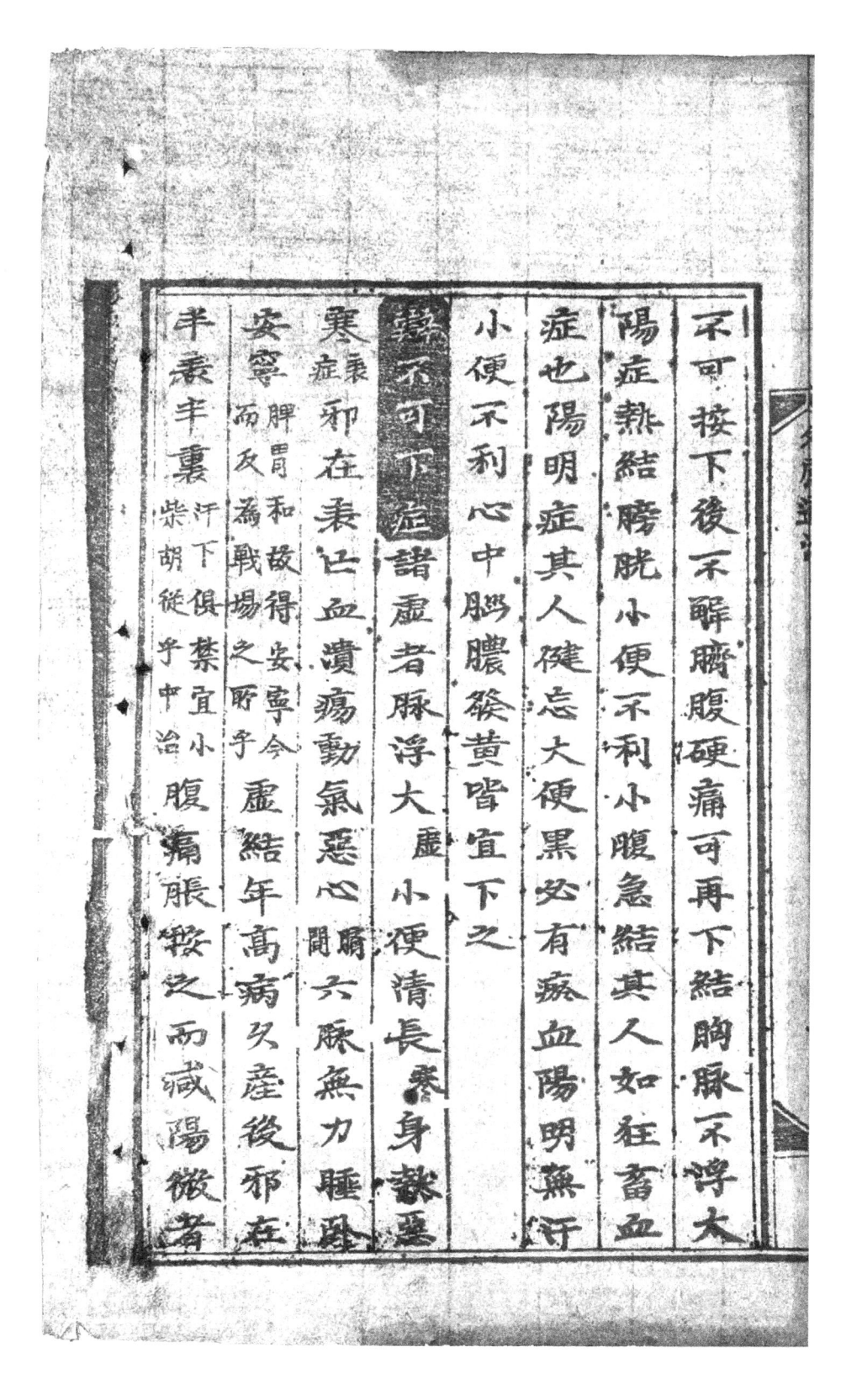

咽中閟塞小便清白尺脉弱寸口浮大病欲吐者無臟
結諸症（結胸）陽症無往來寒熱人青舌胎滑（内寒）諸無厥逆
者陰陽俱虛惡水者發汗多亡陽讝語陰虛水虧虛煩
虛燥諸候虛甚並不可下　按下法諸條亦憑虛寔中
而曰可與不可耳法者以脉沉寔痞滿燥寔四症皆具
（俱傷三焦）宜大承氣湯但見痞燥寔三症邪在中焦宜調胃承
氣湯去枳殼恐傷上焦之氣但見痞寔二症邪在下焦
宜小承氣湯去芒硝恐傷下焦之血　小腹急痛大便黑

小便不利如狂妄善忘畜血症也宜桃仁承氣湯屢者只宜寧導法然攻之一字仁人之所惡也百戰百勝不若不戰而勝能屈人之兵也余觀仲景三百九十七法中當汗而失汗則表邪傳裡當下而失下則熱聚不散發黃發癍此治病而增病也豈知過汗則亡陽過下則亡陰之說凡病至陰竭陽亡甚爲可畏倘能挽回病者中之一二故又有汗宜早下宜遲之訓又景岳曰宜[illegible]大承氣湯先以小承氣試之此皆挽持謹慎之[illegible]

書曰虛症有盛候反瀉含冤又曰寧以不足之法治有
餘則可以有餘之法治不足則不可又曰用寒宜遠寒
若不足而誤用苦寒猶死者不可復生刑者不可復續
此展縱加溫補已無及矣故凡脈見沉數有力與稟
體壯症見痞滿燥實與果有食鬱積滯者可暫從古法
下之稍减急用清補以調之至於半虛與大虛者雖四
逢具在切不可含糊致求速効惟當別立方法以和之
潤之余自家經驗有數圖淺見每為袖中恒視甚為穩

當如中虛人偏於血分者以四物加炒枳殼熟大黃下之偏於氣分者以四君加炒枳殼熟大黃下之如大虛人偏於脾陰虛者只用補脾陰方以潤利之偏於胃陽虛者用補胃陽方以補為消真陰水衰者用六味兼潤藥補水以潤下真陽火虛者用八味加肉蓯蓉以養開闔此皆下虛人之要法安敢自私不辭淺陋書此添足以備仁術之萬一至如吐法書曰病在膈上宜乎可吐脉虛不可吐亦不外虛實而兼之耳然余治鄉妹嘗為

凶而邪已解故不錄之惟於停食在膈上與膿涎溢者與誤食毒物及團食過飽則令患人以指探吐之不芳藥餌亦足濟事又於中風急症痰涎壅盛則用藥暫吐之餘無用處

新製和裏六方

一脉雖沉數而無力症在當下其人形體黑瘦陰火熾盛病屬陰虛發熱則傷陰耗血書曰太腸得血則潤亡血則燥宜四物加潤藥以利之

加味四物方

一　生地五フ　歸身一刄　白芍酒洗三フ　川芎二フ甚一フ　熟大黃酒浸焜蒸一フ　枳殼一フ　水煎溫服　如有瘀血加桃仁紅

花如妊娠裏寔熱便燥渴甚去枳殼加黄芩下之最穩一脉見沉細未至於微症在當下其人素禀薄弱神色晄白身雖焦熱而自汗此陽道阻塞宜以四君急補胃氣則營氣衛氣宗氣均滋甚盃爲不行之行火佐利藥以消化之

加味四君方

二人參五錢 白朮三錢 茯苓二錢 枳殼二錢 甘草一錢 蒸大黄一錢五分 生姜三片 水煎服 如氣虛下陷加酒炒升麻提之蓋上不升則下不降也如氣滯加木香如氣脹加木香檳榔如無内熱加枳殼五錢 倅炒巴豆五粒 去豆用

枳使無寒氣傷胃乃最穩之法

一脉見右關浮芤症在必下體屬稍虛此係脾陰虛衰

損胃陽獨亢故中土乾枯乃見燥結之症宜急補脾陰

制其壞捍以存濡潤之德培其卑監以為化物之功

補脾陰方　三燕地三ツ炒黑　當歸一两酒洗　白朮二ツ乳汁浸炒　肉蓯蓉

五ツ酒炙　牛膝生用五分　水煎微溫服　如濁氣在上生填脹者加沉香磨服

一脉見右關沉微無力勢可必下症見稍虛此係胃陽

虧損蓋脾胃相關表虛裏亦虛運行之職乃癈傳化之

力自飛宜補胃陽資乾健以助其轉輸自無壅滯此塞因塞用以補爲消之法先師曰草木之能全仗中氣以運行倘人至氣絶雖灌以硝黄觔許豈能通利一物蓋人無氣運行則雖入腹而猶置紙於木器中安然不動如此一想可不仗中氣以運行乎不知至理以爲罕見更畏白朮之滯而退縮余每遇此以治虚人此之硝黄其效更速

[illegible]

人参五少布参者佳清参次之　白朮乳汁炒曼一丸　沉香一五厘磨[illegible]沉水者佳

水煎温服　如外假熱内真寒加炮姜一少

一脉見左尺無力病在當下體屬大虛此陰虛于下遥
陽于上纔見微熱燥渴蓋腎主五液腎虛則津液竭而
大便燥當峻補真陰使壬水亢以遂潤下之性

加減六味地黄丸本　五　熟地八ク　山藥四ク　牡丹二ク　山茱四ク
茯苓三ク乳汁浸　當歸二ク　牛膝三ク　蓯蓉三ク　水煎温服

一脉見右尺無力症在當下體屬大虛蓋三焦之能入
能化能出與胃之能納脾之能運小腸之能秘别大腸
之能傳送無非稟受於命門相火而後可以變化出入各

司職分且腎開竅于二陰爲胃之關凡二便之通秘無不由此故宜峻補真陽以養開闔之權而無閉塞之患

加減八味地黄丸方 六

熟地八ク 山藥四ク 山茱四ク 牡丹ク二 茯苓ク二 澤瀉ク二 肉桂ク一 大附ク一 牛膝ク四 蓯蓉ク三 水煎溫服

辨汗多本是亡陰下多原是亡陽并治療大旨

書云汗多亡陽下多亡陰余反謂汗多本是亡陰下多原是亡陽何也蓋以汗者本于陰水之屬以天地之雨名之也又汗者血之異名此汗本非陽分之物明矣下者胃腸

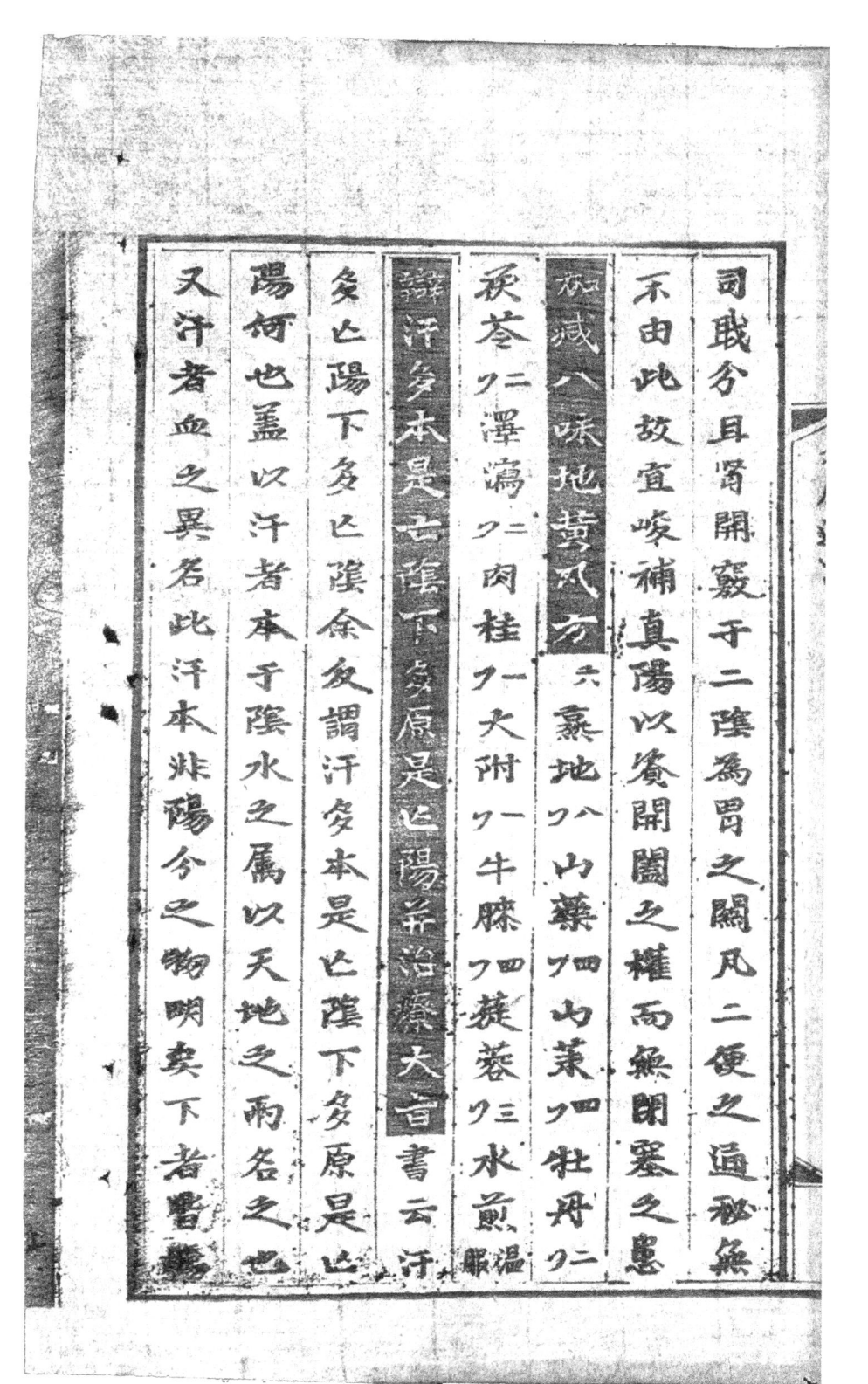

胃所積有形之物書曰大下則傷胃氣又曰攻裏不遠
寒此下之別名義與陰無相干如此則古人之言似爲
誣乎曰非也古人之言言其標也余之辯言言其本也
蓋以陰陽之理相關陽中不可無陰陰中不可無陽陽
好上升以陰維之而不能升陰好下降以陽維之而不
能降經曰陰爲體陽爲用又曰陽爲陰守陰爲陽基凡
病致潰汗如雨者乃陽不能守而陰先亡陰既亡則陽
無陰基陰維得遂其上升而亦脫矣故古人以汗出於

表分陽分而指爲亡陽此言其標也余以其亡陽中之陰故曰本於亡陰也若病至下脫不止此陽氣暴亡之機經曰五臟氣絶於内者利不止又曰清氣在下則生飧泄故治瀉有升提陽氣下陷之法又瀉則水穀併歸大腸此肺氣虛不至治節而小便秘故有補肺以爲分利之法又大瀉則津液竭而發渴此胃氣虛也又瀉症無不氣短倦怠此諸症候無不由於陽氣亡脫之端也第以下焦乃血分陰分故古人指爲亡陰此言其標也

余以爲亡其陰中之陽故曰原是亡陽也雖其言似乎相反然陰陽輸應之機寔相同也余豈多岐創異而别爲爭辯乎只以醫者理也學者要須探本求源以窮其理使臨症之間胸中自有定見得之自有所措應之自有不惑故凡治汗脱之法惟憑熱之有無以挽救之如陽暴亡則見四肢厥逆此辰只有大用參附回陽爲要法兼胃氣脱者加白朮以托住中氣喘逆奔越者加五味以歛納之一毫陰分之藥切不可用蓋陽有生陰之

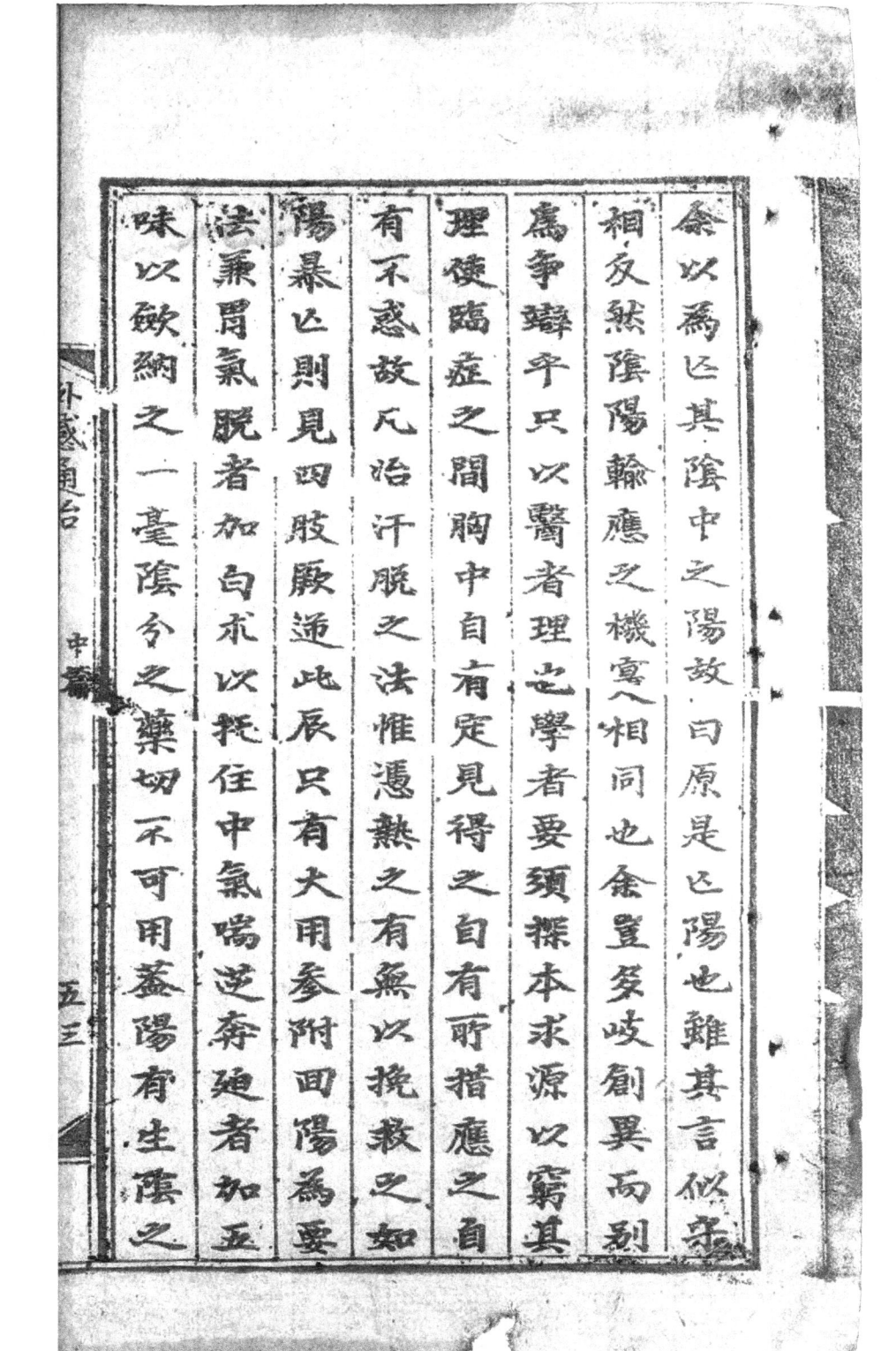

能陰無補陽之力如肉桂雖有補火之功然走竄之性終不能掩於幾回之際絕不可用如陰已先亡陽未離絕渾身猶暴熱或陰亡於下陽脫于上熱如火下冷如氷惟以兩儀膏少加附子大劑峻補救之若見陰氣已回則又接陽見陽氣漸長則又接陰使陰陽相維繼力挽住不許離脫之要使陽氣十分旺健方可許陰氣六七分接續以相濟之方為穩當至於治下脫者古法以附子理中湯急救胃氣余意胃之關在腎為一身

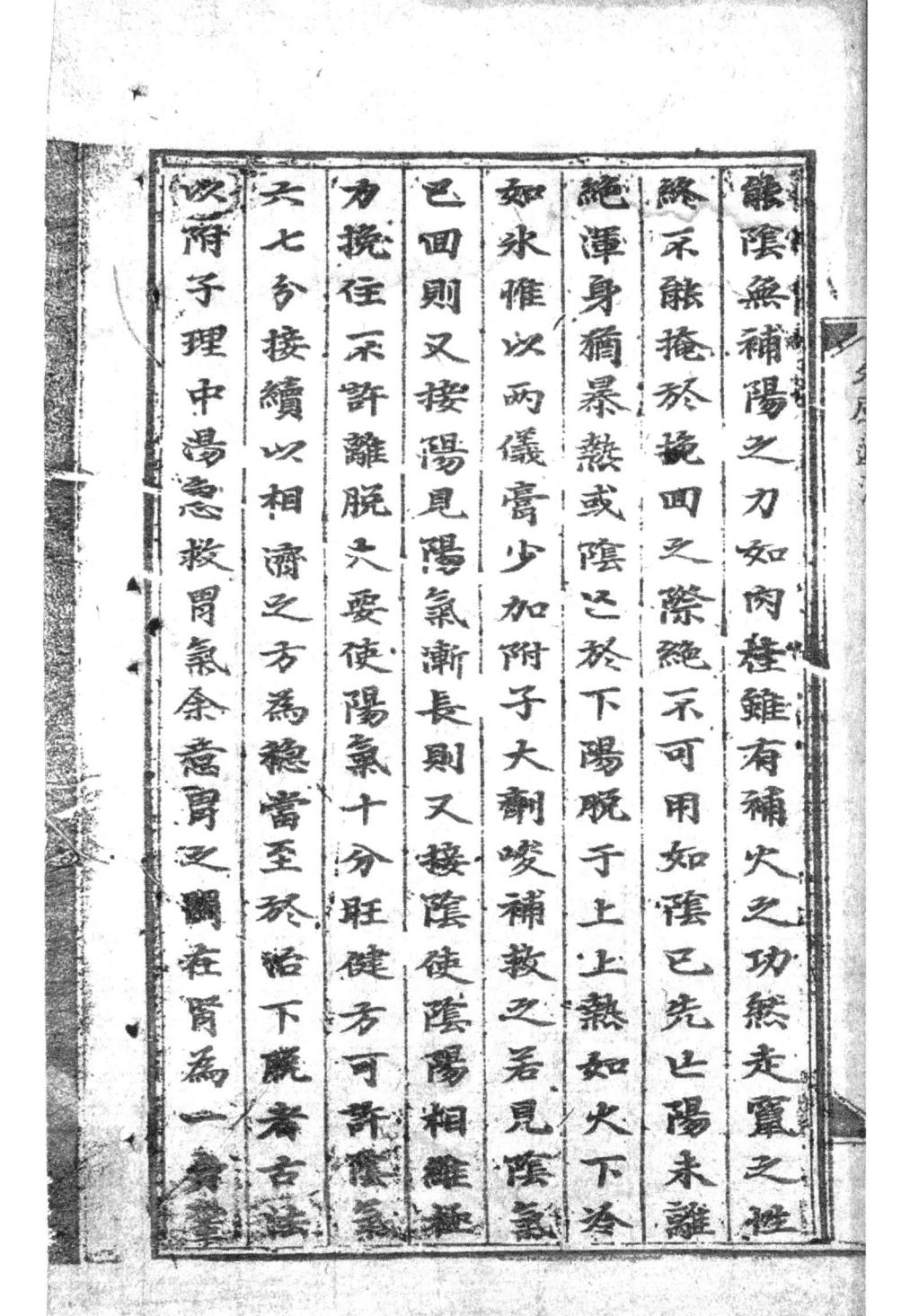

固之關主皆在一不閉藏乃見滑脫之症無如八味併湯加破固以閉之加鬼絲子以保脾胃之陽為求生之首務倘五奪之勢已速陰陽俱亡則脈前治汗參附回陽之法治之此余挽回危機之深旨也願公之以廣仁術

下篇　論諸虛症補法

按書云治病必求其本又曰知其要者一言而終不知其要流散無窮凡風寒暑濕諸症雖係外邪感觸亦不過發病之端然邪之所湊其正必虛或表或裡其症俱現而見脈虛體弱或大病後未

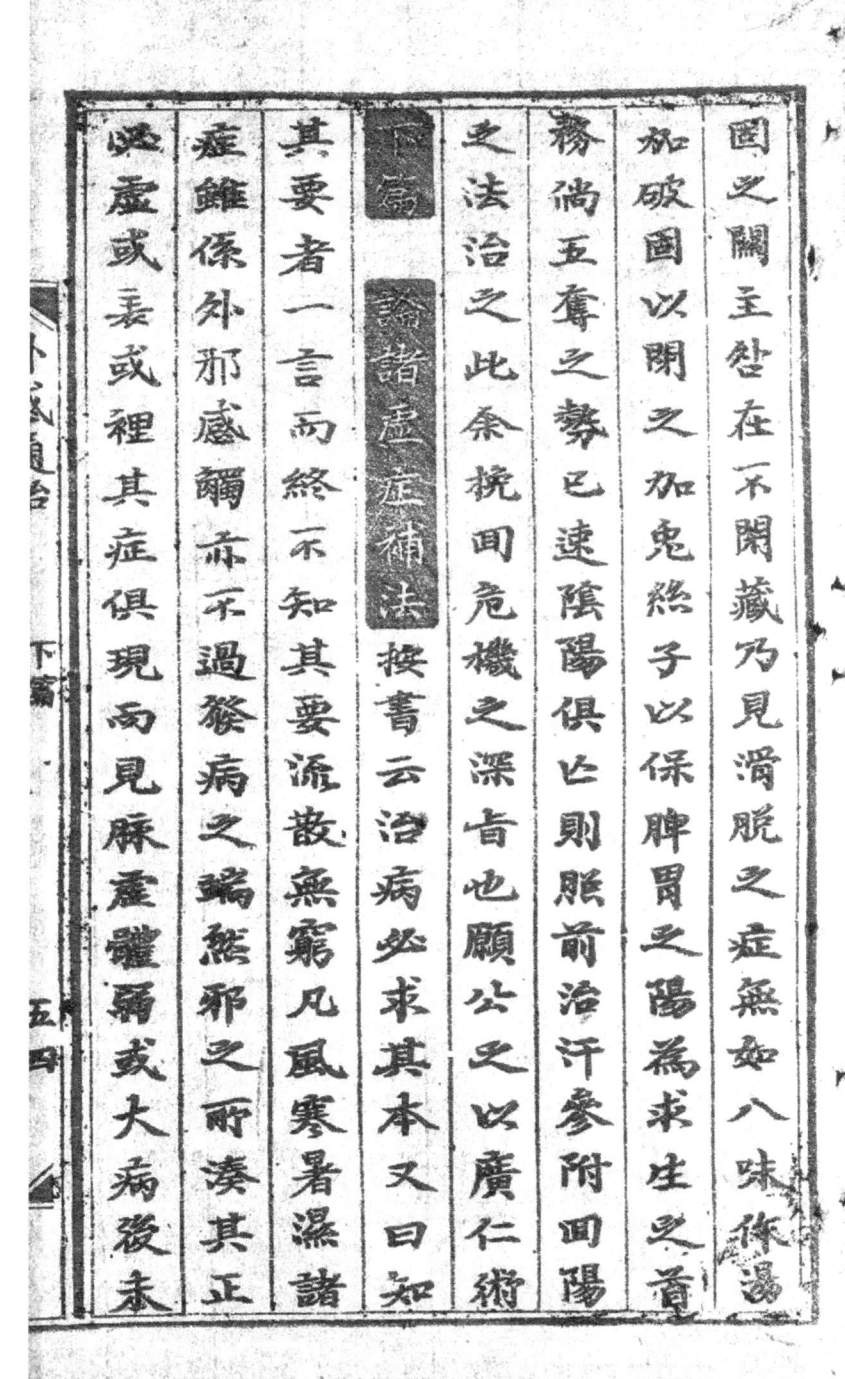

又再發與高年產後雜兒者絶不可言發言攻惟以調補爲法本上求治倘其間雖有虛症蜂起切不可旁顧支離自爲救頭救腳之惑書云氣血虛而變現諸症莫可名狀又曰本氣一復標病自除治其一則百病消治其餘則頭緒亂然症有實中帶虛有虛中帶實有精虛有大虛有虛脫有後天氣血兩虛有先天水火兩虛故藥有涼補清補熱補溫補之分方治有調補滋補峻補緩補之異法先哲雖已條分縷析第以浩理無窮學者

未能辯別余不辭管見願悉陳之大凡脉寔體寔素病或久病此寔中帶虛也脉虛體虛邪氣盛者為寔此虛中帶寔也元氣雖寔恃強不節疾病漸来因之而稍虛也脉衰體弱症重者此大虛之候也憂思勞倦脾肺傷損形瘦氣短右寸關微弱此後天氣虛也形體黑瘦燥熱蒸蒸心肝血少左寸關無力此後天血虛也雷火上炎肌膚如焰燥渴異常左尺脉弱此先天真水衰也顴紅眼赤唇焦咽痛上熱下寒右尺脉弱此先天真火

虛也藥之清補者如知栢降火使陰無傷本非能補不使熱傷陰之謂補也涼補者如二冬玄參丹參生地白芍丹皮骨皮其味甘中有涼也溫補者如參芪歸朮炮姜炙草甘溫能除大熱也熱補者如桂附能回陽也治之調補者如氣虛血未虛火虛水未虛血虛氣未虛水虛火未虛究其偏而調之也滋補者如久虛之病勢在緩圖當徐徐補之以滋其化源峻補者如大脉沉微元陽欲脫急用大力之藥一二味桂附屬也使氣純力重或大劑峻投以補住

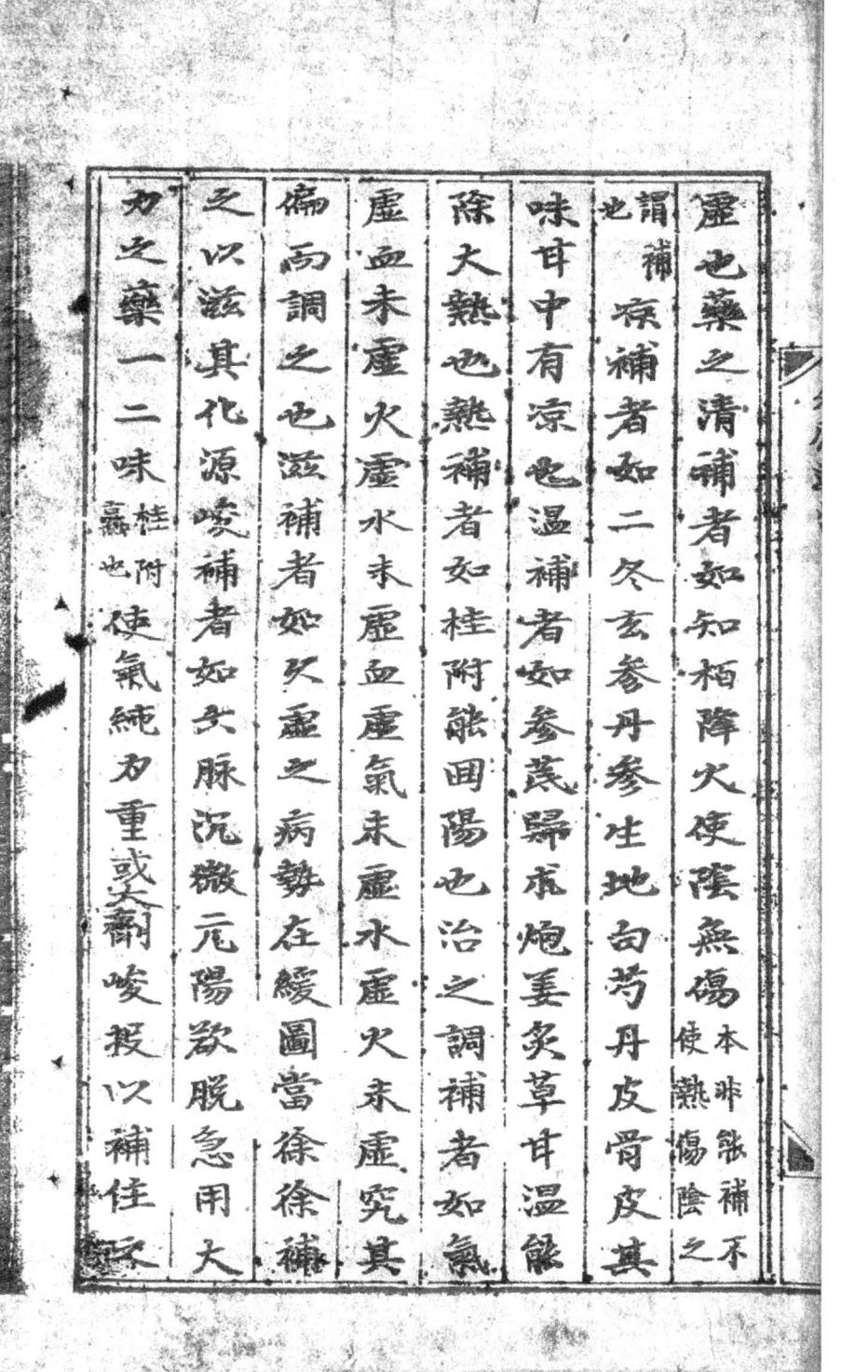

也接補者如陰陽兩亡之際脫勢漸來辰辰致脫急宜
大補之劑補還須接勿得間斷務使陰陽相維以平以
秘而挽回之也然補接之二字最妙是治危症之機關
方書未講明願再陳之以知其要先師曰（出錦囊）凡已陽
不脈沉微者則元陽欲脫命懸如絲即峻補無益益草
木之性亦必假人正氣以發生如人本氣不固藥力從
何鼓舞勢如既空須補故雖少旺旺復衰衰復峻補藥
力一過勢復虛羸惟宜細心詳察陰長救陽陽長救陰

接續勿間不可少偏少緩務使陽先生而陰後長多使陰氣勝而陽乃亡七日五臟傳遍半月節令一变則真氣借此發生根本亦無暴脫然脫症亦惟以救陽爲主重者蓋人陽氣一分未盡則不死故陽爲生氣之機若止補陰則陰道難長徒使亡陽也況命火安其位者則百病不生凡諸症之作者必由真火之離其位故也是知百病雖殊可不保重此火以爲去病之機也耶

辨諸虚症用方

一頭疼身痛臟熱如烙面赤頰爲上[illegible]

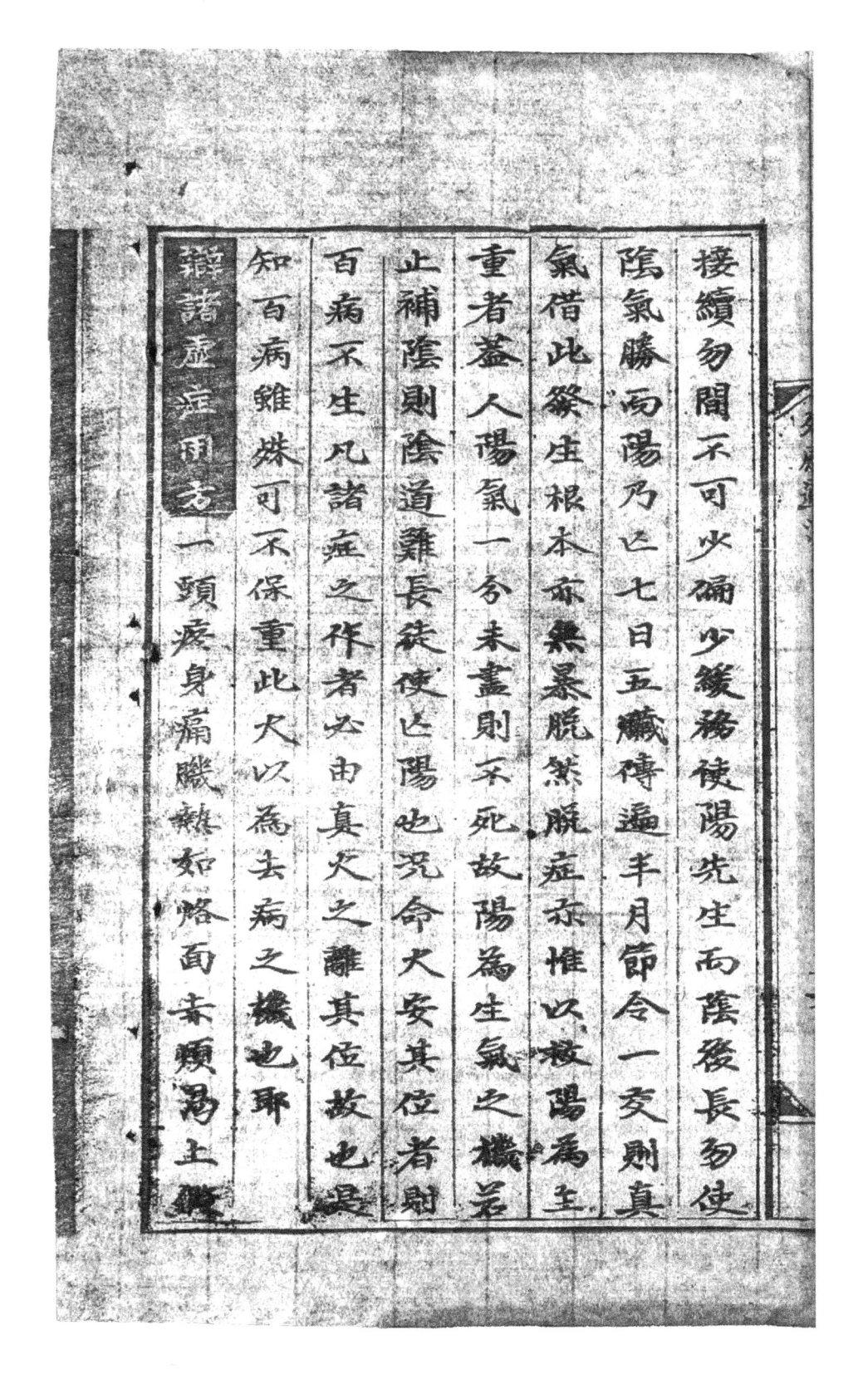

訣丙下真寒一切陰虛發熱諸症宜救陰湯一坤 若身痛
甚是陽精陰血俱虛筋骨不仁不可指為風寒宜此湯
加牛膝杜仲鹽炒酒 一身熱自汗體倦手足心熱忽辰作
寒口不知味此內傷元氣宜用人參養榮湯二坤五倍五味
去陳皮或補中益氣湯一坤 加附子有渴加麥門五味不
可驟用桂附打動龍火也 一表熱如烙手不敢近津
液乾枯體似乾柴無汗煩渴此陰氣虛不能外達也宜
六味作湯二玄倍熟地加柴胡 一元氣中虛陰寒外襲

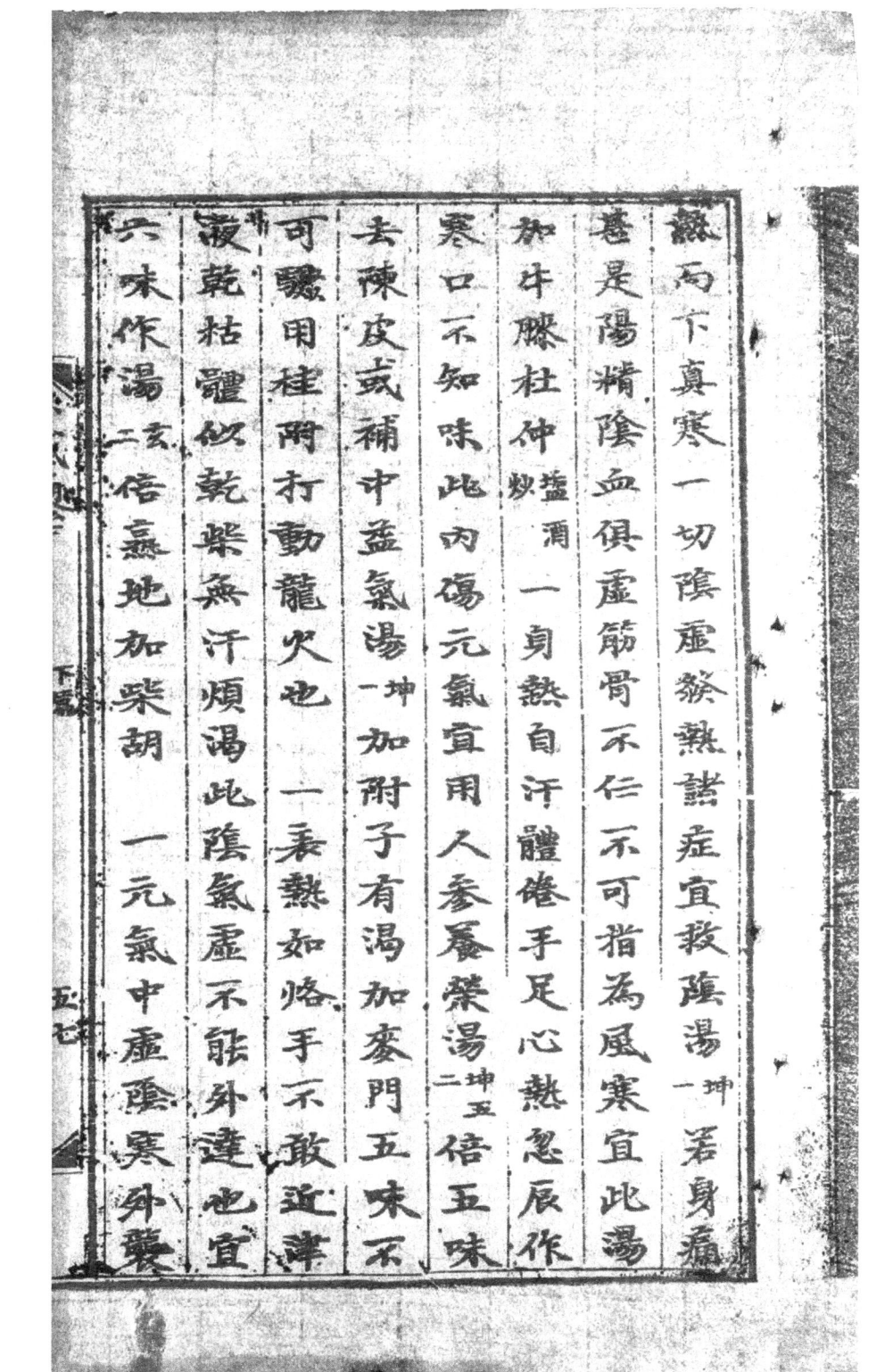

見諸陽虛症宜用救陽湯（坤二七）有泄瀉腹痛甚用人參附子理中湯（一曰）加五味　一脾胃虛損土虛元陽無藏身之地餘熱潮熱不止者宜補中益氣湯加五味附子

一因脾虛不進飲食彊用香燥藥以致胃陽獨亢脾陰偏損內熱薰蒸口乾作渴胃口乾枯食入即嘔宜新製培土固中方（一徵）敎加麥門五味牛必

一脈見洪大而數此真陰不足假陽乘之龍雷妄熾上熱下寒症見燥渴湯不能飲唇焦舌裂喉乾咽痛宜六味加肉桂麥門

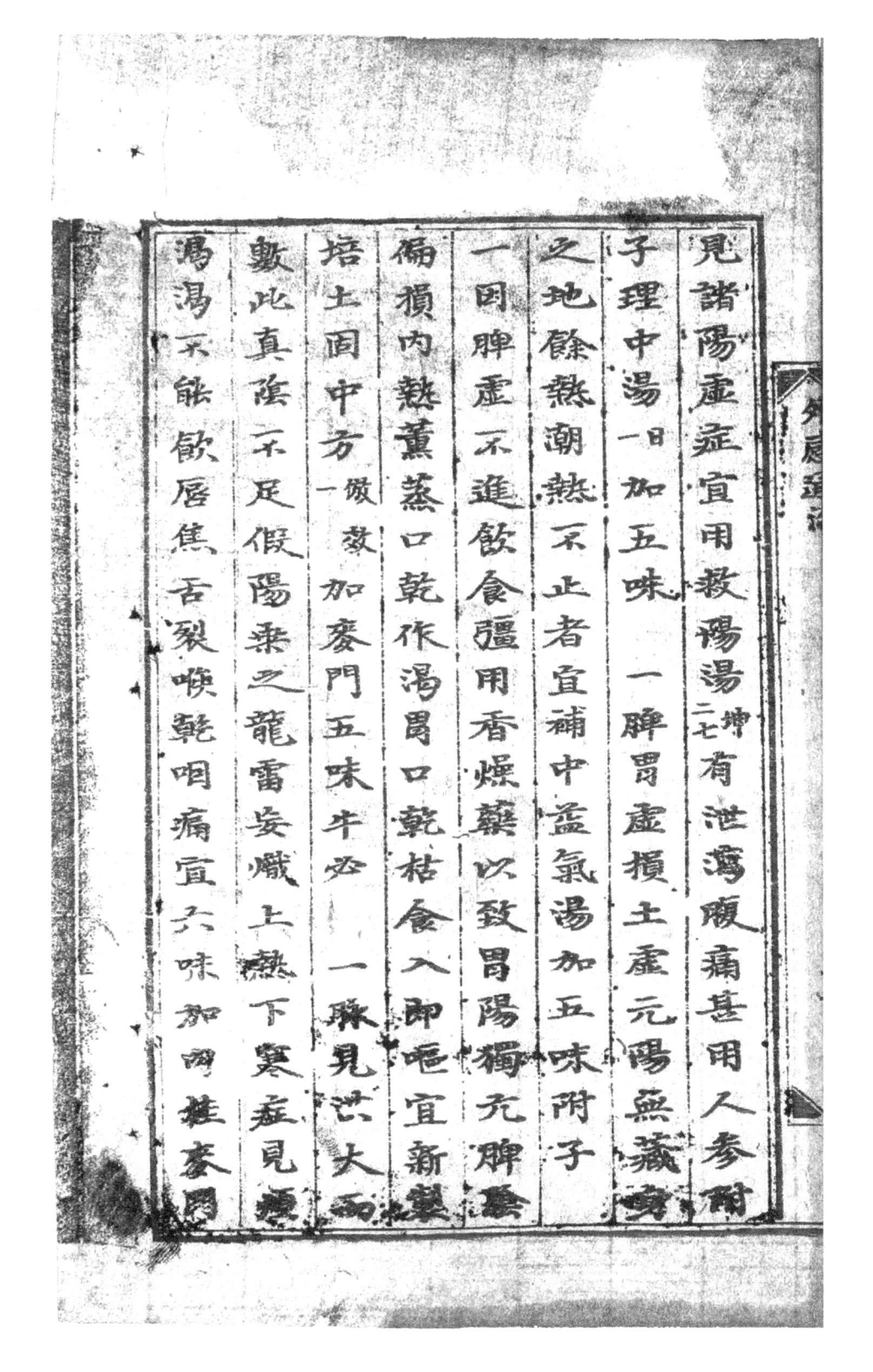

五味牛膝　一如六脈浮大無力左關寸更甚此中氣不足榮陰有虧宜養榮湯加五味去陳皮　一如六脈細數久按無神此先天真陰真陽並耗宜早服八味又晚服人參養榮湯二坤五去陳皮或十全大補湯去川芎生地換熟地　一兩尺有力兩寸甚弱外見虛熱諸症或泄瀉或脹滿此元陽下陷宜補中益氣湯氣虛甚加大附五味　一肺脈洪大症見煩渴氣盛咳嗽宜十全大補湯去川芎黃芪加麥門五味　一六脈無力身熱

氣短倦怠辰辰惡寒宜十全大補湯(坤四 三)去熹芍無力服
参者倍芪术　一六脉洪大有力身發大熱面赤口渴
煩燥恍亂此真陰不足虛火上炎切不可誤認爲傷寒
熱邪入裏發散之立斃宜六味大劑作湯加麥門五味
一大熱煩渴下部惡寒足冷上部煩熱渴甚燥極或欲
飲而反吐宜六味大劑作湯加麥門五味肉桂甚則加
大附冷飲　一熱邪入胃耗消津液不可誤用芩連知
栢此皆有形之水不能沃無形之火只用六味大劑作

湯加麥門五味牛膝以滋腎中之真陰何至傳爲燥寒便堅之症乎　一陰極似陽其燥甚欲臥於泥水井中口雖煩渴而渴不欲飲脉則沉數無力宜用六味地黄湯加牛膝五味主之　一六脉沉微無力者陽虛之真象也宜用桂附參朮主之　一陰虛發熱吐血喘嗽一切虛勞重症宜全真一氣湯倍麥味　一脾腎之陰宜補心肺之火宜抑凡諸假熱症宜用全真一氣湯以爲水中補火土内藏陽之法治之　一陰虛久熱中氣困

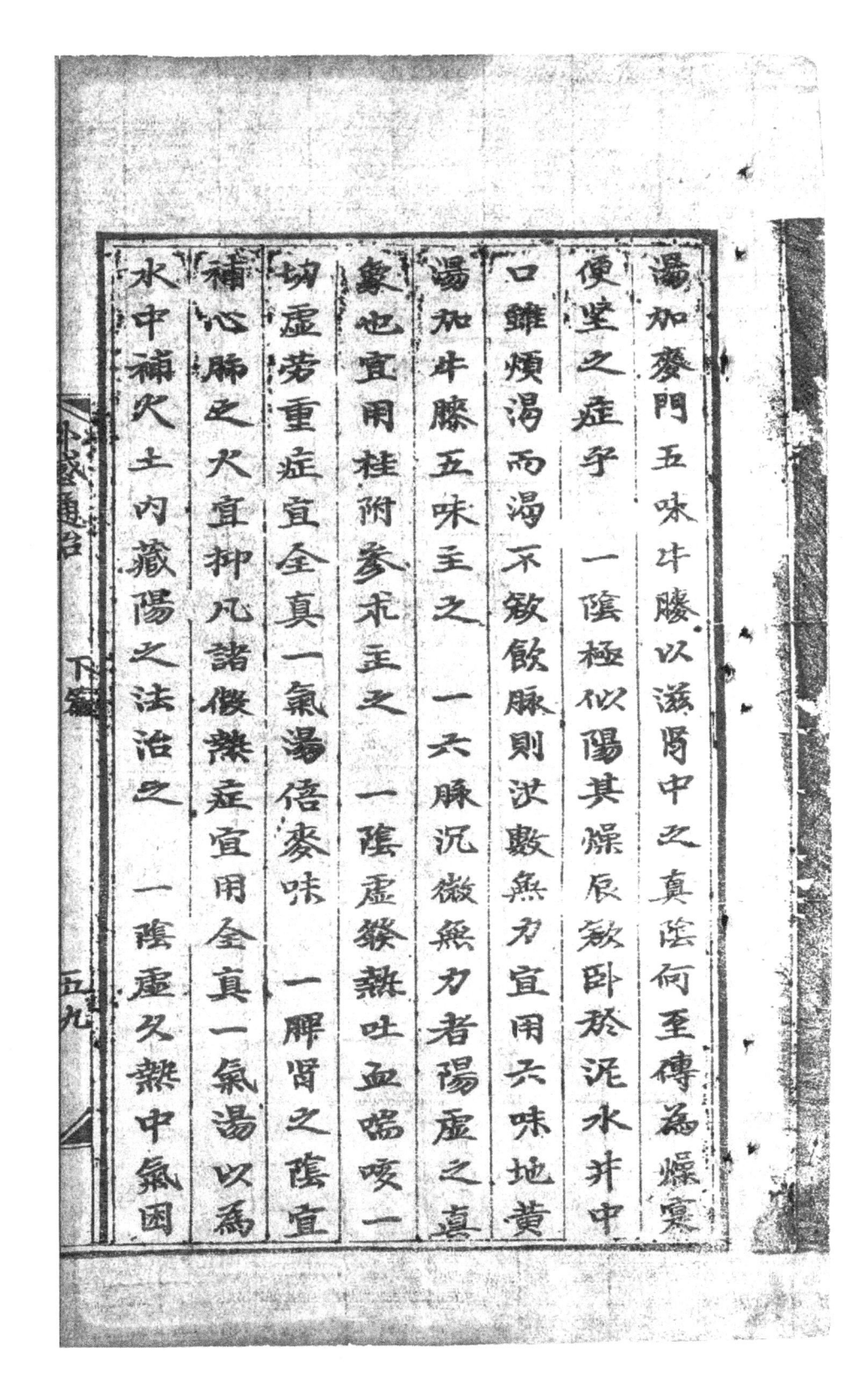

乏不思飲食上壯熱而喘渴下虛寒而足冷宜全真一
氣湯　一陰虛壯熱膚如乾柴津液耗竭不能汗者宜
全真一氣湯以濡潤之此滋水所以發汗也
一勞傷發熱咳嗽吐血似瘧非瘧懶食倦怠寸洪尺弱
諸症宜養榮歸脾湯　一感冒辰氣似瘧非瘧與心脾
陽氣不足氣血並傷自汗惡寒腰背疼痛宜十全補正
湯坤五四加減主之　一六脉沉微身熱四肢逆冷發狂譫
語口渴飲二便俱秘此伏陰于内逼陽于外宜救[illegible]

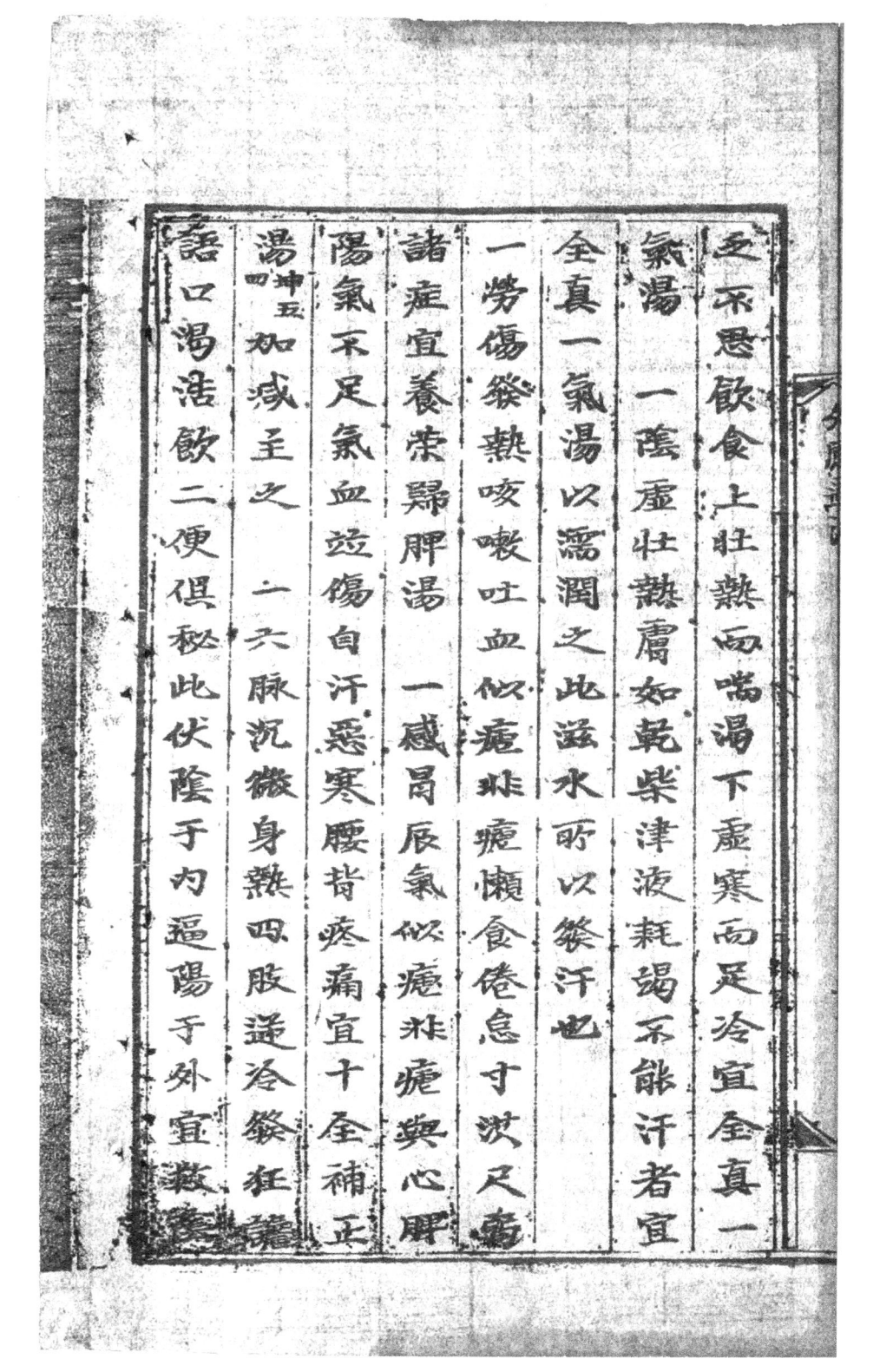

湯乃一氣湯如泄瀉不止改用救陽湯一身發虛熱氣血未
至大虛宜八珍湯氣虛多倍四君血虛多倍四物動血
去川芎有雜症加減治之　一身熱面赤如裝脣迷譫
妄手足躁動脉則洪大搏指神氣欲脫此真陰失守虛
陽上浮宜新製補陰斂陽安神方　一勞倦發熱或似
瘧陰分偏虛者不宜升提用十全大補加減治之有動
血去川芎　一龍雷之火妄熾熱湯異常勢難折伏宜
新製滋水潤燥方加龜膠以為驟雨暫抑亢炎之苦

一脾肺氣虛榮陰亦損陰熱浸汗色枯氣短宜人參養榮湯　一思慮過極脾虛不能攝血發熱體倦盜汗不寐怔忡驚悸宜歸脾湯熱甚氣短去木香加丹皮梔子　一陰熱蒸蒸體寒熱往来去木香加柴胡丹皮梔子

似乾柴小便頻數大便燥結一切枯涸之症宜新製安補精血膏甚有回天之力　一脉左関寸衰弱陰熱蒸蒸或午後發熱不寐寤則盜汗煩燥悗亂或因失血致病凡症見枯槁憔悴者宜新製後天六味湯

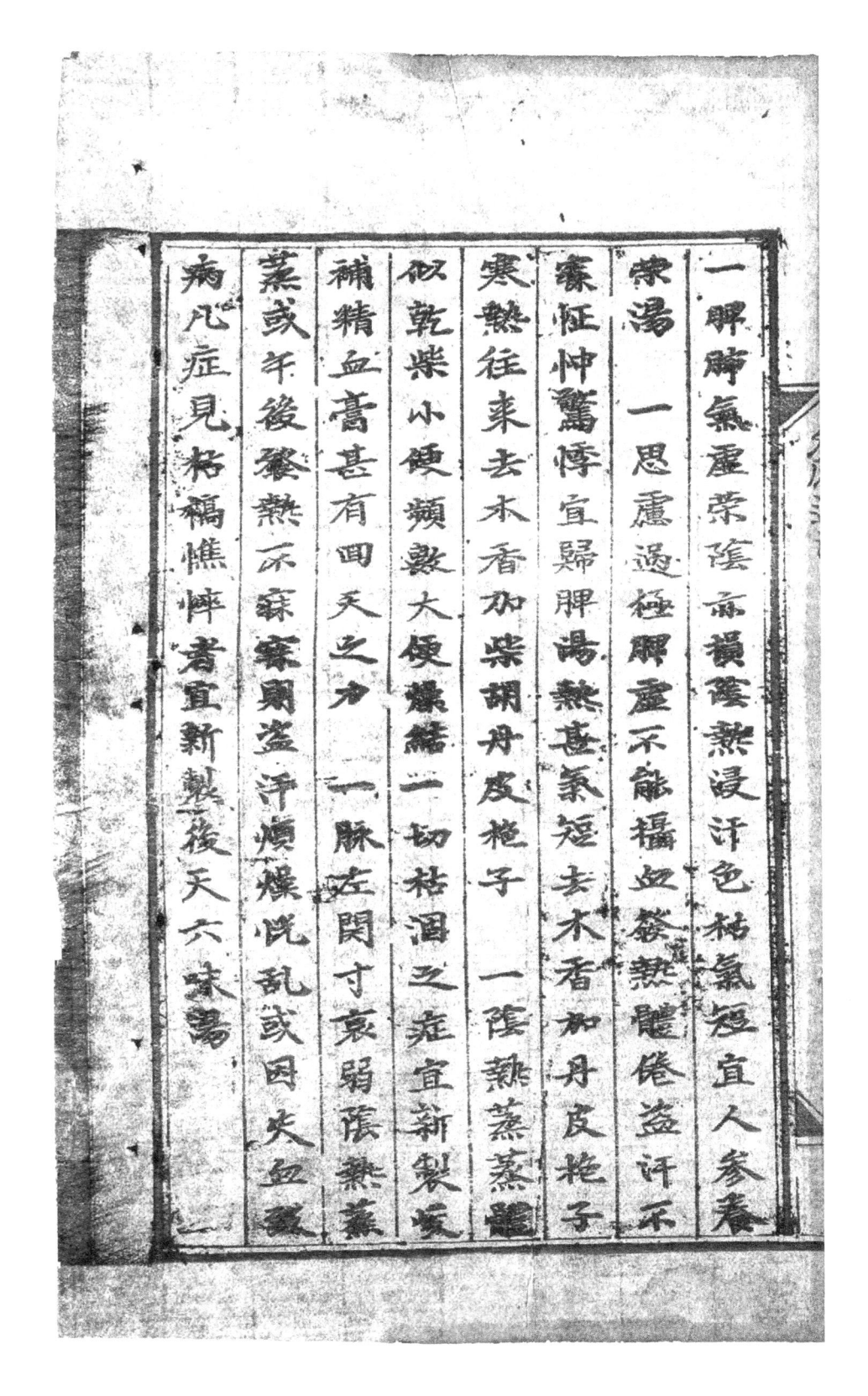

一脉見右関寸沉微無力形瘦色青或虛肥氣短倦怠
飲食不甘最怕風寒易生瞋脹泄瀉或土虛不能斂陽
發熱煩渴等症宜後天八味湯

論新補傷寒治

夫傷寒之爲病也因冬辰殺厲之氣及
朴辰强暴之寒偶失調護感中其邪頭疼身痛發熱惡
寒名曰傷寒雜症稍此變現多端是皆傷寒之症夫傷
寒危症也治傷寒者甚難也然難中之有甚難也亦難
中之無難者亦惟有理有不明而不知其要爲尤難使

能明而知其要者亦無難也然所總要者雖古今有異耳蓋上古之人天地初闢氣化濃密稟受堅強質成壯厚邪雖猛烈難以感傷藥雖峻攻何能遽遂至今氣化轉薄性復漸喪縱欲以耗其真妄動以伐其質思慮以傷其神色慾以耗其精以致氣血精神既已漸減陰陽臟腑因已漸衰邪氣雖輕易於傷感藥雖峻補何能驅除經曰邪之所湊其正必虛故其用藥消息要宜詳察氣血陰陽因而施治必宜先扶其正次佐以散邪斯爲

以全愈矣倘泥於上古次第傳經之法寒涼以進熱藥雜溫尅伐之投補劑難挽所謂致邪失正絕人長命是也要知傷寒爲患傳經多乘虛而入惟宜分別有氣虛血虛陰虛陽虛之類舉其尤而治之凡人血虛者形容瘦黑臟肉乾枯液涸水虧多熱無汗内熱陰焦煩渴脈剛弦芤浮數兩尺虛弱陰虛即血虛而甚也陰虛傷寒及内傷勞倦至損脾陰而挾外邪者宜補陰益氣湯凡人氣虛者顔色淡白言語輕微氣短神倦多寒自汗怯

弱畏寒大便滑泄脈則柔弱沉微兩寸短小陽微即氣虛而甚也氣虛於中安能達表非補其氣臟[illegible]解守宜補氣散邪湯血虛傷寒及婦人經前產後而外感邪者宜養血散邪湯前有血虛陰虛挾外邪者並治

養血散邪湯　當歸二ㄗ　白芍半ㄗ　炙草一ㄗ 內挾者生用　陳皮　柴胡各三ㄗ　生姜三片　水煎服　如頭疼加川芎身痛加羌活嘔吐加半夏熱而兼渴者加葛根熱入血室加生地黃芩

氣虛傷寒及男子病後勞役而挾外邪者宜補中益氣

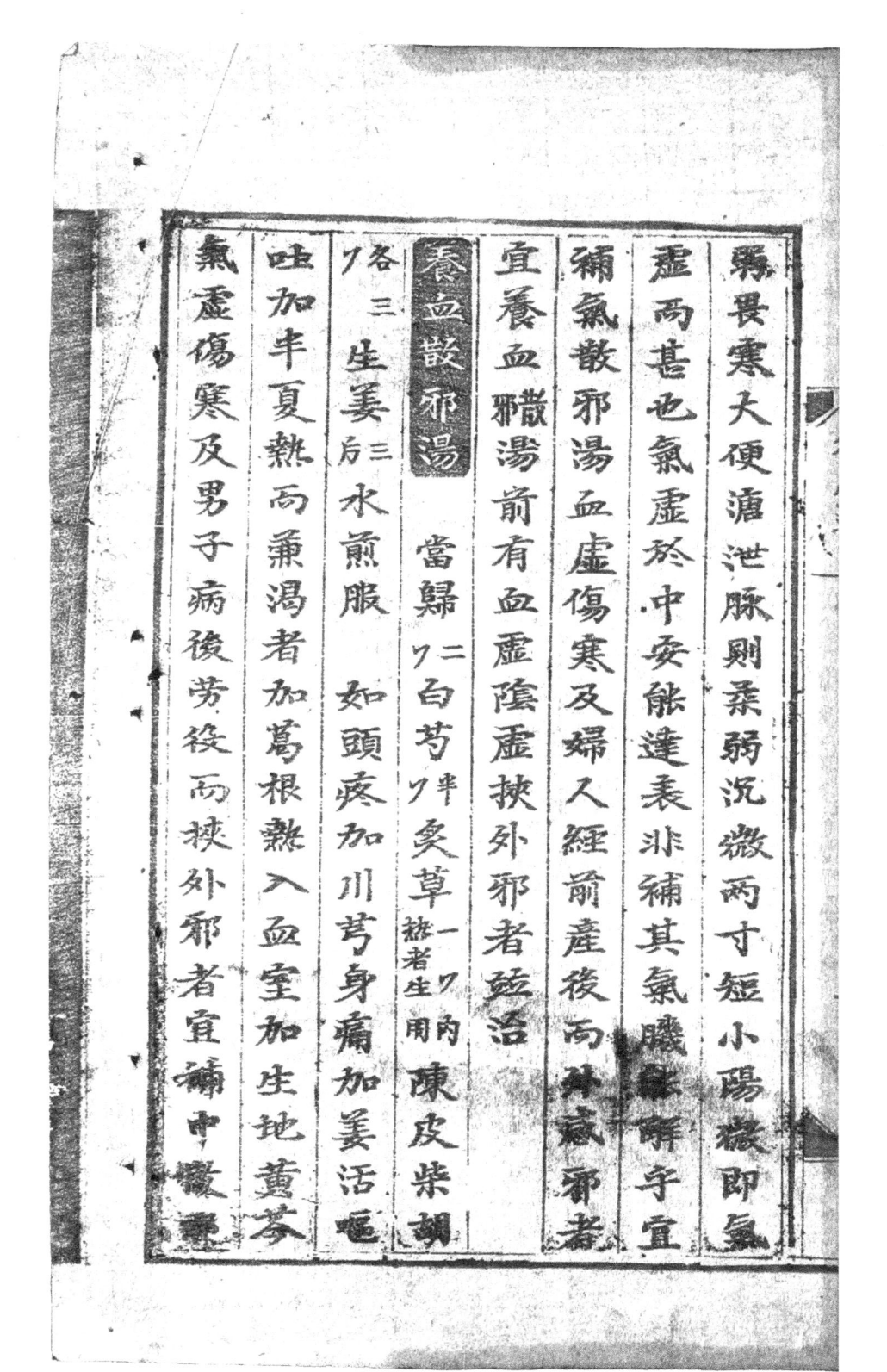

湯前有氣虛陽虛挾外邪者並治

補氣散邪湯

人參三五ク 當歸三ク溏者代白芍 炙草 陳皮各一ク 柴胡二三 生姜三片 术煎服 如邪氣初感頭疼身痛加芎防寒多加桂枝 熱多加黃芩咳多加杏仁桔梗渴加麥門天花汗多加黃芪白术胸中煩熱加桂枝茯苓 氣血俱虛寒及久瘧不解宜雙補散邪湯即五柴胡散陣三 順在景岳新方

雙補散邪湯

柴胡三ク 當歸 白术各二ク 白芍一ク半 炙草一ク 去陳皮水煎食遠熱服 陽虛傷寒及內傷勞倦致傷胃

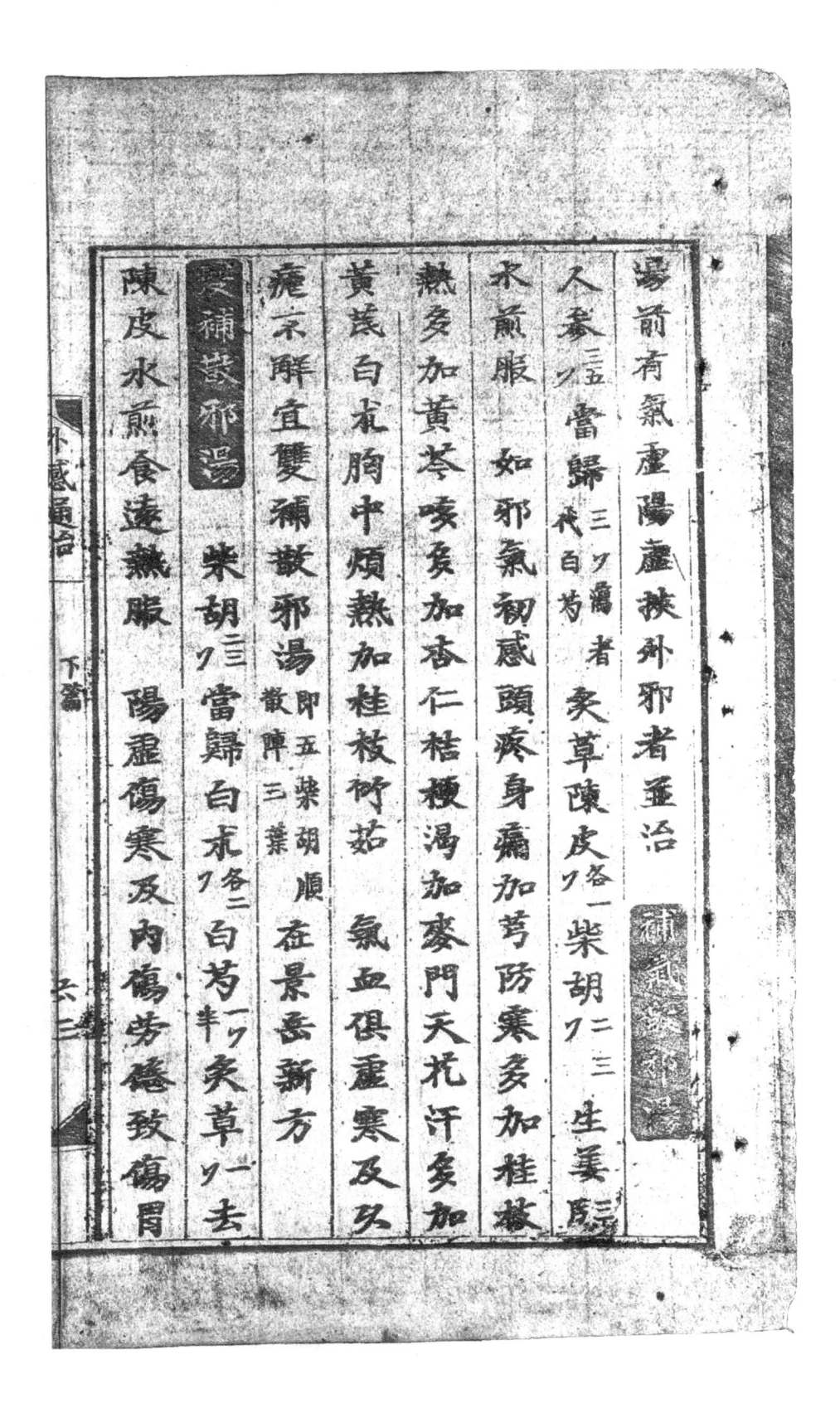

氣而兼外感者宜補中益氣湯加對症之藥
陰陽俱虛及老弱之人而傷寒者宜十補正湯加柴胡
生姜以散外邪此及辰治法因症別虛隨其施治切要
尋陰陽如此又有真陰真陽虛而傷寒者不可不深察
之耳　真陰虛寒而傷寒者是真陰不足及素多勞瘵
之輩因而忽感寒邪或發熱或頭疼身痛及面赤舌焦
口雖渴而不欲飲冷身雖熱而欲近衣是皆假熱之症
宜遠用助陰散邪湯即理陰煎。加附子名附子理陰湯加人參名六味回陽飲

理陰散邪湯　熟地ㄱ五　當歸ㄱ三　炙草ㄱ二　乾姜ㄱ二　加肉桂ㄱ三　水煎服以溫補陰分而邪自退矣

蓋陽虛寒而傷寒者是元陽虛弱及素稟力薄之人因而忽感陰寒辰疫之氣身雖熾熱而畏寒不已雖在夏月亦欲衣被覆蓋或兼嘔惡泄瀉或手足厥冷是皆虛寒之極宜速用扶陽散邪湯 即溫中飲

扶陽散邪湯　熟地ㄱ五　白朮ㄱ五　當歸 瀉者以炒山代之　麻黃ㄱ三　人參ㄱ二　炙草ㄱ一　柴胡ㄱ四　肉桂ㄱ二　乾姜ㄱ二　生姜片三　煎去滓

沫服以温補陽湯分而邪自散耳　從前二者一補陽分
一補陰分而其用温則一也其治傷寒虛症爲首務也
由此觀之傷寒虛者常多十中之七八故辭論于前傷
寒寔者常少十中之一二豈可拘於氣化漸薄之輩虛
而發寔症者故又詳寔症于後凡人稟受壯寔氣血和
平無因勞倦無犯憂思邪氣初感頭疼身痛發熱惡寒
表症見者冬月及辰遊寒勝者宜麻桂湯

麻桂湯

官桂三ㄱ　當歸二口　炙草二ㄱ　陳皮一ヮ　麻黃二三ㄱ　生姜

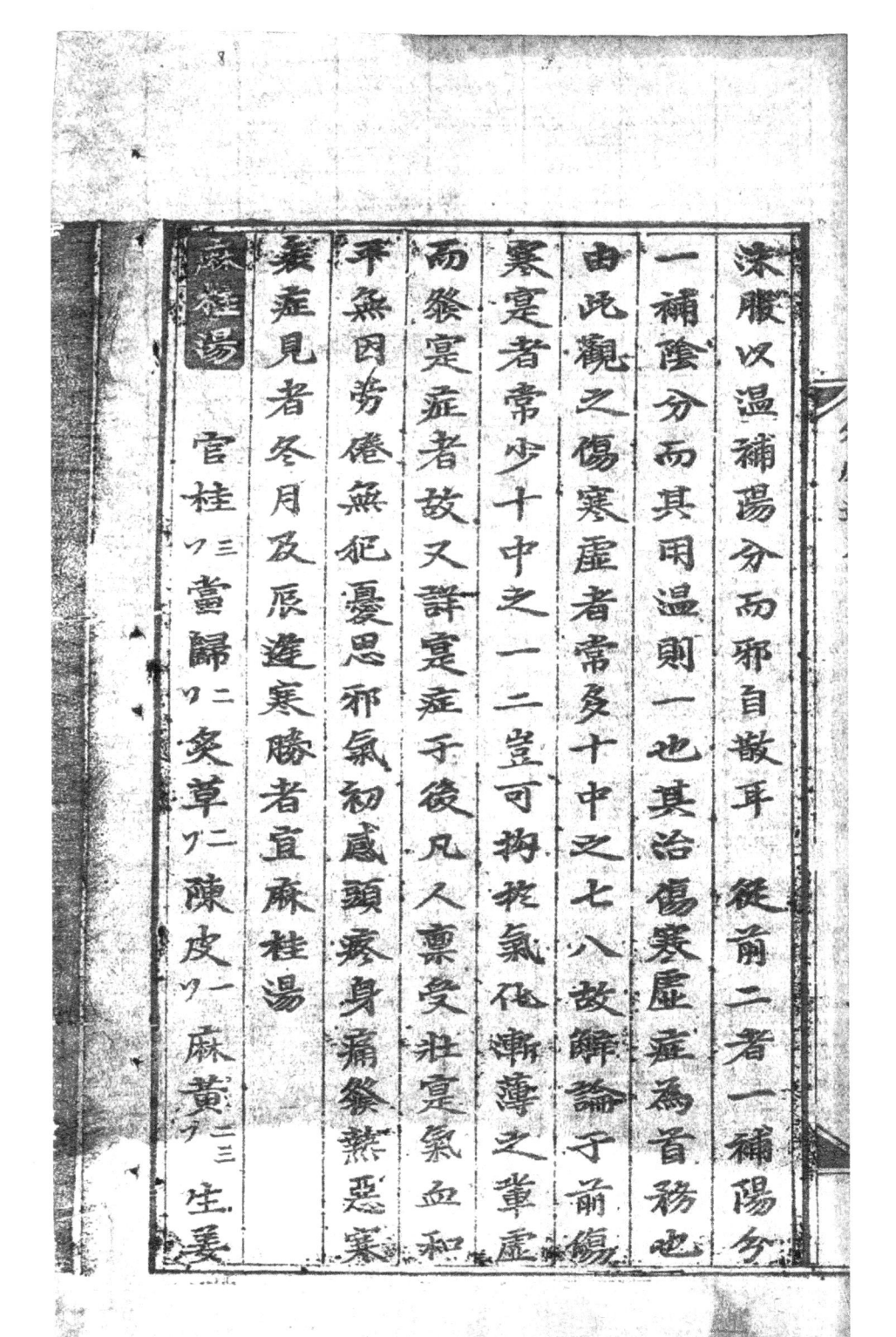

三片至于三春及辰遊濕熱者宜正防風飲或九味羌活湯人參敗毒散隨宜用之乘其表邪初客急宜解散庶以調亂之藥使無深入以傷其正則表邪散而中氣和自可相安無事

正防風飲

防風　羌活　獨活　川芎　芋味　水煎溫服

九味羌活湯

羌活　白芷　黃芩　蒼朮　細辛　川芎　防風　甘草　生地

人參敗毒散

人參　乾姜　羌活　官桂　柴胡　前胡　獨活　枳殼　川芎　茯苓　甘草　生姜三片

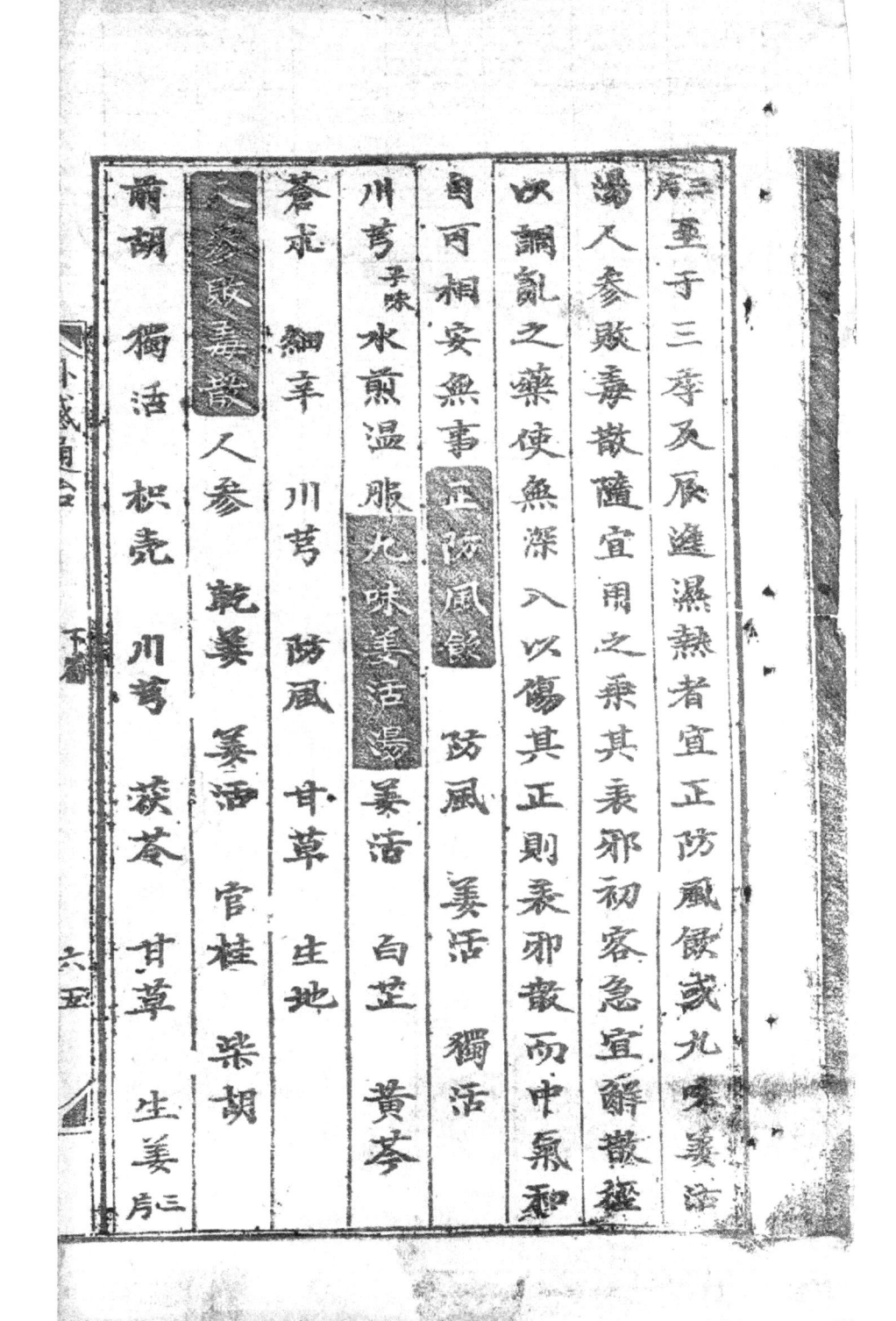

以上諸治要知邪氣之淺深正氣之虛實則能盡善盡美邪有淺深則托散自異正有虛實則攻補有殊虛有微甚之不同補有平峻之有別傷寒治法不過三表而已蓋正氣實邪猶淺者逐之於藩籬散之在皮毛正氣微虛邪漸深者逐之於戶牖散之於筋肉正氣虛甚邪深入者逐之於堂室散之於臟腑是也姑舉其方言之如麻桂湯正防風敗毒湯羌活湯之類皆并外逐邪在表之散劑也如補氣散邪湯補中益氣湯補[illegible]

補中益氣湯　人參　當歸各三ㄱ　懷山一ㄱ　熟地[illegible]　陳皮　炙草

升麻五分浮大于上者去之　柴胡二ㄱ無外邪者不用　生姜三片　皆兼顧邪正

并經絡之散劑也再以助陰散邪湯扶陽散邪湯十全

補正湯之類皆建中逐臟腑之邪劑也傷寒要領無逾

於此學者用之如法以救人命亦有虛症類傷寒者純

是內傷自然發熱但無外症惡寒身痛不可認為表邪

妄行發散及傷寒久病虛症勿論邪氣未盡仁意攻逐

則虛者愈虛危亡立至誤人性命甚為可嗟二者總為

虛論宜審而治之如血虛發熱及潮熱者宜用
補血清臟湯 生地二ㇷ可換熟地 白芍二 川芎ㇷ一 牡丹 丹參各一ㇷ五分
水煎服如內加梔子熱而無汗加柴胡薄荷潮熱多汗
加桑葉心煩不定加棗仁遠志血虛而寒邪熱浮於外
換生地加黑乾姜ㇷ二 氣二潮熱者宜用
補氣清臟湯 即四君合砂仁麥門各平味水煎服 氣血俱虛合補血方用適
宜加減陰虛即血虛也皆以內傷勞倦損傷脾腎之陰
而發熱者宜 補陰退勞湯 熟地二ㇷ 參半一ㇷ 當歸 山藥

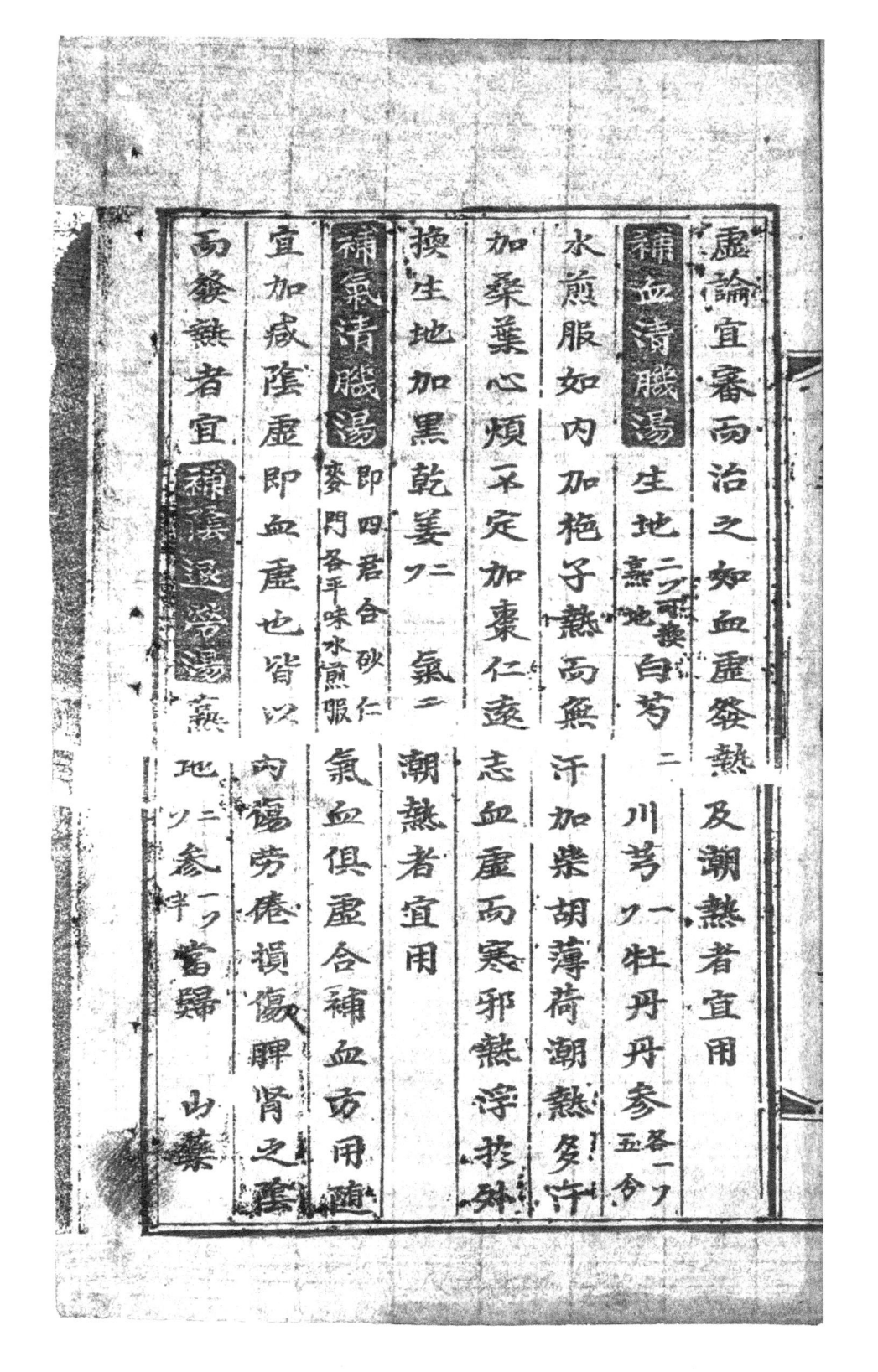

炙草各五分 陳皮八分 麥門一ㄱ五 五味三分 水煎温服 陽虛即氣虛也皆以內傷勞倦損傷肺腎之陽而發熱者宜

補陽退勞湯 黃芪三ㄱ 人參二ㄱ 白朮二ㄱ 歸身半ㄱ 炙草五分 麥門一ㄱ 陳皮八分 五味四分 大棗三枚 水煎服 如勞熱甚者加附子五分 又有勞心思慮損傷神氣驚悸煩悶而發熱者虛在氣分宜補其氣用歸脾湯坤 虛在血分宜用

益榮補心湯 熟地二ㄱ 歸身 棗仁各一ㄱ 白芍 茯神半ㄱ 遠志五分 人參 麥門各五ㄱ 五味十五粒 水煎服 心脾兩虛二方合用隨宜

加減又有勞心失調憂心太過以致氣血虛損而失其收攝以致發熱者宜人參養榮湯或十全補正湯凡爾諸類既分症調治要得其當用之無疑更有中真陰中真陽二症人多不識以致誤人在傷寒者亦多在熱者尤甚也司人命者安得不精思而詳辯之乎夫陰中之陰虛者其症多由於真陰虧竭腎水衰虛不能制火以致發熱頭疼面赤煩燥口渴津液消枯唇舌燥裂咳嗽吐痰二便秘澀脉多浮數而左尺無力與虛弱及細數

之類或謂傷寒之症而誤投尅伐汗散既多乃至真陰消耗孤陽浮越所以全熱不退煩渴不止或心神昏亂譫語不寧是皆陰虛之症須急用救陰接陽以補水制火此滋其陰以退陽也

救陰接陽湯　熟地四ㄱ　白芍一ㄱ　麥門二ㄱ　牛膝一ㄱ半　牡丹參　茯苓各一ㄱ半　姜炭四分　水煎服　如心神不定加茯神遠志各三ㄱ　如虛煩不睡加酸棗半ㄱ　元氣虛極加人參三ㄱ　脾氣弱加白朮三ㄱ　少減白芍去牡丹　大熱甚者加玄參三ㄱ

陽中之陽虛者其症多因真陽衰敗腎水既衰火不引歸源以致發熱或乾渴口焦面赤煩燥或喉中咽痛痰氣喘促或上假熱下真寒或內真寒外假熱脈多浮數而右尺微細無力或遲數之類或謂傷寒之症而肆進寒凉峻用汗下以致真陽衰弱虛火上炎耶以虛熱不退譫妄無休煩燥驚狂精神困倦身雖熱而口不渴或渴而飲不多言雖譫妄而氣短聲微身雖燥狂而舉動無力是皆陽虛之症也宜用救陽益

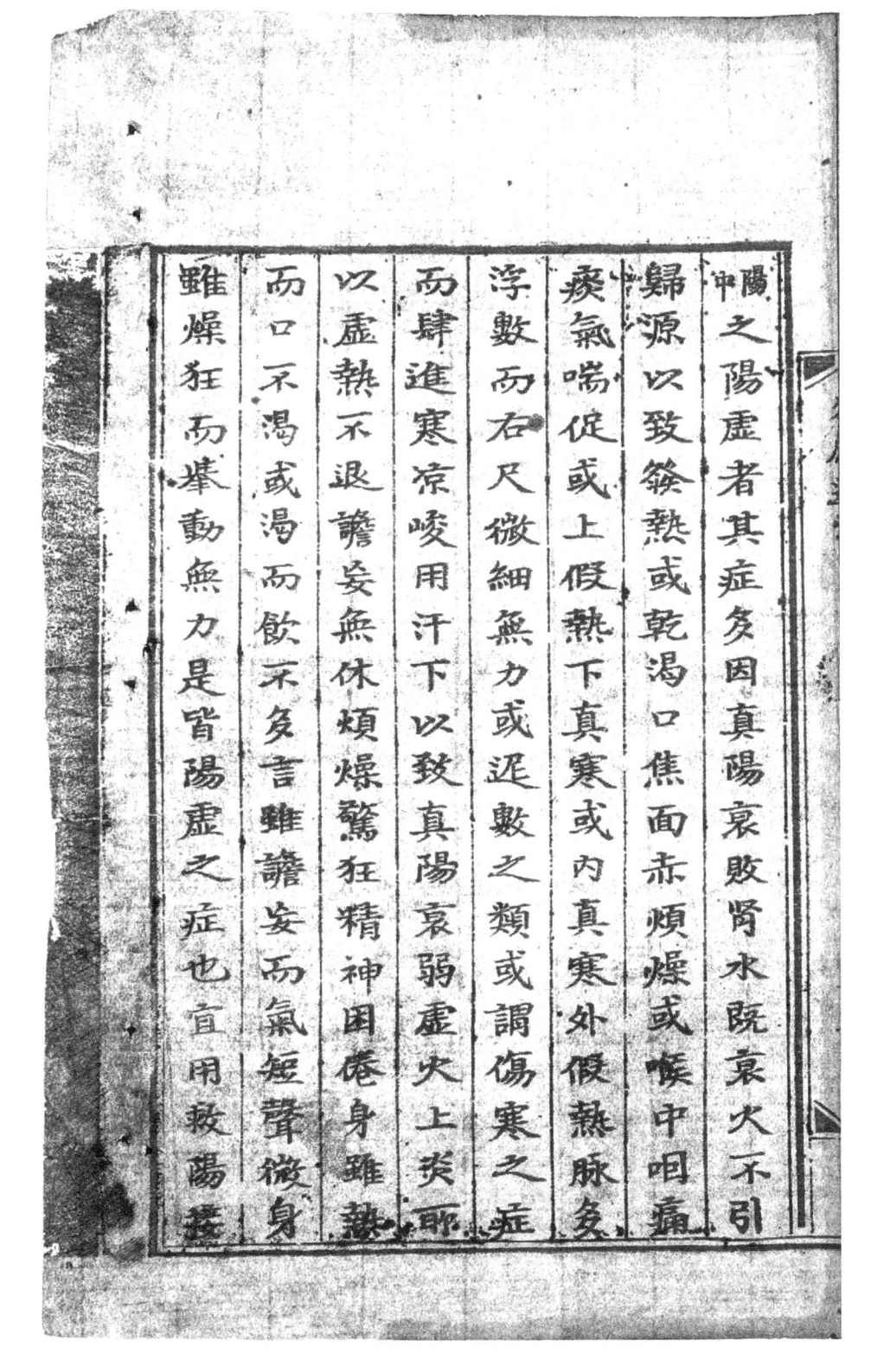

陰湯以引火歸源此導其火以陰熱也

鎮陰煎　熟地五ㄱ或ㄱ兩　當歸ㄱ二　人參一ㄱ　姜炭ㄱ三　附子ㄱ二　牛膝ㄱ二　茯苓一ㄱ半　五味五分　水煎服　如泄瀉者去歸牛膝加白朮ㄱ三　炙草ㄱ一　虛寒甚者加肉桂ㄱ一　肉振加黃芪ㄱ三四　汗多亦加之　又有真陰真陽並虛之症　候同前　兼見脉則絃數細數而兩尺微弱者是陰陽俱虛之極　宜急一用全鹿丸

傷寒下痢論并治法　凡雜症下痢多責於寒　傷寒下痢有寒有熱　蓋寒邪入裡亦有下痢之症　但寒痢最多

熱痢則僅有之最宜辨也決傷寒下痢最由熱邪者必
有煩燥大熱酷飲冷水脉必洪滑強盛數實等候表裡
但熱宜柴芩煎內熱甚者清流飲 柴芩煎 柴胡二ㄱ三
黃芩 梔子 澤左 木通各二ㄱ 枳殼二ㄱ半 水煎服
清流飲 生地 茯苓 白芍 澤瀉各二ㄱ 當歸ㄱ二 甘草ㄱ一
黃連 黃芩各二ㄱ半 枳殼一ㄱ 水煎服 至于手足厥冷惡寒
腹痛脉沉微細痢有清穀之類此因陰虛之甚也脉雖
數而無力外雖熱而不惡寒口雖渴而不喜冷惟此其

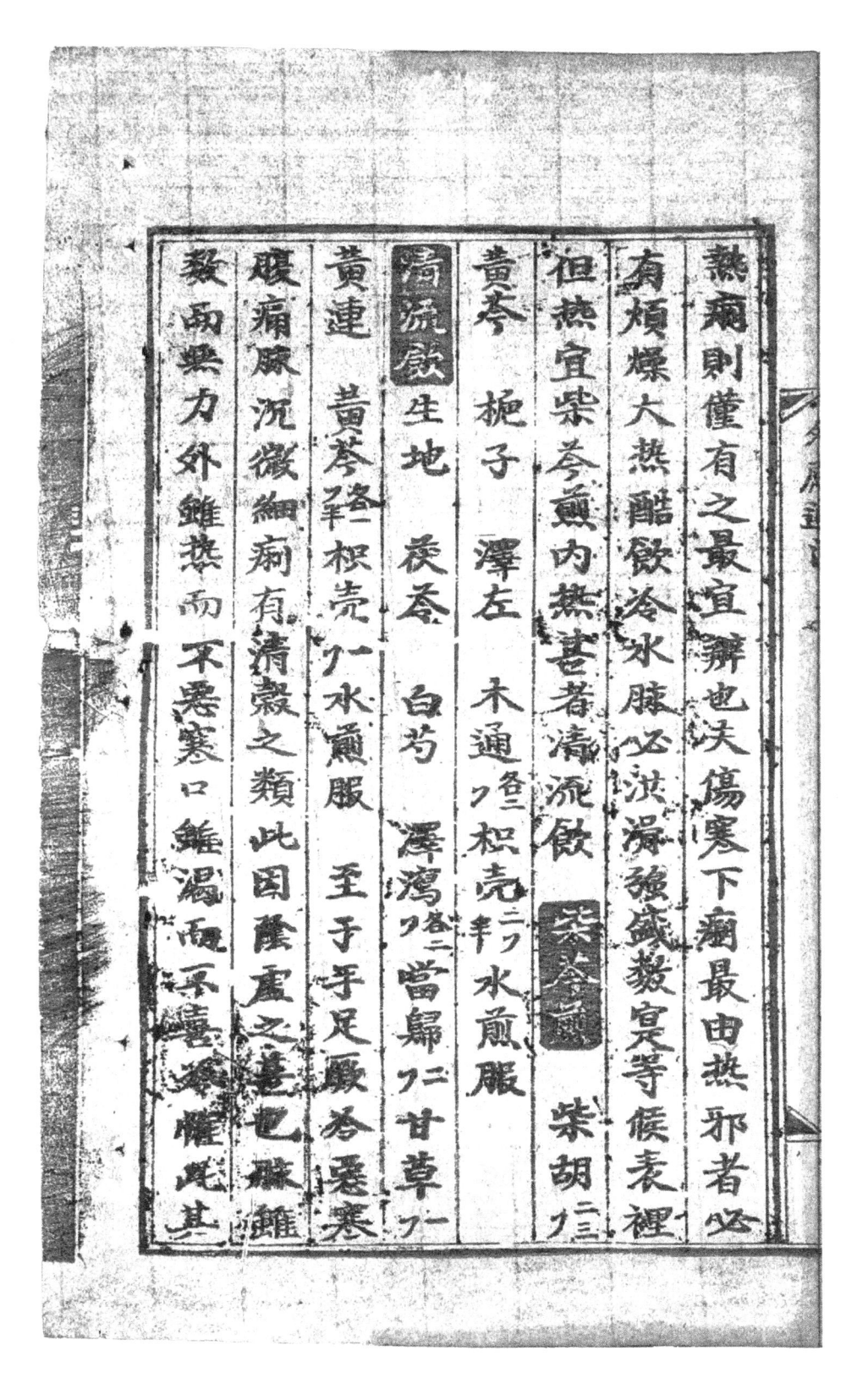

内本不熱必爲虛寒輕者宜理中湯或溫胃飲重者宜胃關煎或八味作湯加升麻兼有寒熱者加柴胡二ワ以解表邪

傷寒結胸論并治法

凡傷寒結胸之症必有腹脹滿硬而痛手不可按者更加煩燥此胃氣之將絕也書云有胃氣者生無胃氣者死又曰津液竭則死此症最爲難治雖然津液既竭五臟自絕此因爲結胸之症耳是必攻其中生其津可以冀其萬一宜用化結湯主之

化結湯

天花五ワ　枳殼五ワ　麥芽　天門　神麯

桑白皮各一夕三 水煎服

傷寒結臟論并治法

凡傷寒之症有結於臟腑小腹之内與兩脇之旁相連牽痛以致脇筋亦痛重則有青筋者死此陰邪結於陰地然無表症不可治表必須攻裡方爲得法以散結救臟湯專補陰中之虛少借逐寒之品則陰邪自散而臟結死症可生矣

散結救臟湯

人參 當歸各二夕 甘草 附子各一夕 白朮五夕 肉桂五分 水煎食遠温服

方旨此方以白朮利腰脊之氣人參救元陽之絶當歸治週身之血血活

而腰臍之氣便利甘草和中以定痛肉桂附子以散寒祛邪胸中既溫結者自解定奏功之神捷也

傷寒發狂論并治法

凡傷寒發狂由熱邪已極遂登高而歌棄衣而走詈罵不避親疎大渴引飲脉來有力是邪熱上乘心肺故令神志昏乱此寔熱之症宜用祛熱定狂湯治之然寔中有虛虛中有寔須詳辨之若一槩妄投難免寔寔虛虛之禍

祛熱定狂湯

石羔　玄參各二兩　茯神一兩　知母　沙參各三錢　麥門二兩　車前五錢　水煎服

傷寒發班論并治法 凡傷寒發班者必多如疹重如錦紋故有發於周身者有發正心窩者皆由熱毒不解而然宜用清熱化班湯治之

清熱化班湯 玄參二兩 當歸一兩 天花五分 升麻 荊芥 黃連 茯神各三分 甘草一分 水煎服

傷寒發頤論并治法 凡傷寒發頤者皆因久熱傷陰陰虧已極因而虛火上沖所以腮頰耳項腫痛也經曰榮氣不化逆于肉裡面生蘊腫及耳項右圖一寸皆屬於腎也宜用滋陰化毒湯治之

滋陰化毒湯

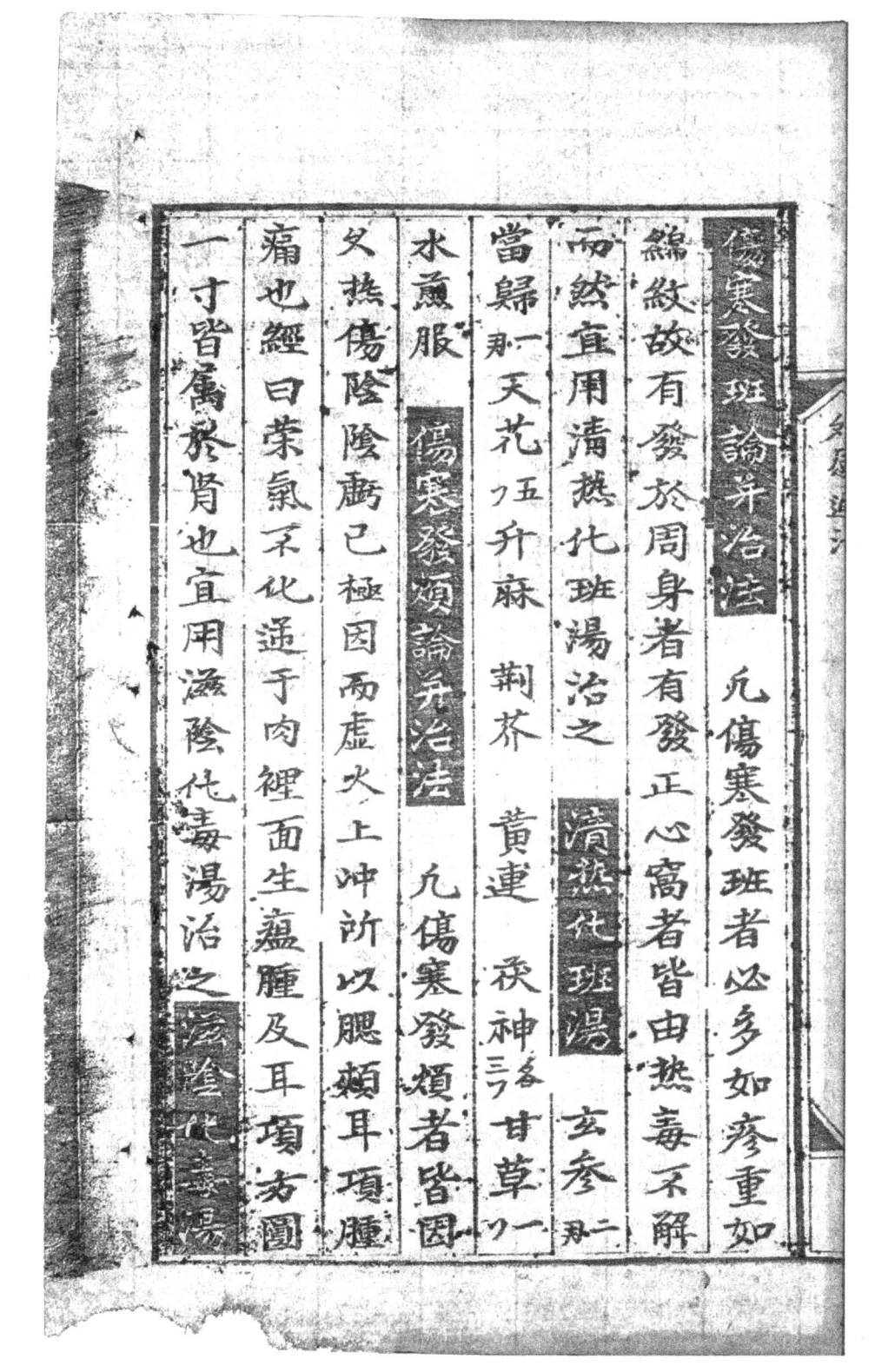

熟地　麥門　貝母　生白芍　連喬　甘草　桔

青皮　柴胡　水煎服

傷寒發腫論并治法

凡傷寒發腫者多由熱辰飲水停蓄或潮熱未淨傷發飲食積聚無散以致瘀閟凝結漸至生腫書云腫為寔由乎水治者當先消積兼分利之則積消水利而腫症可痊矣宜柴苓平胃飲寒多加肉桂熱多加黃芩之類若因脾胃俱虛飲食少進或兼嘔吐而發腫者宜六君湯加神麯砂仁之類若愈後陽氣下陷兩足微腫宜補

中益氣湯一加半夏茯苓之類若至陰陽虧損脾胃大虛以致腰脚腫痛大便溏泄小便秘澁宜金匱腎氣湯治之

柴苓平胃散

蒼朮　厚朴　陳皮略各　白朮　茯苓　猪苓　柴胡　神麯　山查　麥芽　人參　半夏　甘草　水煎服

寒熱論

夫病之有寒熱由陰陽偏勝也書云陽勝則熱陰勝則寒陽勝者陰之衰也故曰發熱惡寒發於陽無熱惡寒發於陰又曰熱則傷氣寒則傷血凡外生寒熱由風邪之外感內生寒熱由臟

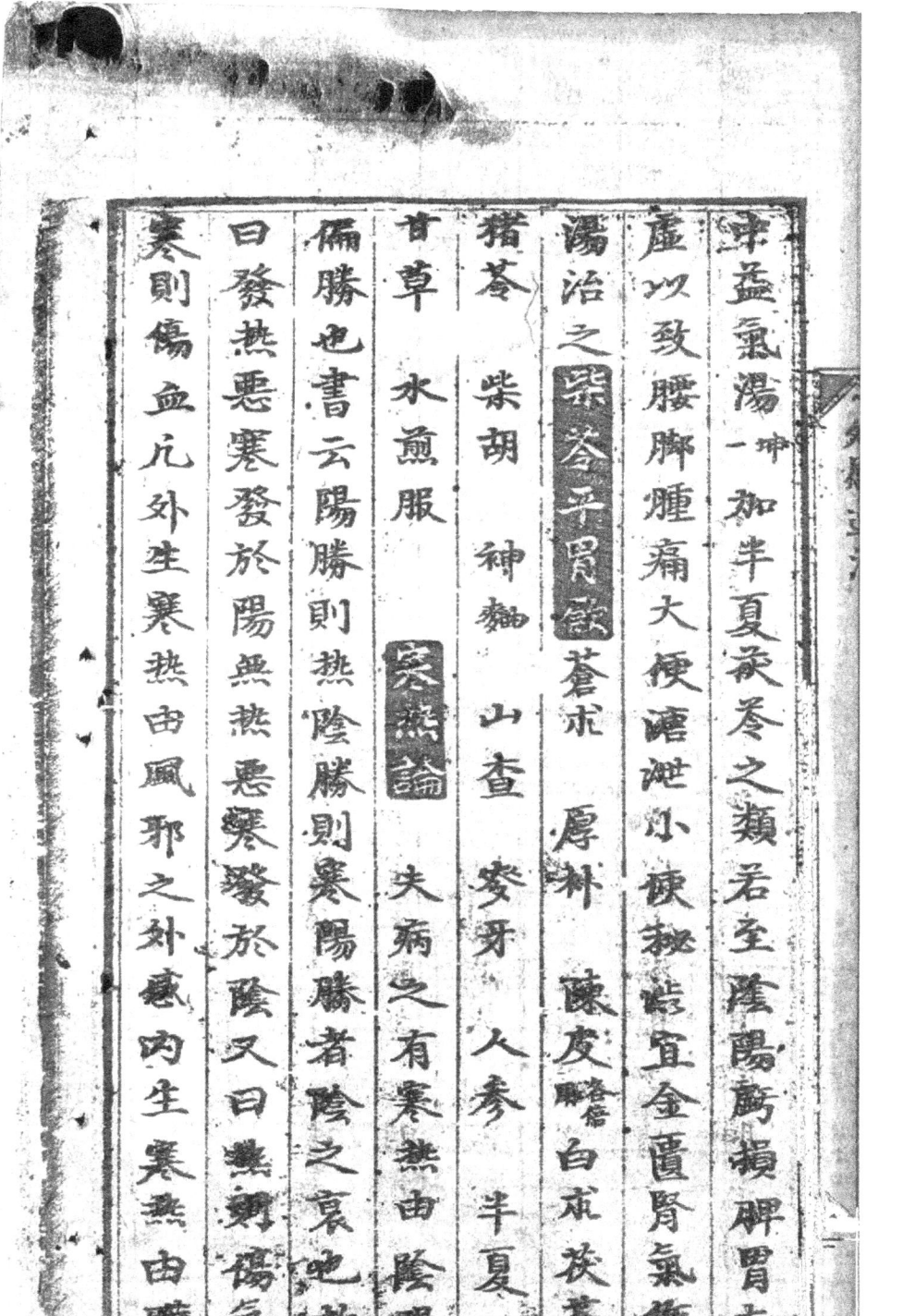

氣之內傷此寒熱之因有不同而表裡虛寔之不可不察也雖曰陽症多熱陰症多寒然熱極者反生寒症寒極者反生熱症此中有真假之不可不詳也雖曰外入之邪多有餘內出之病多不足然陽盛生外熱陽虛生外寒陰盛生內熱陰虛生內寒此中有虛寔之不可不明也諸症有如此者有症可據有脉可憑但能詳求其要者而辯之自無誤矣

寒熱往來症治論

夫寒熱往來之病其症有二有外感不解而然有陰盛

陽虛而致者一爲表症一爲裡症所當詳辨而治之不可紊也一則寒邪鬱伏於經絡而爲寒熱似瘧非瘧之類也但當分邪之所在或氣或血而分治之血分虛形氣本不甚弱者宜養榮散邪湯君火盛血燥而寒熱不已者宜前方加黃芩生地或因勞倦或氣體本弱而邪不淨者宜補氣散邪湯或補中益氣湯坤一寒加乾姜桂陽邪陷入陰分亦兼内熱而陰邪不解宜補陰益氣湯君久病元氣大虛而寒熱不退者但宜單培元氣不必兼

散宜十全大補湯坤三四人參養榮湯坤二五之類一陰虛陽勝或陰陽俱虛而爲寒熱往來者此陰陽不足總屬虛症陰虛陽盛而爲寒熱往來者或寒熱不止者宜補陰鎮陽湯二玄加地骨皮陰盛陽虛下見溏泄上見嘔逆而潮熱夜煩者宜救陽鎮陰湯一玄至若婦人多鬱多怒而寒熱不止者宜用加味逍遙散

加味逍遙散

當歸　白芍　茯苓　白朮　柴胡各一　丹皮七　炙草

梔子　陳皮　薄荷　炮姜　水煎服　加兒脾胃受

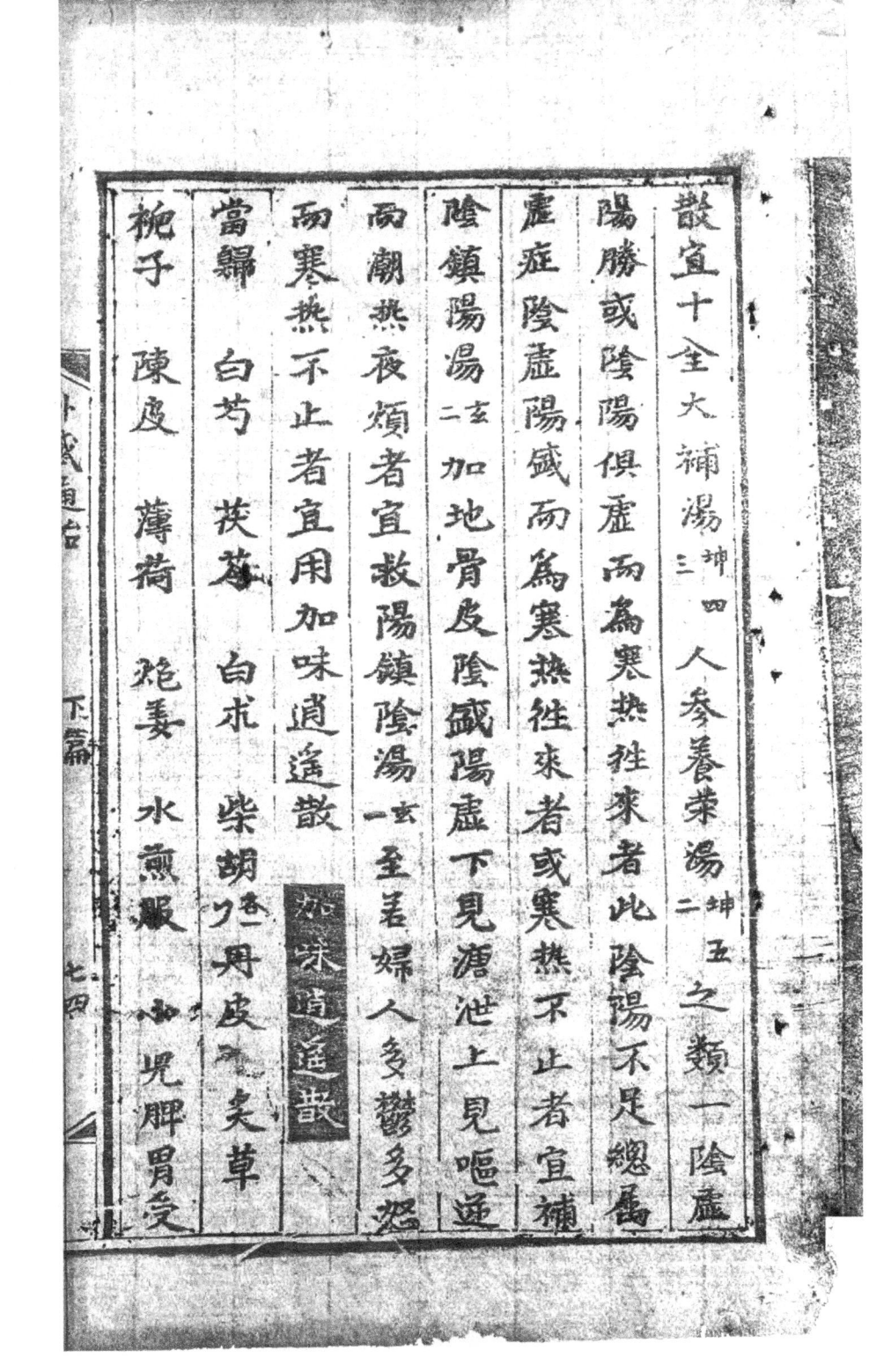

傷陰虛火浮而潮熱夜煩宜六神散卅二十或溫胃飲日八十
或兼陰分不足宜助陰湯之類

寒熱真假症治論

夫寒熱之有真假者不可不知真熱者即古云傳經熱症其症則有大熱大渴口焦舌裂脹滿狂譫而脉必滑實有力輕者大柴胡湯重者三黃石羔湯真寒者即古云傳經直中其症則厥冷吐利不渴睛踡容顏青慘而脉則遲弱無神輕者理中湯重者附子理中湯假熱者水似火也凡病傷寒或患雜症其有素虛寒偶感寒邪

而入或過於勞倦或過於酒色七情皆非火症或誤服寒涼而致者凡真熱本發熱而假熱亦發熱其症相似或爲面赤煩燥亦有大便不通小便赤澁或爲氣短促咽喉腫痛脉見緊數等症脉者見之便認爲寔熱妄投寒涼下咽斃不知身雖有熱而裡寒隔陽或虛陽不歛者多有此症但内症口雖渴而不喜冷飲（言真假熱也）即有喜者飲亦不多或大便不寔或先硬後溏或小便清頻或陰枯黃赤或氣短懶言或色暗神倦或起倒如狂而

禁之則止，自與登高詈罵不同，此虛狂也。假熱之脉必沉細遲弱，或浮大緊數而無力無神，急以八味回陽湯（即八味作湯）倍加附子，以鎮補真陽，引火歸源，使陽氣漸復，則熱必退藏而病自愈，所謂火就燥，即此義也。假寒者，火極似水也。凡傷寒稟受熱毒，失於汗下，以致陽氣亢極，鬱伏於內，此邪熱入裡，故發爲身熱發厥，神氣昏[illegible]，或郁畏寒，狀若陰症。凡真寒本畏寒，而假熱亦畏寒[illegible]，熱深厥亦深，熱極反兼寒化也。大抵此症（言其實熱也）必蓋

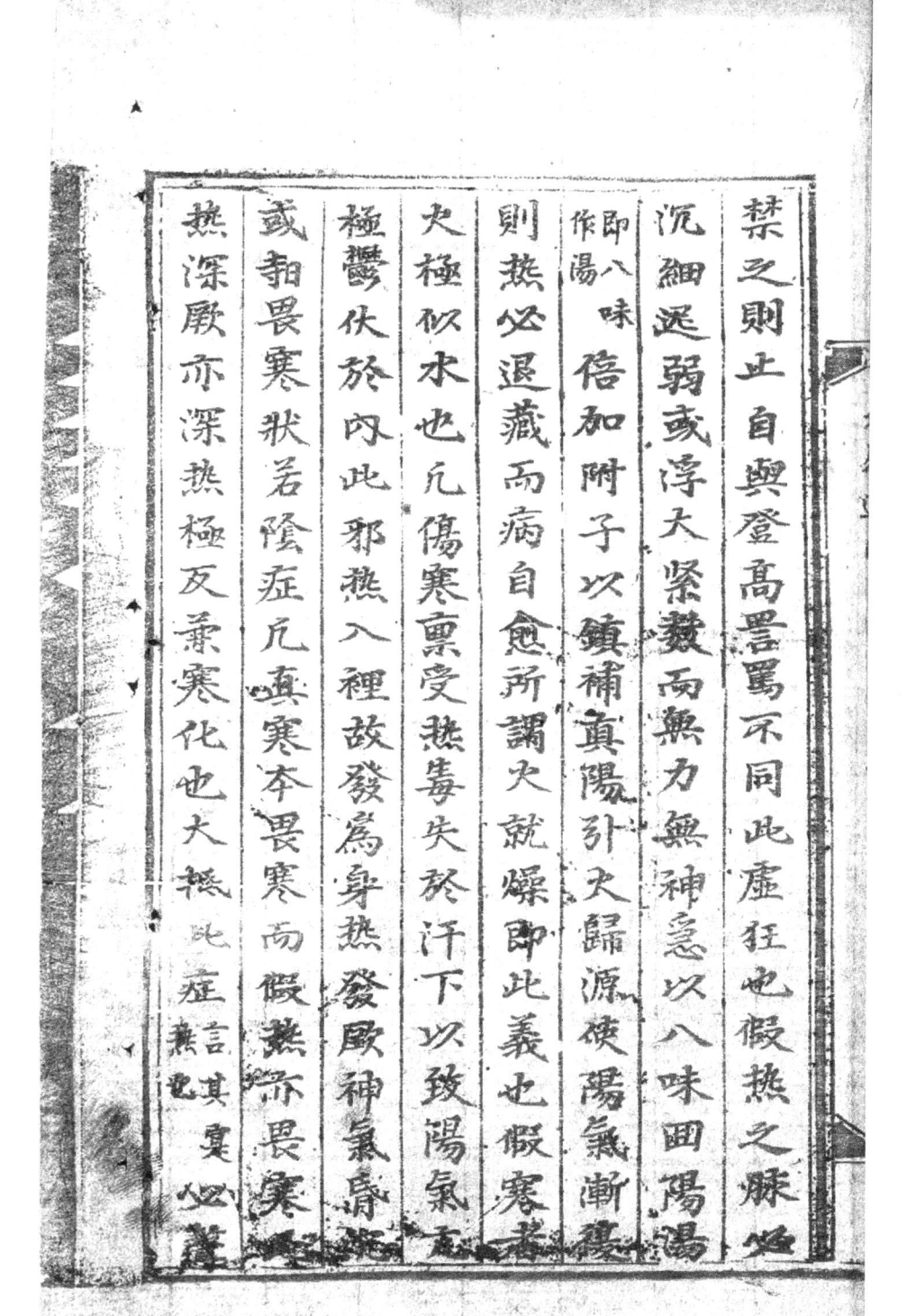

壯氣粗形強有力或唇焦舌黑口渴飲冷或潜飲不止
大便燥結小便赤澀或因多飲藥水以致下痢純清水
而其中仍有燥糞及失氣甚臭者察其脉必沉滑有力
宜大柴胡湯解而下之使不寔者白虎湯之類助其陰
而消其火使内熱既除而外寒自伏所謂水流溼亦此
義也

小兒病症治法

一小兒壯熱大熱久熱形體枯槁牙齒焦黑唇舌燥裂耳
聾目盲身痛無汗譫語煩燥脉洪徽欲脱宜壯水益火方

一小兒感冒發熱體乾無汗或嘔吐煩渴或氣短似喘非喘或虛極似驚沫驚宜一氣湯　一小兒過食熱毒身發壯熱肌膚乾燥或渴或嘔症見脾陰偏虛者宜用新製培土固中方渴加麥門五味虛脹加大附如渴不止加烏梅　一小兒壯熱煩渴發癍發癍宜一氣湯去參倍熟

諸虛症效方

內該八方其餘具見儆儆心得

補中益氣湯　黃芪蜜炒二分半　人參　炙草各一分　白朮黃土炒　陳皮　當歸各五分　升麻　柴胡各三分　生姜三片　棗二枚　水煎溫服　治煩

勞内傷身熱心煩頭痛惡寒懶言忘食脉洪大而虛或
喘或渴或陽虛自汗或氣虛不攝血或瘧疾脾虛久不
能愈一切清陽下陷中氣不足之症

六味地黄湯

熟地八ㄱ山藥山茱各四ㄱ牡丹茯苓各三ㄱ澤瀉二ㄱ水煎溫服
治肝腎不足真陰虧損精血枯竭憔悴羸弱腰痛足痠
自汗盜汗水泛爲痰發熱咳嗽頭暈目眩耳鳴耳聾遺精
便血消渴淋瀝失血失音舌燥喉痛虛火牙足跟作痛
下部瘡瘍等症並皆治之

八味地黄湯

熟地八ㄱ山茱

山藥各四ㇷ茯苓牡丹各三ㇷ澤瀉二ㇷ肉桂大附各二ㇷ　水煎服
治相火不足虛羸少氣所謂益火之源以消陰翳尺脉
弱者宜之　**附子理中湯**　人參四ㇷ白朮三ㇷ炮姜二ㇷ炙草
一ㇷ附子一ㇷ姜棗煎服　治傷寒太陰經病自利不渴寒
多而嘔腹痛糞溏脉沉無力或厥冷拘急或結胸吐蛔
或感寒霍亂　一自利腹痛者加木香　渴者去白朮
一利多倍白朮　**歸脾湯**　人參白朮茯神棗仁龍眼黃
芪各三ㇷ當歸遠志各一ㇷ木香炙草各五分姜棗煎服　治思慮傷

慮勞傷心脾怔忡健忘驚悸盜汗發熱體倦食少不眠或脾虛不能攝血致血妄行及婦人經滯等症

滋膏丸 熟地三四ク 白朮 茯苓各二ク 麥門 牛膝各一ク半 烏藥 附子各一ク 五味九粒 水煎加生姜汁少許冲服治脾腎陰陽不足氣血兩虛危身體微熱惡寒或腹疼懶食或骨節痠痺等症

逍遙散 當歸 白朮 白芍 白茯苓各二ク 柴胡 薄荷 陳皮 炙草各五分 加姜棗水煎服或加天花 牡丹 玄胡 片芩 紅花 治潮熱往來客熱口乾便澁月經不調及氣血虛有汗

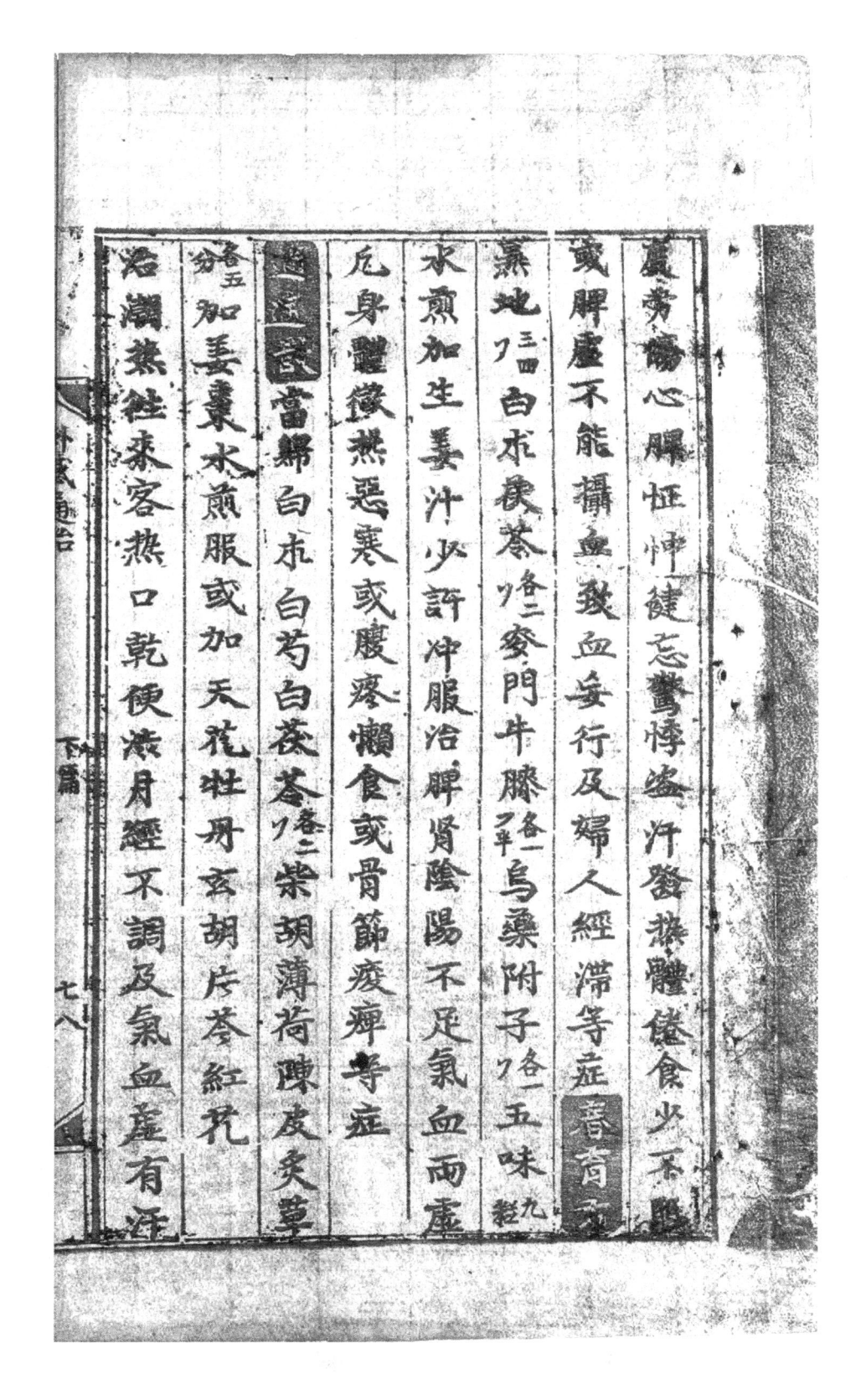

無汗最宜弃行經發熱方内去白朮加丹皮梔子名八味逍遥散

滋陰降火丹

薏苡一ㄱ炒 茯苓三ㄱ 桔梗 杏仁 陳皮二ㄱ去白 蓋水炒 麥門一ㄱ 五味一ㄱ 地骨皮七分 丹皮七分 生姜三片水煎服後加熟地三ㄱ 當歸二ㄱ 治虛勞之症陰虛發熱骨蒸潮熱 陰虛咳嗽吐血吐痰之症余制此方初病宜服以替丹溪之降火之方神效 按藥如何用薏苡茯苓扶胃且切降下之功爲君以桔梗陳皮行氣健運脾坤之德爲臣麥門五味保肺而有滋化源地骨丹皮除熱益無苦寒之

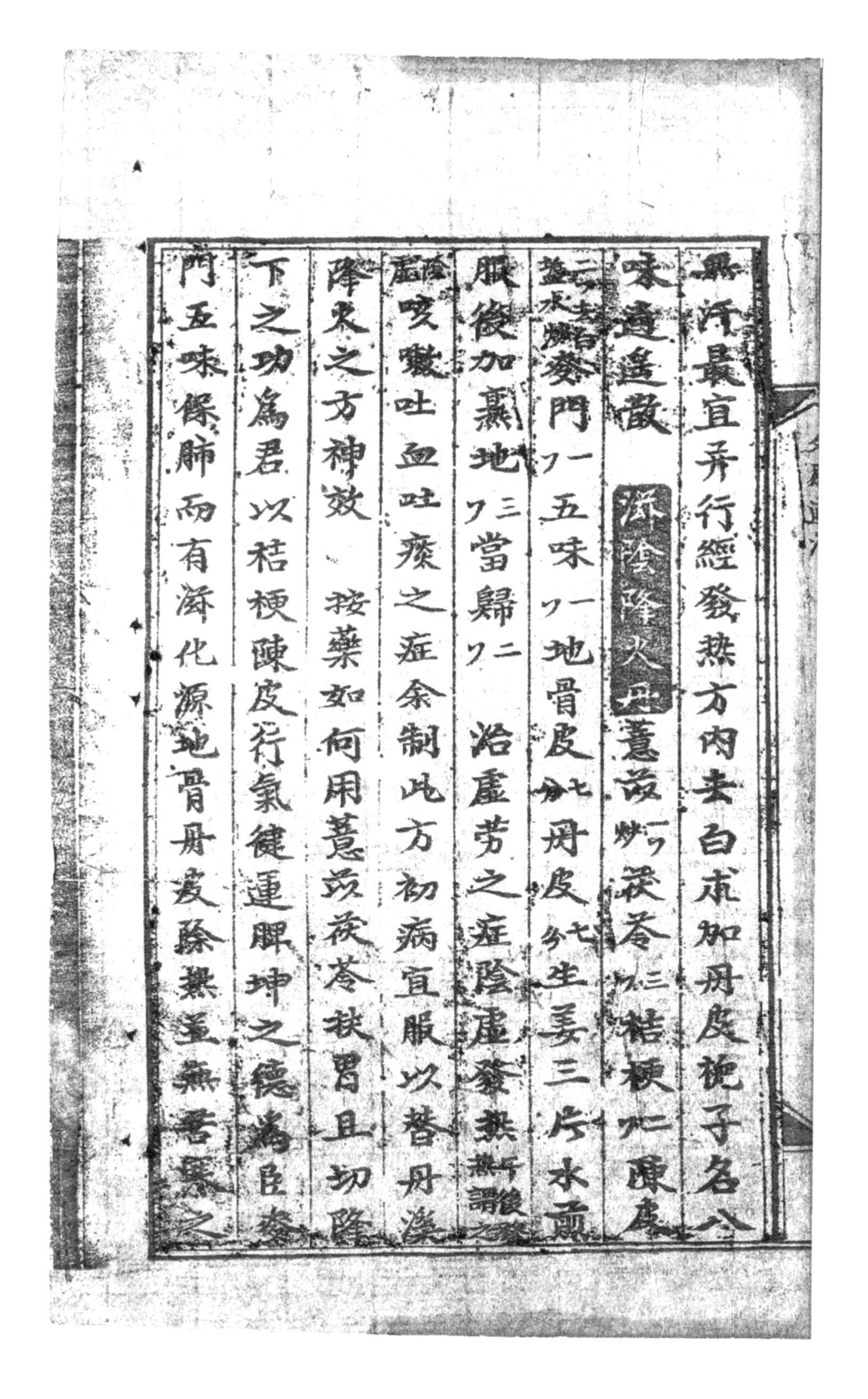

害痰喘者加桑白皮川貝母咳血加童便藕汁泄瀉加
山藥蓮肉燥結加梨汁人乳此以甘凉之品行秋降之
令爲初病者設也若久病脉虛大亢炎非甘温之品
不能復其真元補脾土而金生勿拘拘於保肺宜五味
異功散是也非滋潤之品不能濡其枯槁滋腎水則火
息毋汲汲於清心宜六味丸八仙長壽丸是也五臟皆
有其勞心腎爲多心主血腎主精血竭精枯則成勞矣
此宜培補滋養調心益腎雖附之性峻烈肉之精血何

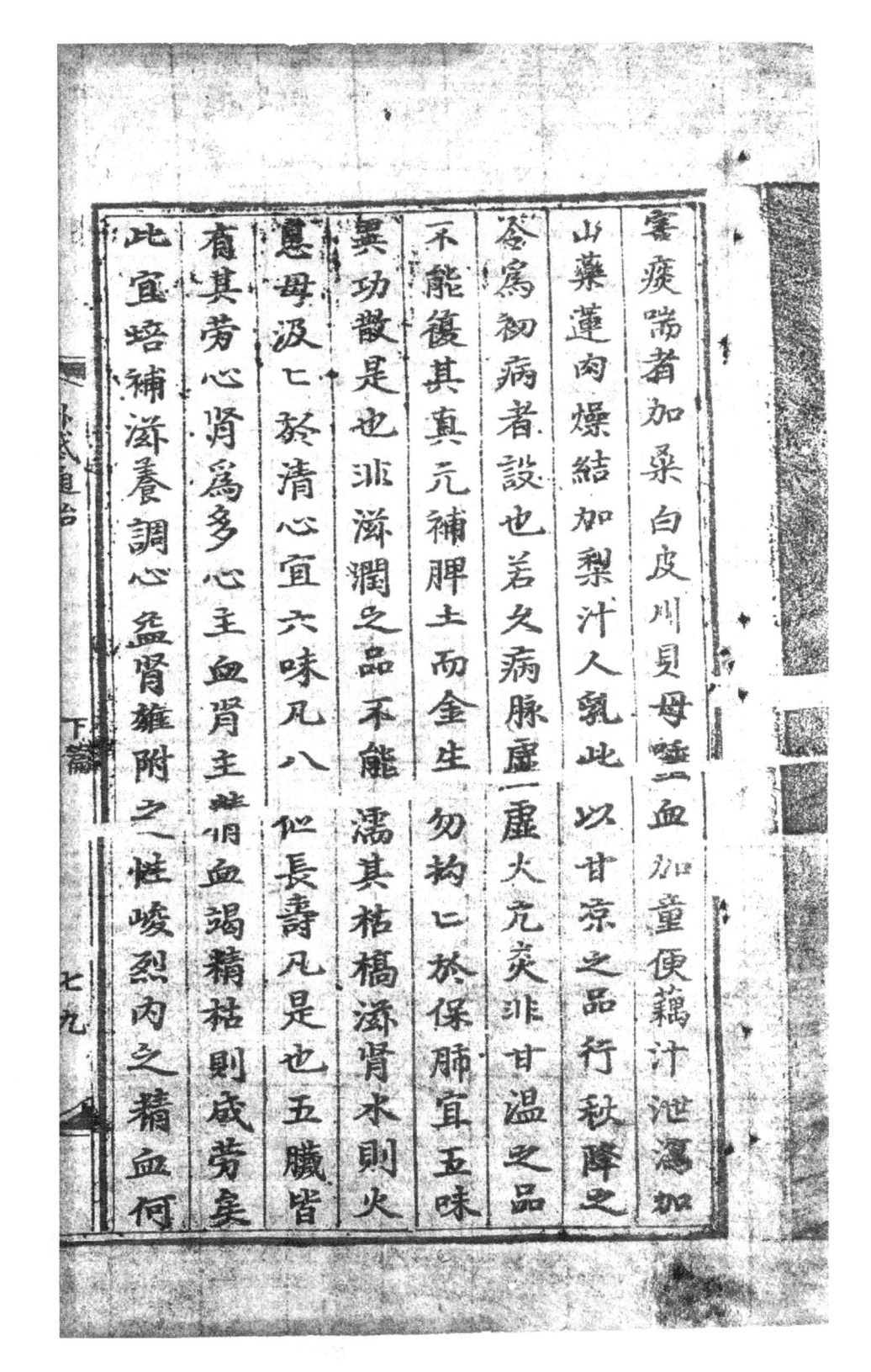

甚又云壯火適足以促其陰虛然又不可因熱而純用寒涼以傷胃氣若過用熱藥者猶釜中無水而進火也過於寒涼者猶釜中無火而添水也徒無益而反害也如十全大補湯養榮湯双和湯皆可選用如左尺獨虛者宜六味丸八仙長壽丸壯水之主以制陽光若右尺不足者宜八味丸益火之源以消陰翳此治虛勞之大要也

〇望色法 鼻

一色黑微有外氣

一色青主腹中痛兼見鼻冷者死

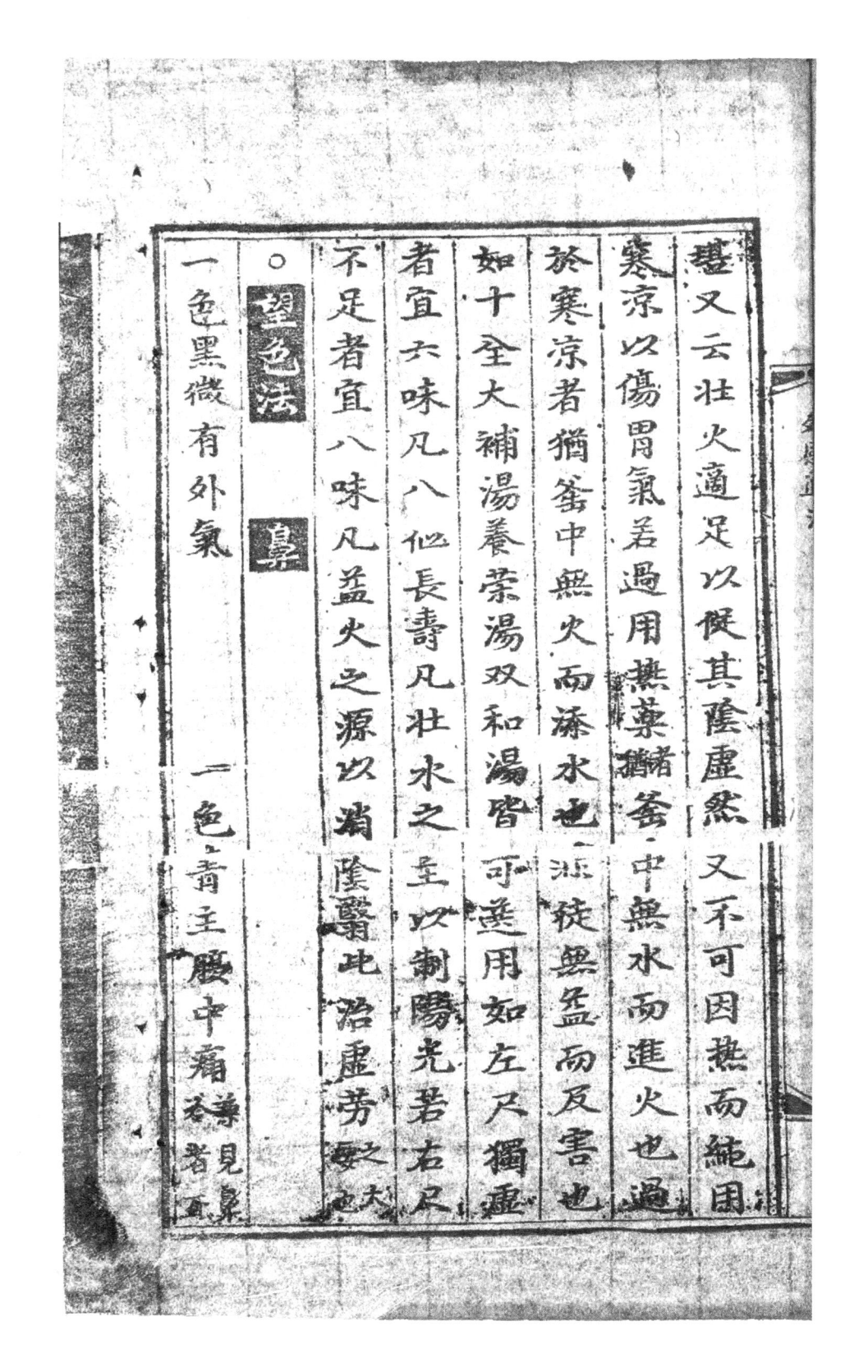

一色黄主小便難　一色白主氣虛

一色赤屬肺虛　一色鮮明有留歛

一色紅乾燥者必衄血　一色燥如煙煤者陽毒熱極一孔冷滑

一色黑陰毒極冷毒極　一流濁滯者屬風熱

一流清滯者屬肺寒　一孔癖脹者肺有風

脣口

一焦紅者吉　一焦黑者凶　一俱腫赤者是熱極

俱青黑者是寒極　一唇吻鰲黑者死　一口脹氣臭出者死

舌

一舌胎斷紋者死　一舌卷唇青者死

一舌腫者難治　一舌出者死　一舌倦囊縮面青是陰寒症難治

齒

一齒無津液者乃陽明熱極

一齒板齒燥兼脉虛者是中暑　一齒乾熱者難治

目

一目赤唇焦黑屬陽毒　一目裡黃色暗者屬濕毒

一目黃小便大便黑小腹滿痛者屬蓄血　一目瞑者將欲衄血

一白睛黃不渴脉沉者屬陰毒　一兩眥黃者病欲愈

一目開欲見人屬陽　一目閉不欲見人屬陰

一目睛微定暫時稍轉者屬痰　一目中了了見不明白者此因邪熱結實在內

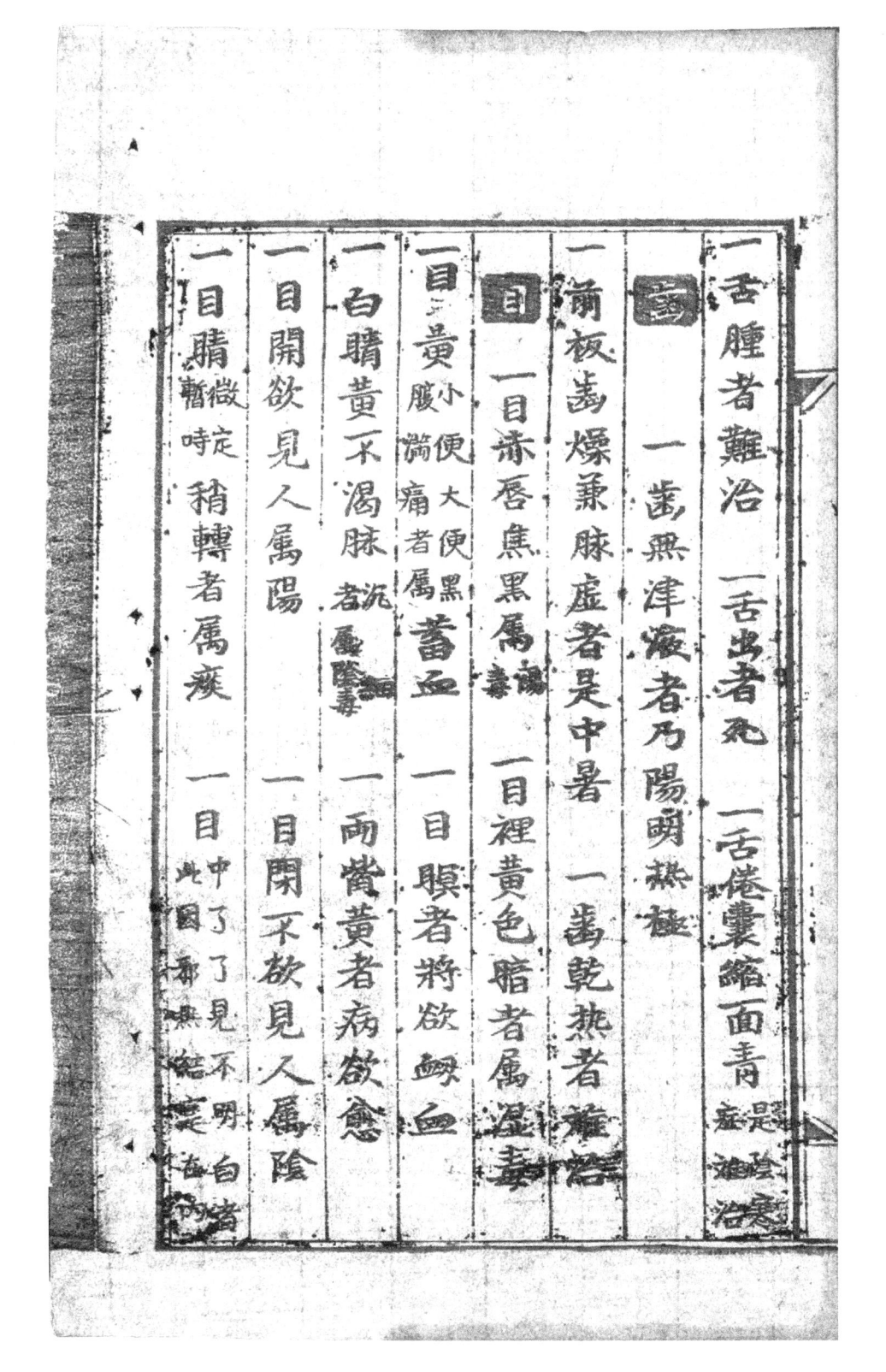

一眼眶黑者亦主內有痰　一直視喘滿下痢者死
一睛昏不識人　一目反上視　一目睛正圓
一睛小瞪　一目邪視　一戴眼反折
一眼胞陷下　一目直視　八者皆爲死症
面
面赤脉沉細此少陰病外熱內寒陰盛格陽宜溫誤用寒凉者死
面顴頰赤在午後此虛火上升非傷寒病　面赤脉數無力此伏陰病假熱也
面赤脉弦數此少陽病宜小柴　面部通赤色此陽明表症宜解肌勿攻裏
面脣青者是陰寒極　面青兼小腹絞痛是夾陰傷寒

面目身黃小水癥疸是濕熱 面目身黃小腹脹滿硬痛小便利是蓄血傷寒
面白是無神或汗多是脫血所致 面白人不宜大汗
面黑人雖淺虛參朮大補暫忌之
耳 耳黑枯槁者是腎虧 黑氣在魚尾相牽入獄[illegible]
黑氣自人中入口者死 黑氣入耳目鼻口者死
愚按寒則神清熱則神昏以目睛爲準見蓋寒病則面色青[illegible]
病則面色赤陰癨於下逼陽於上則面微紅身如[illegible]
熱而睛白面青此內真寒而外假熱若脈沉細數[illegible]

者此是亡陽之候肢冷而面赤此爲熱厥身瘦黑面多癱瘓乃血枯陰虛人身肥白面如塗硃乃氣餒陽虛人此皆懶之經驗也

問症法

一口知味爲外感一口不知味爲內傷一口苦膽熱一口甘脾熱一口淡胃熱一舌乾口燥胃家熱極一頭痛無歇爲外感有間爲內傷一燥背熱爲外感掌心熱爲內傷一指稍冷爲感寒素冷爲陰虛一大便秘而渴脹者爲實無者爲虛一小便清利爲邪在表赤濇者爲入裏一足心熱爲陰虛大起湧

象一飲食喜冷爲中熱喜温爲中寒一晝輕夜重爲血病夜輕晝重爲氣病一心下滿若因下早者爲痞氣若手按拓之有声又軟是停水若手按則散者是氣虚若手按硬痛者是宿食一睡向明者屬陽元氣實向暗者屬陰元氣虚一凡病初起覺不舒快少情緒者是夾氣傷寒一凡病起覺倦卧骨節疼痛者是勞力傷寒一凡耳聾因邪氣深入難治或有陽明症亦有少陽症一渾身骨節疼痛爲外感邪在表内傷爲氣血不調而且重

爲挾溫　愚按症多假象故一症之中有虛有實（已詳前論）不一兩足治者參之畧舉其大槩耳大要治百病當以元氣爲主稟壯則從實治素弱則從虛治小病必由氣血之所傷大病必本水火之爲害（其形症已具在先後天集）雖有外邪亦爲發病之端經曰邪之所湊其正必虛若元氣帶實者去邪然後補正若全虛者雖有強邪終始只宜滋補以爲不治之治蓋邪氣方張之日乃正氣衰弱之辰也

方脉法　雜病以弦脉爲陽傷寒以弦脉爲陰

雜病以緩脉爲弱傷寒以緩脉爲和

兩手無脉曰双伏一手無脉曰單伏

寸口陽脉中見沉細者但無力爲陽中伏陰

尺部陰脉中見沉數者爲陰中伏陽

寸口数大有力爲重陽尺部沉細無力爲重陰

寸脉浮而有力主寒邪表寔宜汗浮而無力主風邪表虚宜補

尺脉沉而有力主陽邪在裏爲寔宜下無力主陰邪在裏爲虚宜温

寸脉弱而無力切忌發吐尺脉弱而無力切忌汗下

初按來疾去遲名曰外虛内寔去疾來遲名曰内虛外寔尺寸俱固名曰緩緩者和而生也汗下後脉淨者生乃正氣復也燥乱身熱者死乃邪氣勝也温之後脉短來歇者正氣脱而不可復生也　純弦之脉名曰負負者死按之觧索名曰陰陽離離者死陰病見陽脉者生陽病見陰脉者死　左右手脉俱緊盛急是挾食傷寒右手脉來空虛左手脉來緊盛是劳力傷寒左手脉來緊盛右手脉來洪滑或寸脉沉伏身熱悪寒隐隐頭痛

喘咳煩悶心胸脇下小腹有痛處是血鬱内傷外感按陰脉有沉有數有緊而仲景慨以細微言之蓋沉則重按始得緊數亦在沉細中見不似陽症浮大而緊數也薛氏曰人知數爲熱不知沉細中見數爲寒真陰寒症脉常有七八至者但按之無力而數耳宜細察之蓋曰脉數爲熱浮數爲表熱沉數爲裏熱數而有力爲實熱數而無力爲虚熱沉細數乎

【危脉】如得病之初便譫語發狂六部無脉大指之下寸口之上有脉動者是也

反關脈　如得病六部無脈便不可言其無脈要在掌後
切看脈來動者是反關也　心臟　心病舌強笑面赤煩
燥掌熱口乾譫語臍上動氣脈緊数反得沉微命不全
肝臟　肝家面青目痛閉筋急怒容臍左氣脈當弦急或
兼長浮濇短个名不治　脾臟　脾家不食面皮黄体重
肢疼喜卧床動氣當臍脈緩大弦床而緊是內傷
肺臟　肺家面白帶憂愁吐血寒温咳嗽求臍右氣凝沉
細濇大而牢者死根由　腎臟　腎家面黑爪甲青耳閉

腸寒小腹鳴臍下氣凝脉沉數緩而大者死之形

逆症法 傷寒以陽爲主手足冷如氷或足冷過膝皮肉瞤動自汗無止是陽脱之兆急宜参附回陽又汗後爾身熱不退者危又身凉而煩燥不寧者此陰陽俱亡之兆最爲逆候又兩尺脉絶者如樹無根又飲食全不胃氣必敗又大瀉而腹脹愈加是脾之陰敗也

死症法 腎絶者四五日狂言直視小便遺失心絶者肩視搖頭形体甚黒水尅火也肺絶者大小腹極竅

脹爲心府大腸爲肺府火尅金也肝絶者汗出如油喘不休爪甲青黑不知人事面青作攝舌卷囊縮脾絶者大便痢紫血甚黑或水穀不化藥食直下環口黧黑大凡陽先絶者色青陰先絶者色赤爲不治天柱骨倒頸重視直此元陽已敗必死大便滿氣極臭者死陰陽毒過六七日者死但欬嗽息喝者死炸油髮潤喘不休者死尺寸俱虛熱不止者死火發濕家汗則痓熱而痙者死目睛正圓者死邪縮入腹者死脉見離經者死熱

氣燥急不得汗出是陰脉極者死舌上黑胎生芒刺甜
不去易生者死鼻衄自汗者死胃寒發呃服藥而脉不
出或暴出者死皮肉脫去者死

十二經脉訣

手太陽小腸足太陽膀胱手少陽三焦足少陽膽
手陽明大腸足陽明胃手太陰肺足太陰脾
手少陰心足少陰腎手厥陰胞絡足厥陰肝
訣云　太陽小腸足膀胱陽明大腸足胃當少陽三焦
足膽配太陰手肺足脾鄉少陰心經足歸腎厥陰經足肝家

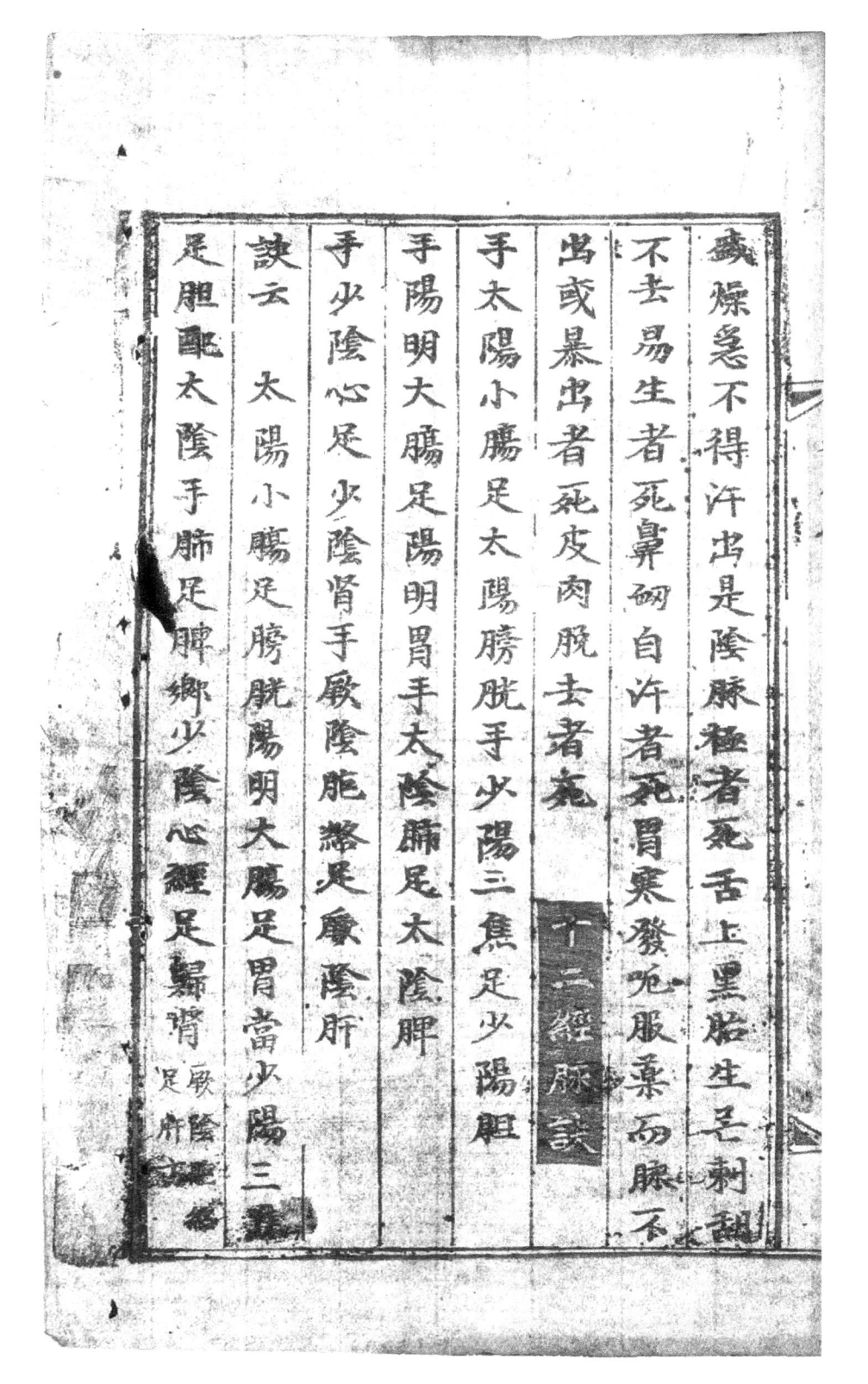

苦欲補瀉論　五臟苦欲補瀉乃用藥第一義也何則五臟之內各有其神神各有性性複各殊故形而上者神也有知而無質形而下者塊然者也五臟之体也有質而無知各各分斷者也肝藏魂肺藏魄心藏神脾藏意與志腎藏精與智皆指有知之性而言即神也神也者陰陽不測之謂也是形而上者藏之性也惟其無形誰能主乎有形所謂苦欲猶言好惡也違其性故苦遂其性故欲欲者是本臟神之所好也即補也苦者是本臟

神之所惡也即瀉也補瀉係乎苦欲苦欲因乎臓性不屬五行未落陰陽其神用之謂歟如肝苦急々則有摧折之意焉故苦而惡之急食甘以緩之緩之使遂其性也且扶疎條達木之象也升發開展䰟之用也故其性欲散急食辛以散之散之解其束縛也是散即補也心苦緩蓋心爲君主神明之性喜收斂而惡散漫急食酸以收之收之是使遂其性也且君心本自和調苦緩無秉之則燥急急食鹹以軟之軟者和調之義除其躁無

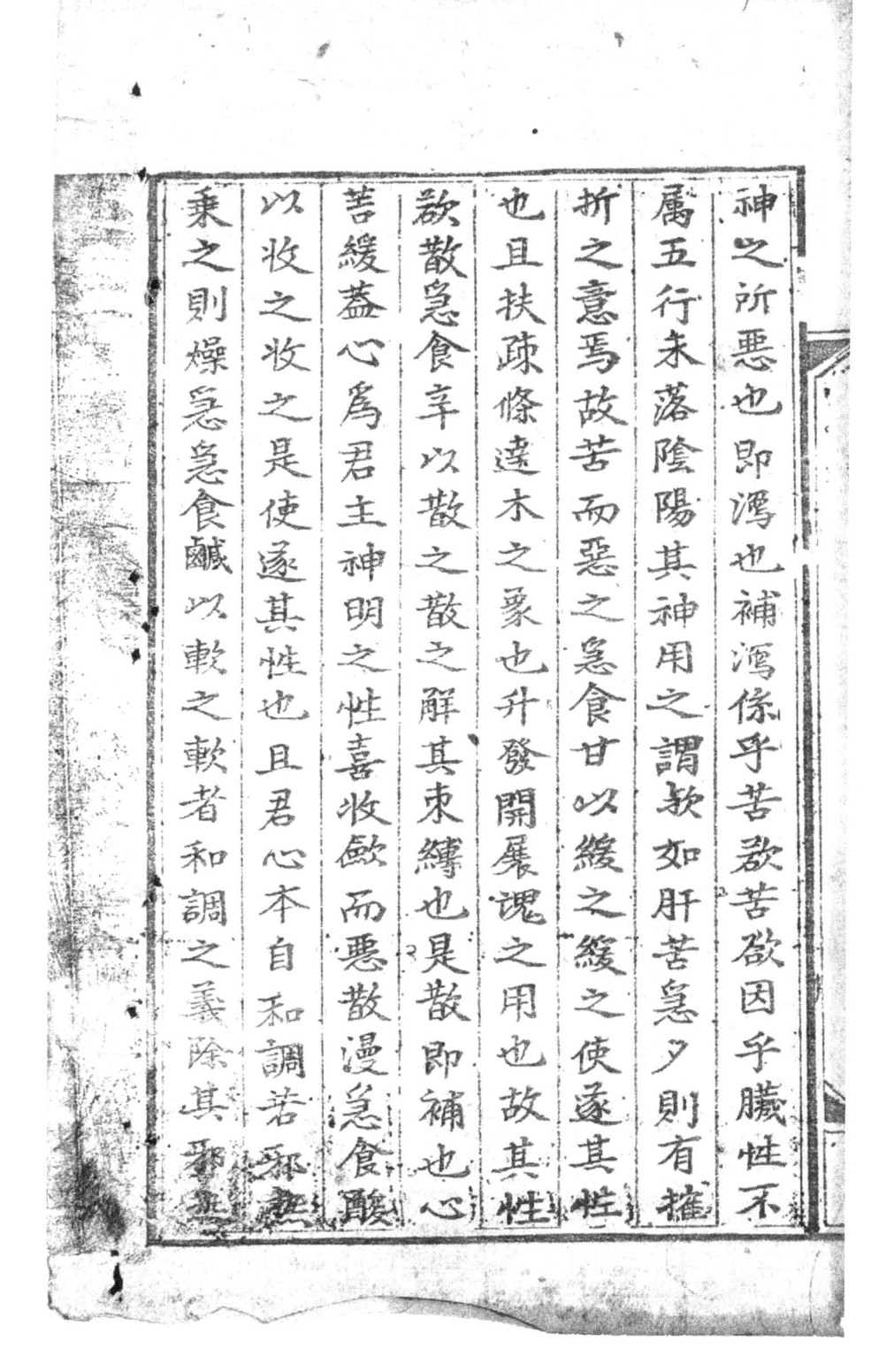

以斂其燥急堅勁之氣使復其平下交於胃得旣濟之道故斂即補也脾苦濕宜健而不宜滞若濕則滞矣急食苦以燥之使復其性之所喜脾斯健矣若已過燥則竅澀緩之稼穡之化甘先入脾故急食甘以緩之緩之即所以補之也肺爲氣主常則氣順變則氣逆逆則違其性矣故宜急食苦以泄之且肺主上焦其政斂肅故其性喜收宜急食酸以收之更賊肺者熱也肺受熱邪急食辛以瀉之不斂則氣無所管束是肺失其職也故

宜收之以酸使遂其收斂之性以清肅於上收之是即補也腎苦燥蓋腎藏精與智而主五液乃屬真陰水臟其性本喜潤而惡涸燥故宜食辛以潤之且腎欲堅蓋腎非堅無以称作強之職但四氣以遇濕熱即軟遇寒凌即堅五味以得鹹則軟得苦即堅故宜急食苦以堅之以遂其欲堅之性是堅即補也苦欲既明而五味更宜詳審水曰潤下潤下作鹹火曰炎上炎上作苦木曰曲直曲直作酸金曰從革從革作辛土曰稼穡稼穡作

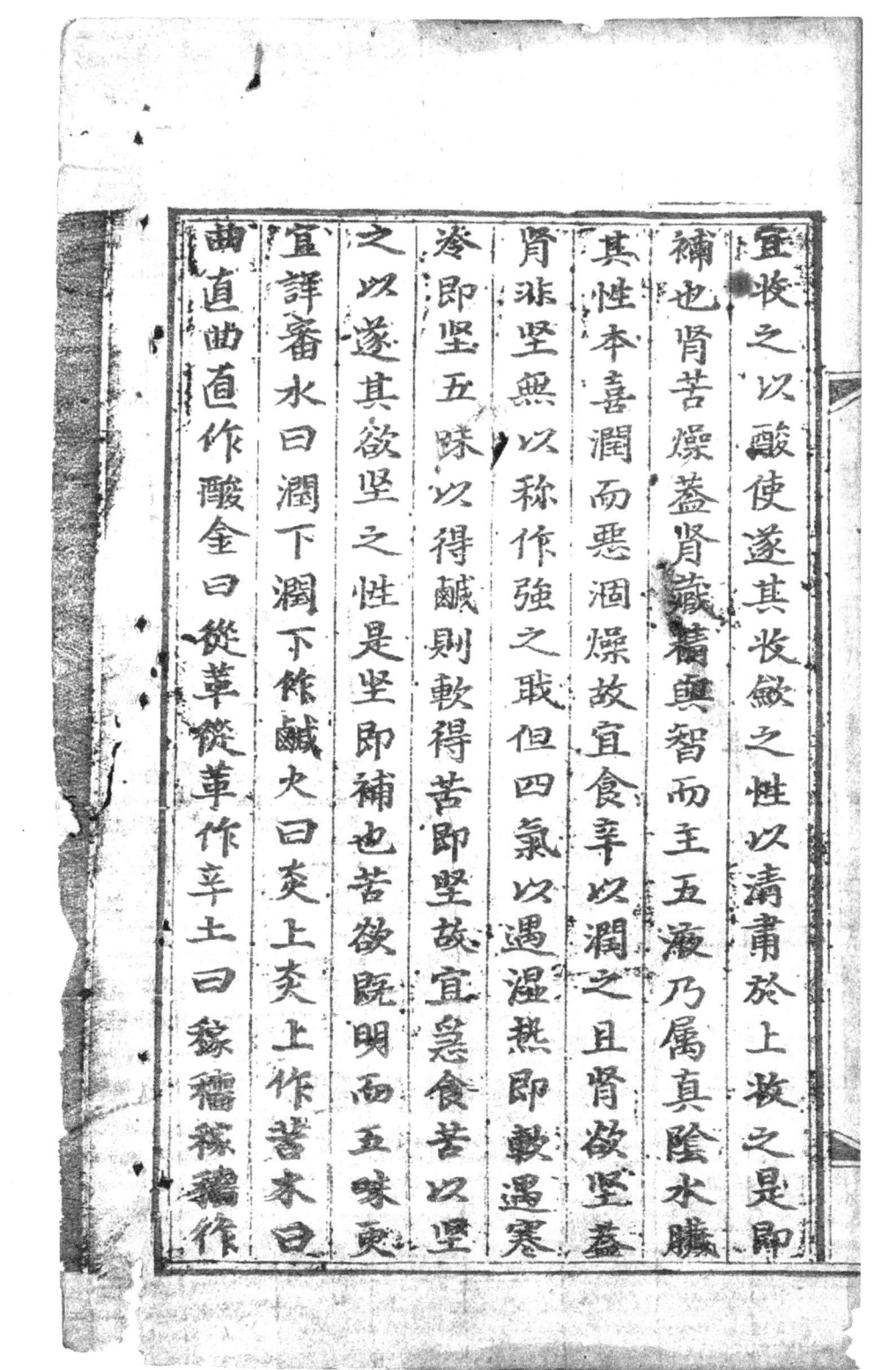

甘苦者直行而泄辛者横行而散酸者束而收斂鹹者止而堅軟甘之一味可上可下土位居中而兼五行也淡之一味五臟無歸專入太陽而利小便也然草木有形無情之藥各逞一性以為功人稟五行有神有情之体全以陰陽變化制伏相咸相長以為之用倘失調抱病驅藥殺弊徒知以寒治熱則熱病轉生以熱治寒則寒病轉劇惟宜求其本以治之因所因以伏之即經所謂必先其所主而後其所因斯無增氣偏勝之害而得

和平長養之宜令無情而數有情皆出用藥者神明變
化之用學者可不潛心默會其旨乎先賢祝醫者曰行
欲方而智欲圓心欲小而膽欲大嗟乎醫之神良盡於
此矣

外感通治卷終

興安省石撫阮題助鉛錢壹百貫
興安按察使武題助鉛錢叁拾貫
儂侶縣尹陳仲温題助鉛錢弍拾貫
金洞縣尹阮棐仍題助鉛錢弍拾貫

新鐫海上医宗心領全帙卷之十七

百病機要丙卷　目次

目次終

積聚條　審机

經曰積者屬陰屬臟陰沉而伏故積痛不移處聚者屬陽屬腑陽浮而動故發現無定位此則氣旺漸消不治自已凡積聚之成也此固正氣不足邪氣乘之其初也多得於寒所傷或飲食不節或用力勞傷過度七情

内傷邪氣凝于血脉之中隹寒入于腸胃之内共元氣相搏并合凝聚津液涘滲着而不去積聚之所由成也又云多得始因外感内傷氣鬱医誤補之留而成積丹溪云氣不能作塊成聚塊乃有形之物在中爲痰飲中爲水穀之道五心之火藥藥也在右爲食積脾胃藏飲食也在左爲血塊肝胆藏血液也

【別注】凡面黄浮腫腹脹虚鳴小便如油毛髮焦黄下利赤白目珠黄赤遍体虚腫當腹倍熱遇食腹疼昏困多睡者皆積聚之候也

五臟積名

五臟積者肝曰肥氣在脇下形如覆杯有頭有足如龜鱉狀令人嘔逆或兩脇痛引小腹痎瘧足疼轉筋此由氐氣有餘血蓄氣不行也心積曰伏梁起於臍上大如手臂上至心下久則令心煩此火之鬱也云伏梁者言如樑之橫架心下又膈癰共此相似但背腫環臍痛為癰脾之積曰痞氣在於胃脘稍右覆大如盤令人痞塞吐瀉久則黃疸倦怠飲食不為肌膚此陽氣為濕所畜也忌用熱藥肺積曰息賁在右脇下覆如大杯令人氣背痛久則喘咳肺癰此喘息奔而上行也腎積曰奔豚發於小腹上至心下久則喘

遥骨痿火氣此若豚奔衝上下無辰也

五積者癥瘕癖痞痃也癥者因傷食得之積聚成塊按之應手不能動揺症見痛刺脇筋心胸煩悶飲食不下吐逆悪心書云癥者有癥斛也瘕者因傷血得之假物成形如血鱉石蝦之類上下左右有無蠢動不常處或兩腸間有塊如石按之則痛不按則輕症見胸膈煩悶痛引小腹辰或攻築上搶心胸又名血結小兒得此則黄瘦腹脹夜熱爲痃積書云瘕者假借氣血而成形歷年遐遠之謂也癥与瘕總因榮衛俱虚風寒外襲飲

併於陰併於陽爲邪食滯而不化瘕痞者否也塞也結也寔也因傷氣得之心腹膨脹肚大腸滿痛刺往来住在左筋症見面黄肌瘦倦怠無力久之不治漸成痞塊此由熱氣蘊於胸膈停食聚於腹腸榮衛不行臟腑不宣乃成痞結書云痞者天地不交之痞內柔外剛萬物不通之義也如癖者癖也內結於隱僻外不可見也此因停滯滑之症見硬利無度似痢非痢似虫非虫或下鮮血肚腹乾痛心胸滿悶久之不治則成痃狀痃者皮厚者也在肌肉之間而不見者也書云痃癖懸絶隱僻又云玄妙莫測故云癖積痃急也

虛症 書云壯人無積虛則有之蓋元氣壯則脾胃健運崇
衛調達玄府開那許一毫壅滯何積能生既能積者則
真氣虛可知惟初病邪氣未固其既病而元氣未衰肌
肉未脫飲食猶健宜從半實治之

吉句 若元氣尚固胃氣猶彊飲食辰進肌肉充足此爲易
治或面白面色紫黑眼直肚腹如鼓湊心刺痛忽瀉鮮
血唇舌背黑喘急乾嘔氣促不食皮焦班紫吐瀉出虫
腸鳴自利体虛發搐面青流涎手足背腫面黑瀉黑或

瀉住天瀉項軟口噤手足俱細並不治

治法 夫治積之法惟有撲積磨積消積化積而已蓋積之為義匪朝伊夕所以去之當有漸若攻之太急則正氣傷轉運乖而邪熱反盛矣故去積及半纔與甘温調養使脾土健運則破殘之餘積不攻自走矣若大積大聚不搜逐之日進補藥亦無益矣當審知何經受病何物成積見之既確發直入之兵以討之則無堅壘矣然亦去其太半則已經曰大積大聚其可犯也衰其太半則止過者死

丹溪云治積有初中末三法不可不明初病者正氣當彊邪氣當淺則宜受攻削中(病者正氣)轉弱邪氣轉深則宜且攻且補末病者病魔經久邪氣侵淩正氣消殘則惟宜純受補益勿求速攻○伏梁者火之鬱肥氣者木之鬱痞氣者土之鬱息賁者金之鬱奔豚者水之鬱此五積當從鬱論鬱者氣不舒而抑鬱成積而不獨聚可以氣言也故治積之法以理氣爲先則津液流行積聚何由而成然更不可不兼以補也盖壯者氣行則已弱者

著而成病故積之為積本於氣虛血弱之人善治積者不問何經何臟必先調其中氣使能飲食氣血既旺積滯自消即壯寔而宜消者亦當以補氣補血之藥兼服積去其半則純用甘温調養此養正則邪自除若欲積盡而後止胃氣之存也無幾矣。○積聚癥瘕痞癖皆屬太陰濕土之氣而丹溪止以積塊稱曰不過血滯為積氣滯為聚中為痰左為血右為食此積塊所居之大槩耳然治法有餘消導之不足平補之無別旨矣

治積滯必用消導消者散也導者行也輕則和解重則
峻下蓋濁不降清不升邪不去正不復或消補並行或
補多消少或先補後消故古方破積藥中必假參朮經
曰無致邪無失正是矣　大抵積之初多屬寒積之久
則為熱矣而方中多用桂附却不見熱毒者蓋諸積喜
温而畏寒世人見其投熱不為熱誤遂以是症為屬沉
寒痼冷肆投熱藥以致真氣被蝕陰血乾枯不可為也
凡痞不可達下下則邪反堅結惟宜安胃理脾佐以順

氣化滯着胸中氣不通泰而如痞者乃正氣不運所致不可作有形攻治蓋胸爲受氣之所虛則受而不行寔非物也故曰痞者否也○古人云医爲病所困者惟隆虛之难補久積之難除故王山自倒隆虛之謂養虎遺患久積之謂也人之罹此二者須節欲以養性觀内以養神澹泊自如從容自得然後委之於医方能爲也保爾

用藥 酒積氣積血積痰積水積茶積癖積穀積肉積骨積菓積麵積魚鱉積狗肉積虫積癃積諸藥品隨候採用

酒 輕者葛根神曲黄連白豆蔻重者甘遂牽牛

氣 輕者木香枳殻厚樸橘紅甚者枳寔牽牛

血 輕者乾漆桃仁牡丹歸尾赤芍紅花甚者大黄䗪虫水蛭穿山甲花蕊石

痰 輕者半夏伏苓甚者滚痰丸海石治老痰尾纙子白芥子

水 輕者五苓散甚者商陸甘遂芫花牽牛

茶 輕者姜黄芝麻甚者茱萸焦姜

癖 輕者三稜蓬朮甚者巴霜大黄

穀 輕者麥芽穀芽神曲砂仁甚者鷄内金

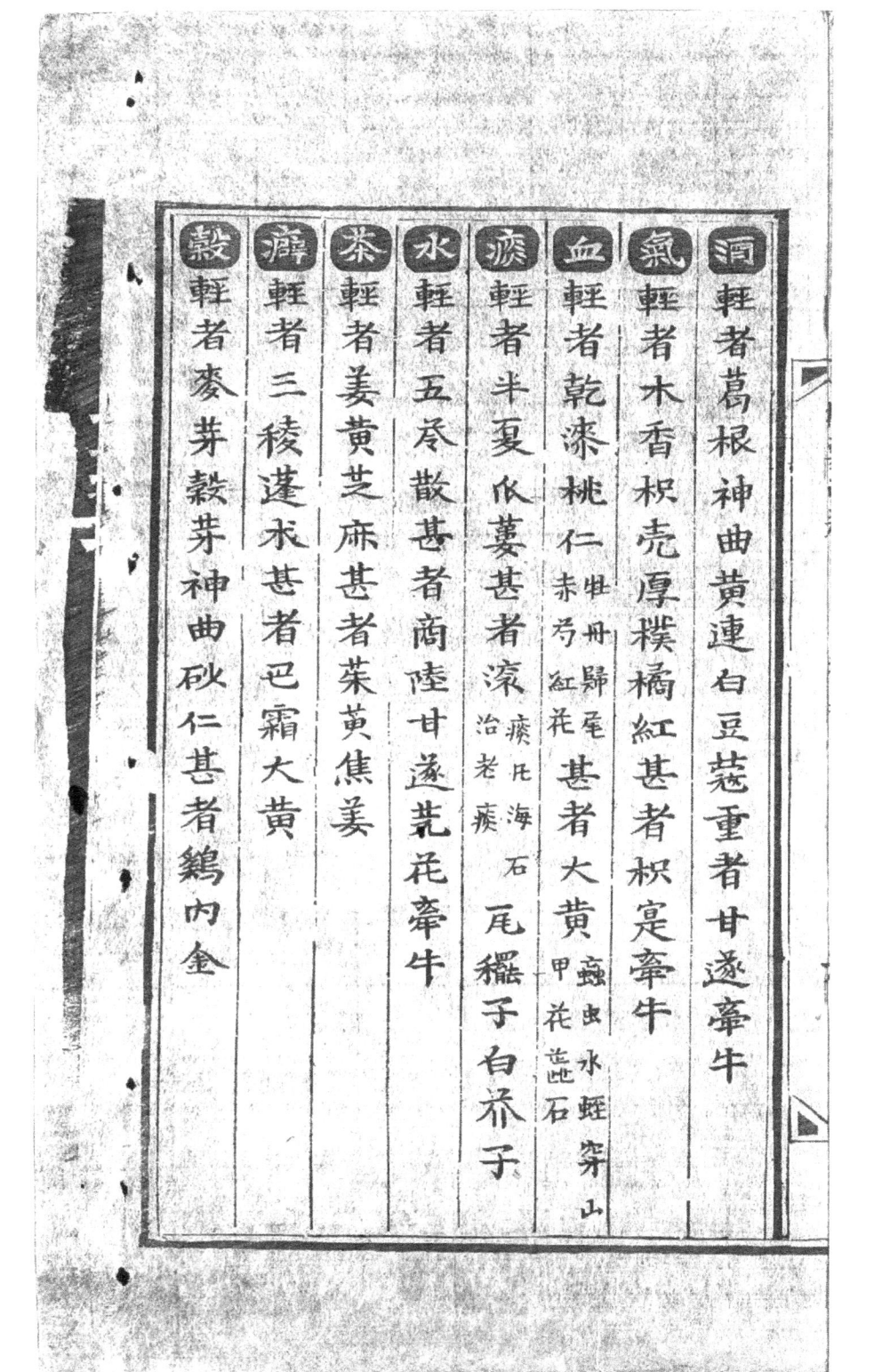

【肉】輕者山查阿魏甚者砂硝石

【昏】白豆蔻橘紅豆豉姜汁

【菓】丁香肉桂射香麵蘿蔔子姜酒煎

【魚鱉】紫蘇橘皮木香姜汁白馬尿專治鱉瘕

【狗肉】砂仁山查

【蟲】雄黄錫灰檳榔雷丸蕪荑榧子史君子川練

【癯】鱉甲草菓

張子和動言輒下下之當也當審之詳密可下不可下

急下何積何藥分毫不爽今人畏而不敢下者不明之罪也若無忌而妄用者殺人之罪也稍虛者當扶助正氣消息推盪慎勿猛浪

簒積丹治一切積症嘔吐吞酸胸膈痞悶或為癥瘕或泄或秘脾胃劫弱飲食不消腹脹面黄肢節酸疼無力甚則為疸為腫流為瘡癰瘻等症用平胃散一料為主如氣積無形加木香檳榔青皮陳皮沉香蘿蔔子香附為佐樺樹皮少片甚者以巴豆炒諸藥黄色去豆如血積有形加三稜莪朮牛膝川芎歸尾鱉甲紅花蚌

壳桃仁乳没之類甚者以芫花煮醋以製煎藥
如酒積加葛根黄連砂仁麥芽陳皮木香豬苓澤瀉車
前之類　如菓積加草菓山查香附烏藥枳壳菖蒲
如魚積加紫蘇甚者加石礬幷炒諸藥須先炒熱藥而後入礬可也
如肉積加山查阿魏　如飯積加麥芽穀芽神曲枳寔
如水積加半夏茯苓葶藶澤瀉　如有瀉者加肉菓
如浮腫加商陸汁為糊或只用青礬炒藥不傷元氣為
炒　如痰積加海粉礞石半夏白礬風化硝

如寒積新積加乾姜巴豆良姜茴香白蔻益智仁菖蒲少許　如熱積加黄連黄栢大黄活石氣弱者加人參如有虫者用苦楝皮一斤皂角十斤以水一碗熬膏投和前藥爲凡先用沉香爲衣後用雷凡木香爲之每十凡四更辰分淡糖水下尋常醋糊凡梧子大每三五十凡空心米飲下

蟲病條　審机

夫造化生生之理莫不假於濕熱即木腐生虫腐草爲螢雖成形於草木寄生寔由濕熱氣

交而化育人腹中之虫也亦由甘肥不節生冷過餐腥膾喜啖麯蘗酷嗜久欝成熱湿熱釀蒸為虫為積猶未發而為害也久則臟腑虚弱或胃冷胃熱或再食甘肥乃即動焉　凡虫蠆之生也由於飲食不節或過飧炙煿或莧同食以致中脘氣虚不運而成積積久而湿熱薰蒸痰與瘀血凝結適五行之氣変化而為諸班奇恠之形　一云人之一身內包蟯蛔外蒸蟣虱萬物有依人身以為生者是吾身一小天地也倘寒侵火廹則不

安其位亦能為病若飲食不慎如雜化之物總能生虫不但酢醯之類若誤吞毛髮羽尤為易生者也不特此也雖無質之物如濃茶濁酒所澄之脚最能成病成於茶則思茶成於酒則嗜酒亦有好飲油食生菜坯壁者皆虫所致也此之飲食不慎氣血虛衰又能變生諸虫雖可名狀如髮癥鱉癥癆瘵傳尸之類至於殺身絕門虫之為患若知其酷也丹溪曰虫本湿熱所生藏腑虛則侵蝕

別症

凡虫之動者則往來上下攻刺心腹仰身揮手心神

悶乱吐涎沫或吐清水乍痓乍甚腹上青筋惡心似痛但目不斜手不搐搦而面無正色或青或黑眼眶鬱下青黑面色痿黄臉上有幾條血絲如蟹爪分明飲食不進肌肉不生沉重寒熱若不早治相生不已貫心殺人

又有蛔痛者（蛔長尺許貫心殺人）亦因飲食太甘喫物太粗而成也動則攻心刺腹乍作乍止忽往忽来愛甜泊食口吐清水唇口紫黑凡諸腹痛脉必沉弱而弦若反大者即是蛔也此小兒之虫痛症也

書曰勞則生熱熱則生虫心虫曰蛔脾虫曰寸白長一寸母子相生其形轉大而長相連一尺則亦殺人従食牛肉飲白酒所成腎虫如寸刀截絲縷肝虫如爛杏肺虫如蚕皆能殺人惟肺虫為急居肺葉内食人肺系故成瘵疾咳嗽咯血声唖藥所不到治之為難諸虫皆生於肝故虫痛者肝脉倍大甚有諸蛔團聚痛極而厥似慢驚惟唇口獨紫為異又曰大人小児過飽不能消化腹中湿熱必致生虫又曰腹内熱臓腑血虚是以虫行求食則痛上唇有瘡曰惑音域虫食其臓其声唖下唇有瘡曰狐虫

食其肛其症皆傷敗脾胃至上下俱有瘡虫蝕吟凡得此疾十無一生脈虛小者生緊而急者死有三虫者曰伏虫又名長虫（長四寸許為諸虫之長）赤虫狀如生肉令人腸鳴蟯虫狀如菜虫形至細微居廣腸多則為痔劇則為癩癰疽瘡癬多此之為害書曰蚘多病人又有虫肉狀如爛杏令人心煩滿悶胃虫狀如蝦蟇令人嘔吐呃逆喜噦嘈雜愛喫泥炭生米茶塩姜椒等物弱虫又名膈虫狀如瓜辨令人多睡伏肉胃弱四虫者大人患之惟蟯

虫小兒多患大人亦有令人口吐清沫心痛煩燥乍作
乍止其餘各重總不利於人至如應声虫長二寸餘人
形悉具患人有語則虫有声相應婦人虫婦人經閉腹
大僅一月間便能動作乃至過期不產或有此必虫症
小兒血鱉小兒最多作大人間有蓋鱉因積癖而成故
也人虱虫項間生瘤剖則虱出無数癢不可忍陰中虫
人陰中毛多生瘡虫癢不可當肉内挑出背八足而匾
或白或紅山澗虫巢中虫山澗蛇虺水蛭遺精誤飲其

水共草本菓品虫聚其毒誤食以致心腹刺痛或引腰
脇辰作辰止諸藥不效乃虫症也
傳尸癆虫自上注下病共前人相似故又曰注化精血
歸於元陽之内变幻重類最多古謂一代虫如嬰身或
如鬼或如蝦蟆遇丙丁日食起醉歸心俞第二代虫如
乱髮或如守宮或如蜈蚣或如蝦遇庚辛日食起醉歸
肺俞第三代虫如蛟如蠖或如螳螂或如刺蝟遇庚辛
日食起醉歸厥陰第四代虫如乱絲或如猪肝或如蚯

蛔如蛇遇戊己日食起醉歸脾俞第五代虫如龟鱉或
有頭無足有足無頭或如鼠或如精血遇甲乙日食起
醉歸肝俞第六代虫如馬尾有兩條一雌一雄或如鱉
有頭足尾或如爛麪或長或短遇丑亥日食起醉歸腎
俞過而復始惟食肺系則吐血痰声嘶恩食無厭未易療治

虛寔 凡食八兩脾不能運此脾虛生湿湿生熱熱生虫此
虫之本得扵虛也虛則補之若新病氣壯者宜急從寔
治滅賊亦是安民之計

古書　人之有虫猶樹之有蠹無不瘦處瘦黄豈能榮茂此諸虫總不利於人也若至穿腸透胃骨立形消声嘶色黑腹痛如腸斷瀉利無度虫出上下此皆死期迫矣

治法　寔而甚者攻之虛而輕者安之不受藥者用川淑以伏之有用肉汁調藥者餌其虫頭向上以藥除之也

凡服取虫藥必在上半月為炒盖上半月虫頭向上下半月虫頭向下也難治先以肉炙或蜜引虫頭向上然後用藥　凡腹中痛其脉當沉弦若反洪大必有蛔虫

盖熱則生虫故脉洪大凡偏嗜一物中必有虫即以所好之物如虫痛好食菜菓即以食榧子七枚治之加八下虫殺虫之藥如胎戻雷凡桃柳川練史君子爲凡無不應手取效若氣虛而虫不安者但調補脾胃自安諸虫逢椒則伏遇苦則安見酸則靖也　凡口中吐蛔乃胃火上升蛔不能安故隨火而起宜先烏梅黄連安之使其下降然後以殺虫之藥投之可也熊殺虫藥切不可用花椒此雖能殺虫其味本辛若于吐虫之辰而驟用之必躍跳

而起害人腸胃多致不救　傳尸十八重瘵虫病因体氣
虛則温補後施追逐寔則吐下斟酌施行然瘵虫須分
五臟嘗居肺間正所謂膏之上肓之下針之不到藥之
不行只宜灸膏肓四花為佳

用藥 治虫諸品隨候採用

常用者　雷丸貫衆乾漆蠟塵百部鉛灰
壯元氣者　附子乾姜　加入殺虫藥品
安虫者　苦參黄連　虫得苦而安也

軟虫者　烏梅訶子 虫得酸而軟也

吐虫者　藜蘆瓜蒂 此能帶虫吐出也

下虫者　欵花 即芫花 黑丑 此能帶虫瀉下也

去瘡癢虫　雄黃川椒蛇床樟腦水銀檳榔

除齲齒虫　胡桐淚莨菪子韮子蟬酥

治風癬虫　川槿皮海桐皮

治九竅䘌蝕虫　青葙子覆盆葉

驅癆瘵虫　敗鼓心桃符板虎骨死人枕獺爪 鸛骨 獺肝

治應声虫　藍汁（飲即吐出肉塊長二寸餘声止）雷凡（去皮爲末煎服）

治陰中虫　銀杏（擦之）銀硃（薰之）或用桃榔東南枝或蜈茱東引根或酸石榴東引根煎（湯吞藥或單用石榴皆能殺虫）

痔漏條　審机

痔之源皆由過恣房慾久嗜甘肥不慎醉飽以合陰陽勞擾血脉腸澼滲漏衝注下部而成蓋醉飽入房精氣脫舍其脉空虛酒毒乘之流注而成痔或溺極而強忍不泄精氣已離本位停留不化則前陰之氣流注大腸至歸肛門而生痔也　痔病之源受病

者燥氣也爲病者濕熱也由乎酒色過度濕而生熱充於臟腑溢於經絡墜乎穀道左右衝突爲痔雖見症於大腸寔陰虛而火寔所致經所謂開竅於二陰久則潰而成漏蓋手陽明大腸庚金也清燥主收司行津液以從足陽明胃土之化旺則生化萬物人或醉飽入房酒熱流者忍精不泄流注篡間前陰之氣歸于大腸木乘火勢而傷燥金火就燥則大便閉而痔作矣此受病者燥氣也爲病者胃濕也

別症　肛門之旁生瘡腫痛者是也亦有生瘡有孔惡水不乾而爲漏者痔漏其名有五肛邊生鼠乳出在外辰辰出膿血曰牡痔肛邊腫而生痔在內者曰牡痔飽食久坐氣鬱曰氣痔因便而出清血者曰血痔飲酒過度濕熱流注曰酒痔又有肛門生瘡癢而後痛者曰腸風痔色欲過度搖動血脉曰脉痔肛門兩乳大小曰雌雄痔此三者五痔之別名也皆初生俱在肛邊狀如鼠乳或結小核痒痛注悶甚者身熱惡寒

【虛寔】凡初病其体脉寔者當從寔治惟以去病為先病去然後補之久病体虛脉弱者急為補益待氣血充盈方可治病

【吉凶】痔漏之病經久纏綿氣血為之傷損治者若知求本何至凶危倘以寒凉攻伐為事元氣內敗虛症叢生亦難保矣

【治法】東垣曰腸頭成塊者湿也作大痛者風也大便燥結者兼受火熱也是湿熱風燥四氣合邪法當瀉火潤燥疎風和氣止痛而已

痔輕而漏重痔寔而漏虛治痔不過凉血清熱治漏初則凉血清熱燥湿久則澁竅殺虫兼乎温散或曰痔漏火是根源何故而用温澁殊不知痔止出血始終是熱漏流濃水始是湿熱終是湿寒不用温藥何以去湿而散寒乎非只痔漏百病中多有始熱而終寒者即如瀉痢嘔吐初則腸胃氣寔為熱終則腸胃氣虛而寒丹溪下血條云下血久而不愈者後用温劑正此義也

凡痔久則生管滲泄成漏治法當以和血除風瀉火益

元為主外治薰洗之法為妥不可用刀針掛線之類最能害人而且不必去病立齋曰焮痛二便秘宜清熱涼血潤燥疎風若寒涼損中者調養脾胃滋補陰精大便秘者潤燥養血肛門墜下作痛清火除濕或作癢者祛風勝濕腫痛小便澁瀉肝導濕若痔與瘻俱患用地黄益氣丸進　痔之為病皆由臟腑虛而外感風濕內蓄熱毒及醉飽房慾故血氣下墜結聚肛門而為痔也雖有五痔之分大槩屬血虛與熱治當涼血生血寬腸而

升提之　凡小兒痔漏皆由母食酒麵炙煿在胎受之或因後天失調心經蘊熱熱傳於肺注於大腸而成宜服涼血解毒外用薰洗之　凡痔漏始覺便服秦艽槐角連翹土貝之類外用薰洗以助內消倘仍肆嗜欲則腐潰逗遛日久旁穿竅穴即變爲漏乃須補氣血慎調攝方可以漸收功

用涼　滋補氣血諸品隨候採用人參　白朮　茯苓　茯神　黃芪　附子　生地　當歸　川芎　訶膠　草芎

清解火毒諸品隨候採用黃芩　黃連　連翹　田螺　括蔞　地龍　升麻　槐花　槐角　赤芍

寬腸澁竅諸品隨候採用 枳殼赤石脂白石脂
桔梗黃丹腦子訶子

借用合用諸品隨候採用 白芷蝎皮鷄冠花綠礬胡桃
仁白附子南星治腸風金銀花
蚕繭鯽魚鷄胆熊胆片腦猪懸蹄甲木鱉子鬱金雄黃
沒藥乳香皂角穿山甲蛇退黃牛角尖龍腦防風荊芥瞿麥防已

霍乱條 審机

霍乱者起于蒼卒揮霍變乱之義經云太陰所致爲霍乱又土鬱之發民病霍乱又歲土不及風乃大行民病霍乱又足太陰之經厥氣上逆則霍乱自築氏病源乃曰病原于中氣不足或內傷飲食 飲食失節
或酥酪酒漿生冷以至温熱內甚中焦脾土失運當升
不升當降不降是以症有上吐下瀉脉多伏絶

七情七情鬱氣痰涎聚膈痞塞不通者外見痰喘眩暈亦必內傷飲食爲之根也外感四氣或日間感熱夜間受冷內鬱熱外有感寒冒暑素往往發於夏秋之長陽熱逼于外陰寒伏于內使人陰陽反戾清濁相干陽氣暴升陰氣頓墜陰陽痞膈上下奔廹氣乱腸胃之間陽不得降陰不得升邪正相逆中脘節閉盖中者上下四旁之樞機若中脘之氣健運有餘則驅下脘之氣於大小腸從前後二陰而出惟其不足則無力運之下行反受下脘之濁氣以致胃中清濁混乱爲痛爲脹之

所由也經云太陰所致則為中滿霍乱吐下清氣在陰濁氣在陽營氣順脉衛氣逆行清濁相干乱於腸胃則為霍乱此由撃摶于中而揮霍變乱也

【別症】心腹大痛或脹懵寒壯熱煩渴氣粗口燥暑病也偏陽分則多熱而渴偏陰分則多寒而不渴卒然吐瀉湿土為風木所克又為炎暑所蒸故吐則暑熱之變也瀉則湿土之変也頭疼眩暈邪在上焦先心痛則先吐邪在下焦先腹痛則先瀉邪在中焦心腹並痛則吐瀉並作因飲食而發者心腹絞痛因於心者但心腹痛而已因風寒

而發者身体疼痛四肢重著骨節煩疼（此兼湿也）或自汗或手足厥冷氣少唇青（此兼寒也）吐瀉之後甚則轉筋（此兼风也乃风木之變也胃與大腸润養宗筋暴吐暴瀉津液頓亡内外傷感冷熱不調阴阳相搏而攻閉諸脉枯削宗筋失養而攣縮）但輕者兩脚轉筋而已重者遍体轉筋手足厥冷腹痛若欲絶者

霍乱又有三種一種暑霍乱即湿霍乱此疾夏秋惟甚縱寒月亦多由伏暑故名但死者少一種湿霍乱有声有物死者少一種乾霍乱有声無物而死者多其候忽然脹滿心腹絞痛上不得吐下不得

瀉躁乱昏潰開格陰陽遍体轉筋十足厥冷痰壅腹脹頃刻之間升降不通便致悶絶誤進飲食立致殺人此為寒湿太甚脾被絆而不能動氣被鬱而不能行脾土鬱極不能發越以致火熱内擾耶以卒痛手足厥冷悪心悪心者無声無物中心欲吐不吐欲嘔不嘔雖曰悪心寔非中心經之病皆在胃心之上有痰有熱有虚皆宜用生姜隨症佐藥以生姜能助脾豁痰也嘔噦俗言攬腸沙者言其痛之甚也此與霍乱大同小異耳宜採吐之分利消食但愈之後切勿與穀食雖米飲之亦死須得一二辰長待飢甚方可與稀粥

逺寔 諸病莫不由虛召然邪盛為寔且急則治標霍乱乃邪盛急病也故食者只在内傷飲食外襲暑湿而暴来暴發當從寔治以逐邪救正雖妊娠乾姜桂附亦無畏避虛者其人本虛或病後而得者亦待病去方可議補書云扁無補法

吉凶 轉筋脉洪者易治微弱沉遲者死　轉筋入腹舌捲囊縮者死　攪腸沙脉浮洪者生微遅者死　陽氣已脱或遺尿不知或氣少不語或膏汗如珠或大燥欲入水或四肢不收皆死　轉筋不任男子以手挽其陰女

子以手牽其乳近兩邊舌倦者死滑数為嘔代者霍乱

凡霍乱見代脉者非死症也因其上下之氣乱而不伸

候脾氣平必復

微滑者生濇数断卤滑而不均必是吐瀉霍乱之後脉代勿訝故凡吐瀉脉見結促代或隐伏或洪大皆不可断以為死果脉来微細欲絶方為不治

治法　治之之法滲脾胃之湿散諸邪之氣然脾胃有虚有寔感邪有陰有陽宜以消息施治不可過攻致脾愈虚不可過热致火愈熾不可過寒致火捍格須交借以治

然後鬱可開火可散也　北方刺青筋以出氣血南方搐手足以行氣血俱能散之然霍乱乃氣病而非血病刺青筋固能散氣然血亦因之以傷人之一身氣常有餘血常不足今不足者又從而傷之是不足之中又不足矣火壯之人幸或得免衰老之人多致危亡何則氣爲血之先導血爲氣之依附今陰血既虧則陽失其所依必然燥越不死何待況陽虛必惡寒陰虛必發熱熱則陰血愈消經曰陰虛則病陰竭則死惟宜以熱童便

八燒塩（不特降火兼能行血）火許冷歛三次而三吐之宣提其氣塩通於上溺泄於下則中通矣或有單用淡塩湯探吐之總不出宣通發越之理書曰吐中便有發散之義蓋既有其八必有其出今有其八而不得其出者痞塞也多死得吐後方可用藥調理分湿熱風暑七情内傷虛寔施治蓋霍乱初起不可用藥以其氣乱不能貼也惟此塩湯探吐或取地漿水頻與服即熱水亦不可歛陰陽水八炒塩為佳或加砂仁末以掺吐之再進霍香正

氣散爲穩當後又不可輕進飲食惟扁豆葉爲妙無葉
長白扁豆湯亦可有用青蒿葉煎湯冷服此兼治轉筋　盖霍
乱初起𡚻吐瀉辰並不可𡚻穀食每致殺人雖米湯一
呷下咽立死必待吐瀉尽方可漸食稀粥又新愈辰亦
不可便𡚻穀氣如吐瀉已多元氣困極審無邪在方須
米飲補養　凡霍乱悶絕心口尚温者以塩填滿臍中
不論救灸必甦　凡霍乱遍体轉筋手足厥冷若欲絕
者倉卒之間宜以塩填臍中灼艾不計壯数致已死而

胸中有痧氣者立廸　凡轉筋肢冷腹痛欲絶用銀針刺中指甲一韭葉又刺兩腿湾將冷水拍出青筋露起刺出血即愈凡有小腹作痛脹緊如石氣冷并結者不可謂爲霍乱妄投冷藥立死須用破血調氣之藥如紅花蘇木當歸青皮木香入童便服外用葱湯　如吐利不已元氣耗散病勢危篤或口渴喜冷或悪寒逆冷煎湯坐湯中發热煩燥欲去衣被此陰盛格陽不可以喜冷去衣爲热當以理中湯甚以附子理中湯不效則四

逆湯並宜冷服　霍亂乃陽氣不得上升陰氣不得下降以致隊道阻隔陰陽揮霍故治者不吐則吐之不瀉則瀉之取其陰舒陽暢之義宜覓所因或偏於寒湿飧冷面青發厥不渴皆為陰盛症用救陽湯反此則為陽盛症用救陰湯夏節霍乱吐血大便水泄不禁用霍香陳皮姜三片水煎服如乾霍乱轉筋更忌之

凡多食涼水瓜菓四肢重骨節疼因于湿也用二术樸陳苓澤射香之類

因於七情鬱結手足厥逆氣火神清者因於寒也四逆湯加食塩轉筋者風木侵脾土也平胃散加木瓜如身熱煩燥大渴氣粗面垢者暑也香需黄連加益元散冷服食滯腹痛手不可近在上者塩湯探吐在下者大黄消之若吐利不已元氣耗散病勞危篤或口渴喜冷或悪寒逆冷或發熱煩燥欲去衣被不可誤認為熱此陰盛格陽之症宜以理中湯冷服或加附子甚者附子理中湯冷服不效則四逆湯冷服

用藥 行氣導滯諸品隨候採用霍香陳皮朮朴三稜莪朮青皮蘇子琉黄胡椒食塩木香
温中勝湿諸品隨候採用姜附草生姜木瓜小𡘋吴茱茯苓桂心官桂當歸川芎滑石湿熱者用

泄瀉條

審机 經曰春傷於風夏生飧泄邪氣留連乃為洞泄又曰清氣在下則生飧泄又曰湿勝則濡泄又曰暴注下廹皆屬於熱又曰諸病水液澄徹清冷皆屬於寒此經言風湿寒熱四氣皆能為泄也

胃之上口為賁門水穀於此而入胃之下口為幽門水穀之滓自此入於小腸小腸十六折水穀賴以緩行闌

門為小腸下口水穀自此秘別穀為濁入大腸水為清入膀胱如水穀不分清濁不別則皆入大腸而或泄瀉此其由也東垣曰胃氣和平飲食入胃精氣輸於脾土上歸于肺而後行營衛也飲食一傷起居不辰損其胃氣則上升清差之氣反下降而為飧泄矣

別症 瀉有十症之殊不可不別

濕瀉症 泄瀉如水傾下小腸不痛腸鳴身重

熱瀉症 小便赤澁煩渴腹中熱穀或不化而色変青黄或紅紫赤黑身能動作声響哯手足

温寒瀉症小便清白不渴腹中冷完穀色亦不变变亦白色身懶動作目睛不了了飲食不下悪寒身痛腹脹雷鳴腸溏清冷完穀不化甚則脾敗肢冷藏冷瀉症以热物按之則緩者凡瀉而水穀色变者為热不变色而澄徹清冷者為寒若肛門燥澀小便黄赤水穀不变猶為热也（此由火性急速食下即出豈容克化所謂邪热不殺穀也）風瀉症悪風自汗或帶青血即太陰飧泄及其所食原物由春傷風寒夏感温冷發動故其瀉暴一云長幼相似不可温澁致

變爲痢脹**暑瀉症**瀉如水煩渴尿赤**食瀉症**腹痛甚而

瀉瀉後痛減此食積有火也臭如抱壞鷄子噎氣作酸**痰瀉症**辰瀉

辰止或多或少此因痰留肺中以致大腸不固**火瀉症**

寔火口渴喜冷腹痛而瀉小腸鳴痛一陣瀉一陣肛門

焦痛其来暴速稠粘**七情瀉症**腹常虚痞欬去不去去不通泰**三壹**

又有三虛者脾虛瀉者飲食傷脾不能運化困倦無力

有遇飲食即瀉也肝虛瀉者忿怒傷肝木耶封土厥而

面青腎虛瀉者色慾傷腎不能閉藏瀉多足冷久痢肉

消五更臍下絞痛或止微響溏泄一次者腎泄肝泄間必有之而脾泄恒多蓋入終日飲食便至泄瀉泄瀉而更屬脾胃入固知之矣然门户束要肝之氣也守司於下腎之氣也若肝腎氣寔則能閉束而不泄瀉虛則閉束失戢而無禁固之權矣

五泄

又有五泄之名出難經　胃泄飲食不化色黃脾泄腹脹注泄食而嘔吐大腸泄食已窘廹大便色白腸鳴切痛小腸泄溲晝而便膿血小腹痛大瘕泄裏急後重數至圊而不便莖中痛而溺澁難經云瘕泄即腎泄也此是腎虛之症欲去不去似痢非痢似虛努而非虛努矣世人

不知此症誤以後重為滞下而治之禍不旋踵盖痢疾後重為因邪壓入大腸墜下故大腸不能升舉而後重治以大黄檳榔瀉其所壓之邪即愈一云胃泄脾泄言瀉也大腸泄小腸泄大瘕泄言痢也蒐泄瀉與痢亦惟膿血與糞之異除傷寒三陰三阳傳変自痢雜症湿熱食積之根皆責腸胃盖泄瀉痢症同由暑月脾土氣虚飲食傷損所致輕者便作泄瀉重者停為瘧痢而瘧與痢又有別飲食為痰充乎胸腸則為瘧飲食為積膠乎腸胃則為痢故有無痰不成痢之説

論瀉瘧痢同源

脾瀉

脾瀉者脾之清陽下陥不能運化闌門元氣不足不能分別水穀不能通而瀉也亦由命火衰不能上生脾土

故書曰腎俞之氣交通自然射化腎司開闔又曰腎開竅於二陰可見不但僅主小便而大便之能開能閉腎操權也腎既虛衰則命門之火熄矣火熄則水獨治故令水瀉不止

腎瀉

凡五更辰瀉者腎瀉也盖腎屬水其位在北於辰為亥子正當亥子水旺之秋故此辰甚也人生二五妙合而成左右兩腎腎間動氣即先天元陽之祖氣此氣自子後一陽生生即漸漸上升歷丑寅卯辰已而六陽已極則至離宮午後一陰生即白氣变為赤

液漸漸降下至坎宫復為白氣晝夜循環升降不息經則謂少火生氣医家所謂真陽之火名為相火也道家所謂君火乃先天祖氣也方此火之自下而上也行過中焦必經脾胃則能腐熟水穀蒸糟粕而化精微脾氣散精上歸于肺通調水道下輸膀胱是清升濁降既濟之象也經曰陽平陰秘精神乃治苟不慎攝生之道則精神日損腎之精氣漸衰而子後一陽不以辰生不能上升水穀無由腐熟而傳化故寅為三陽之候陽微既

不能應候而化物且不能勝陰而上升故五更或黎明而瀉其泄亦溏俗名鴨溏是爲腎泄亦名大瘕泄是陽之亡氣之脫也則補火尤要於補氣

交腸瀉

交腸瀉者大小便易位而出此因大怒或醉飽致臟氣乖亂不循故道清濁混殽所致

滑瀉

滑瀉者脾泄久而不止大孔如竹筒直出無禁惟大腸虛滑元氣下陷不能自收而重者

虛寒

元氣禀虛脾腎不足或衰年病後洪久瀉真元奪形

則氣冷身凉脉則沉微瀉則完穀不化小便清利皆從虛治縱有熱者亦內真寒而外假熱耳當從虛治若其人素壯寔偶爲外濕所客或飲食內傷停滯初見身熱浩飲小便赤澁痛瀉如注便已覺寬皆從寔治

吉凶

脉緩細者生浮洪者死下痢日十餘行脉反寔者死瀉久而脉洪大急數者難治食入口即下此爲直腸泄難治凡瀉脉微細皮寒前瀉後痢飲食不入是謂五虛不治腹大脹四末清形脫泄甚不及一辰死下則泄瀉

不止上則吐痰不已為上下俱脫死六腑氣絕於外者手足寒五臟氣絕於內者利不止甚者手足不仁為難治

治法　凡清氣在下則生飧泄此脾虛下陷之泄瀉水也統而論之脾土彊者自能勝濕無濕則不泄故曰濕多成五泄若土虛不能制濕則風寒與熱皆得干之而為病其治法有九　一曰淡滲使從小便而出如農人治潦導其下流雖處卑溼不憂巨浸經曰治濕不利小便非其治也又云在下者引而竭之是也　二曰升提氣屬於

陽性本上升胃氣注迫輙成下陷升柴姜葛之類鼓舞胃氣氣騰則注下自止又如地土淖澤風之即乾故風藥多燥且湿爲土病風爲木藥木可勝土風可勝湿所謂下者舉之是也　三曰清凉熱滛所致暴注下廹苦寒諸劑用滌燔蒸猶當溽暑伊欝之辰而商飈颯然倏動則炎熇如失矣所謂熱者清之是也　四曰流利痰凝氣滯食積水停皆令人瀉隨症祛逐勿使稽留經曰實者瀉之又云通因通用是也　五曰甘緩瀉痢不已

急而下趨愈趨愈下泄何由止甘能緩中善禁急速且稼穡作甘甘為脾土之位所謂急者緩之是也　六曰酸收瀉下日久則氣散而不收無能統攝注泄何辰而已酸之一味能助秋肅之權經云散者收之是也七曰燥脾土德無慚水邪不濫故瀉皆成於土濕濕者本於脾虛倉廩得職水穀善分虛而不培濕淫轉甚經云虛者補之是也　八曰溫腎腎主二便封藏之本臟雖屬水真陽寓焉少火生氣火為土母此火一衰何以運行

三焦腐熟五穀乎故積虛者必挾寒脾虛者必補母經云寒者温之是也　九曰固澁注泄既久幽門道滑雖投温補未克勝功須行澁前則變化不愆揆度合節所謂滑者澁之是也夫是九者皆為治瀉之綱領不能出其範圍矣至于先後緩急之宜臨症斟酌之可也

泄瀉之症雖有風暑湿火痰虛寒食八者之殊必以滲湿燥脾為主湿則滲之火則清之寒則温之虛則補之痰則豁之食則消之陷則升之丹溪曰泄瀉屬湿熱屬氣

虚有夾湿痰食之殊然大抵皆主扵脾治宜分利爲要
然後參諸症兼而治之　凡瀉皆兼湿初宜分理中焦
湿利下焦久則升提滑脱不禁然後用藥澁之其間有
風勝兼以解表寒勝兼以温中滑脱澁住虚弱補益寔
者通之䖍症变用又不拘扵其序世痢大同且補虚不
可純用甘温太甘則生湿清熱亦不可大苦大苦則傷
脾每兼滲剤利竅爲妙　泄瀉之病其類多端得扵六淫五
邪飲食所傷之外復有雜合之邪似难執法而治故氣

暴脫而虛頓瀉不知人口眼俱閉呼吸甚微幾欲絕者急灸氣海飲人參膏十餘斤而愈　治血又思大過脾氣結而不能升舉陷入下焦而成瀉者開其鬱結補其脾胃使穀氣升發也　治陰虛而腎不能禁固之權者峻補其腎而閉藏之司得職也　凡飲食入胃輸精心肺氣必上行然後下降若脾胃有傷濕熱相合陽氣日虛不能升舉脾胃之氣下流肝腎而成泄痢者法當填補中氣用薄味風藥升之舉之則陰不病而陽氣生矣

凡寒冷傷中塡滿而脹傳爲飧泄宜溫熱以消導之若溫熱之物傷中下膿者宜溫寒以內疎之裡急者下之後重者調之腹痛者和之膿血稠粘每至圊而不能便脉洪大有力者下之凉之洞泄腸鳴脉細微者溫之收之大抵治病宜求其所因勝何氣之勝取相制之藥治之因其所利而利之以平爲期也　治交腸瀉者宜宣吐以開提其氣若脉虛者尤宜升清降濁補氣淡滲爲主使闌門清利得司秘別之機則愈忌服破血氣燥熱之藥

治滑瀉者此脾泄已久大腸不禁宜用澁劑以澁之下陷者宜升提之所謂固其脫升其墜而愈也　如虛坐努氣者此利後積已去盡無便而但虛坐也此爲亡血過多清氣下陷倍用芎歸爲藥佐以升提和之即愈

大要暴瀉者非陰久瀉者非陽正如傷寒始寒而終熱也

凡每早大瀉一行若止空心服熱藥亦無效須於夜食前再一服方效若緩藥雖平旦服之至夜藥力已盡無以敵一夜寒陰之氣矣　脾腎氣血俱虛宜十全大補

送四神丸凡大便滑泄小便閉澁或肢体漸腫喘咳唾痰為脾腎虧損宜加减金匱腎氣丸如臓腑瀉痢其症多端東垣製脾胃一篇專以補中益氣湯升提清氣為主但未及乎腎泄也故仲景曰下痢不止医以理中湯與之利益甚理中者理中焦也此痢在下焦當以理下焦法則愈矣○五更辰瀉惟八味丸加補骨脂兔絲子五味子用山藥糊丸以補真陰真陽則腎中之水火既清而開闔之權得於命門之火旺火生土而脾亦强矣古方有椒附丸五味子散皆治腎泄之方不可不考薛氏云脾胃虚寒下陷者用補中湯加木香肉菓補骨脂脾氣虚寒

不禁者用六君加姜桂脾土虛寒八味丸命門火衰。腎虛後重效至圊而不能便茎中痛或大便不能得而小便先行而洪或欲小便而大便反欲去而痛書云精已耗而復竭之老而思色則大小便道牽痛愈痛則愈便愈便則愈痛須以補中益氣湯倍升麻送四神丸又以八味地黄丸加五味子補骨脂多服

凡天久淫湿令大行入多腹疾瀉且痛者胃苓湯加炮姜肉桂攘

接書云胃虛則吐脾虛則瀉傷風多作吐瀉蓋風木尅侵脾土故也夫泄瀉諸症皆責於脾胃固矣至於腎

者乃胃中之關為一身鞏固之關如命門火衰一者不能上蒸脾土而腐熟水穀二者不能溫下焦陰分使小腸滲入膀胱滲出乃混入大腸而為瀉故經曰諸泄瀉小便不利明矣尤美者景岳先生所謂虛症之瀉非水之有餘實火之不足非水之不利實因氣之不行審此當用八味丸加車前破故枳實為治虛瀉至妙之心法若初起稍實者膏梁之人用六君子湯加訶子肉菝藜藿者用藿香正氣湯倍用霍香山霍香為佳

用藥 消食化痰諸品隨候採用枳寔枳壳陳皮草蔻查砂芽曲香附良姜半朴味朮霍香白砦

温補止瀉諸品隨候採用肉菓吴茱肉桂丁香木香訶子赤石脂竜骨人參茯苓山藥砂仁益母米仁白朮炙草草菓白豆蔻陳皮蓮肉白扁豆煨姜烏梅兎絲子白芍小茴

痢疾條

審机 痢者古名滯下經謂腸澼經曰飲食有傷起居不辰損其胃氣則上升清𦵏之氣反從下降是爲飱泄久則太陰火陰而爲腸澼書曰湿火滯於腸中故曰滯下又曰痢者利也法當利下耳

潔古云壯人無積虚則有之可見積由虚召皆因脾胃

既虛飲食不節七情不適腸胃鬱抑氣血有傷釀成膿血而為滯下也其作乘卒成有五一因冷熱不調脾胃驟傷者一因受暑而發者一因風寒濕相感而發者凡痢惡凡鼻塞身痛色青或純下清水寒痢自如鴨溏腸鳴痛墜不甚濕瀉腹脹身重下如豆汁或赤黑沉濁一因吐瀉失調而成一因誤食冷物毒物與驚恐相乘而得者。其積漸者有七有因食積日久而成者有因氣虛挾熱挾寒而成者凡腹痛後重小便短少口渴喜冷飲大腸口燥結是謂挾熱下痢腹痛口不渴喜熱飲小便清長身不熱腹喜熱手熨者是為挾寒下痢當辨也有因脾氣久傷不能統血而下血者有因湿熱傷脾而成者痢因湿湿生於土故或寒或熱皆能膿血蓋五行之理熱因火化寒因水化惟湿寄於四季從乎火則陽土有餘而湿熱為病從乎水則陰土不足而寒湿生災可見湿為主內而寒熱為之外因經曰下痢皆屬於湿又曰下痢稠粘皆屬於火下痢膿血滞下皆熱症寔症也然痢起於夏秋湿蒸熱鬱本乎天也因熱求凉過食生冷由於人也氣壯而傷於天者鬱熱居多氣弱而傷於人者陰寒為甚湿土既旺四辰或從於火即陽土有餘而湿熱為病經所謂敦阜是也或從於水則陰土不足而寒湿為病經所謂卑監是也言熱者遺寒言寒者廢熱豈非立言之過乎有因陽氣下陥乘脾敗而成者有因膏粱炙煿太過燥熱蘊積者有因疫氣辰行穢毒相感者凡一方長幼相似曰疫痢凡

傷氣則白而爲寒傷血則赤而爲熱以赤爲熱白爲寒固非確論果則赤白相雜豈能寒熱同病乎必以色脈辨之而後寒熱不淆也氣血俱傷赤白乃出痢下赤白或言寒熱相兼者非也寒熱異氣豈能並行於腸胃而爲痢乎本一因於湿熱但有傷氣傷血之輕重耳黃是傷食綠是傷湿白者寒滯腸胃之氣道赤者熱傷腸胃之血絡白者爲輕氣滯於膏脂而未傷其血絡也赤者爲重熱傷血絡而深入於明分也湿熱雖分氣血之傷積滯寔由飲食之化生冷炙煿醇釀日久湿從冷生熱從暑襲冷熱鬱湿熱成焉夏月暑熱太甚客氣盛而主氣弱滲入大腸脂膜腐爛痢疾之由始於此矣紅者湿熱中之熱化也白者湿熱中之冷化也○白痢自大腸赤痢自小腸此丹溪以赤白分氣血言也大腸爲傳道之官痢屬腸胃之血絡動臟腑之脂膏故赤白俱并入大腸而下若小腸則爲出溺之所未

見小腸為下痢之腑也謂心主血心與小腸相為表裏故赤痢本小腸之所化則可若未從小腸而來未之有也身熱口渴溺澁大便急痛色赤者為熱身冷口不渴溺清大便順利而色青者為寒但痢因熱暑熱者多寒者火然陰陽變化赤而淡者為寒白而稠者為熱必色症兩參然後寒熱可辨然總因湿熱猶膿出癰腫雖有赤白之分寔無寒熱之別其理其治婦人之赤白帶同也

【別症】冷痢其色白熱痢其色赤痢黃白下無辰度驚痢色青冷熱不調之痢赤白之色相兼休息痢糞黑面如魚腸經年屢月愈而復發此係寒在大腸底諸藥所不到滚痢腹大停積而又下飲食不為肌膚氣臭而大便閉澁蠱毒痢則

下紫黑如鷄肝發渴五內切痛。噤口痢湯藥入口隨出在下纏注急遐多因熱毒熾盛逼衝胃口胃氣伏而不宣或疫氣穢毒傳入臟腑毒氣上衝也。五色痢脾胃爲水穀之海無物不受常兼四臟故五臟熱毒而五液俱下故其色皆見於外。刮腸痢毒氣傷胃是以飲食不飧肛門寬大深黑可畏腹肚疼痛裏急後重頻滴鮮血者。滑腸痢日夜頻併飲食直過者（共噤口五色並爲惡候）有痢久發熱之痢新久發熱陰虛也孔甚痛者熱流於下也。有瘧後痢有痢後瘧者夫既為瘧後發洩已盡必無暑熱之毒復為痢疾此是元氣下陷脾氣不能升舉似痢非痢也既為痢後下多亡血氣隨痢散陰陽兩虛陽虛則惡寒陰虛則惡熱故寒熱交戰似瘧非瘧也俱是虛症。有風痢者乃痢後脚淅細而軟弱也不急治成鶴膝風有氣痢者去如蟹渤拘急獨甚。有積痢者色黃或如魚湯漿腹痛惡食。有虛痢者困倦穀食难化腹微痛或大痛並無努圊。有陰虛似痢者即五泄中大瘕泄是也其症裏急後重數至圊而不能便莖中痛下紅白相雜悉似痢疾小便短澁而痛或不通而痛或欬小便而大便先脫或欬大便而小便自遺兩便牽引而痛此腎虛之危症

【虛寔】虛則寒凡腹痛喜按畏冷喜熱脉弱而虛兼裏急而虛努不收者圊後不減以得解愈虛也及裏急頻見汚衣者皆爲虛也寔則熱凡脹滿急痛懼按煩渴引飲喜冷畏熱脉彊而寔或數而滑兼圊後火減未幾復甚及

裏急不得便者皆爲寔也然要之惟憑形体壯弱所禀
厚薄得病新久則虛寔無遁情矣宜與後辨虛寔條參看
吉凶 腸癖下白沫脉沉則生浮則死脉經曰腸癖下膿血脉沉小留連者生数疾且大有热者死及手足厥冷無脉灸之不温脉去不還及微喘者死脉細及寒氣火泄痢前後飲食不入是謂下痢脉弱者自愈脉虛浮者順寔者死手足温者生厥者死小便不通下後身热脉微洪者不治
症則唇如朱紅者下如魚脳者下如塵腐色者下純血
者下如屋漏水者下如竹筒注不食者痢多手足冷者
久痢身热汗出者腸疼喘渇体腫如吹者秋深久痢嘔

逆昏沉煩燥形脱者久瀉變痢而為脾傳腎者及下痢色黑腹脹喘唇枯目陷瞳神散大及生雲翳赤脈者頭温足冷口臭生痰貪酒痢多肚皮落陷面色青黑瀉如癒臟或如臭鷄子氣外腎黑縮唇青焦赤汗出如雨目閉不開長氣鴨声面如緋紙胸陷口閉手足甲黑口吐白蟲或白沫青血項軟魚口腹如雷鳴瀉下黑血而腥臭及下痢舌黑五臟傷也久痢舌黄脾氣敗也並皆不治及五臟虚者皆死惟用參附十可救一

【治法】通因通用下也然汗吐亦謂之通初病元氣寔可汗若五七日脾胃虛者只宜和解及分利小便消導食積無積不成痢也稍久以氣血藥中加升柴防蒼以提之甚者用粟殻肉蔲龍骨牡礪訶子以澁之斂之食少者專調脾胃飲食進而氣血自和盖痢以胃氣為本也其間有裏急甚者而無表邪者宜通用虛而不敢通者或和解或即升舉有氣陥下痢如注者即暫止澁有滑脱痛甚者痰火盛也宜吐宜升痰消火降而大腸自歛須慿

脉症斷之○初起腸中有積後重腹痛叉惡心胸膈作脹乃新飲食未曾化蒸也不可遽用涼藥及下藥涼則愈結下則傷胃須先消導疾下膈不惡心不脹纔方可攻下如惡心甚者先以淡塩湯探吐之（如初熱有裏急宜下惡寒者忌下）

夫痢生於積滯然積物欲下而氣滯不能洪之耳日夜百度下迫窘痛治先導利之即內經通因通用之法（孩仲景謂可下也悉以承氣湯下之大黄之寒其性善走佐以厚朴之温善行滯氣緩以甘草之甘飲以湯液蕩滌腸胃滋潤經絡積行即止禁用砒丹巴硇等藥恐其暴悍毒烈有傷脾胃清純之氣然前人專主寒治之說以

痢發於秋是夏月鬱熱所致其理甚着其議論亦和平但不詳所以致鬱熱者多因暑氣酷烈過飲冷水遇食生冷熱為寒鬱久而為沉寒積冷者亦有之不可泥是熱當辨症切脉　凡下熱利用
大黃下寒痢用巴豆有是病而服是藥詳按古人之成
法不容毫髮差謬然海藏有云暑月血痢不用黃連陰
在内也此亦一見之論○夫冬月傷寒已經熱病至夏
秋暑熱濕三氣交蒸互結之熱十倍於冬月矣然感三
氣之熱而成下痢必從外而出之是故下痢須用辛涼
以解表次用苦寒以涼裏一二劑愈矣失於表者外邪

俱從裏出不死不已故雖百日之遠仍用逆流挽舟之法引其邪而出之於外則死症可活危症可安金匱以下痢脉弦發熱身汗者自愈夫久痢之脉深入陰分沉濇微弱矣忽然而轉脉弦渾是火陽生發之氣非逆挽之法乎至五日以後則脾胃漸虚又當以消導升散行氣和血矣病久挾虚又當以滋補氣血收歛滑脫矣故後重則宜下腹痛則宜利身重則除湿脉弦則去風膿水稠粘以重劑竭之身冷自汗以毒藥温之風邪內縮宜汗之鶩溏爲利當温之在外者發之在裏者下之在上而未成積者湧之在下而已成痢者竭之表熱者內疎之小便濇者分利之盛者和之○火性急速去者送之至者止之治痢之格言也

傳下或化或不化食物瘀積欲出而氣反滯住所以欲便不便腹痛窘廹拘急大腸重而下墜也甚則肛門作痛宜木香檳榔通氣大黄降火芩連解毒歸芍和血枳殼陳皮行滯經云血和則便膿自愈行氣則後重自除間有虚火參朮歸芍補之寒凝者乾姜肉桂温之又素有積聚偶因一臓之氣發動干犯腸胃成痢者須察何臓相乘以平治之治噤口痢宜黄連石連肉忍冬花之類以通心解毒主之有一等寒氣上逆者用温補之藥調之其病易治

五色痢寔者通利為先虛者調血理氣或金銀花（酒炒）黃連歸芍木香乳香之類清熱解毒和血主之。有毒痢一症或痰毒内陷下膿血各藥不效者當於和血行氣藥中加以解毒如忍冬花乳香香連之類。瀉與痢不分兩症混言濕熱而利小便非也蓋滲利之劑功能利水濁流得快則瀉自止若痢疾乃垢穢之物因於濕熱膓胃沖鬱而成出於大腸傳送之道萬不干於胃氣故不宜過用滲利之藥以使重竭其陰而涸其津液是病降

之而藥又降之也但諸病症小便清長其病漸退之兆
況於痢疾乎凡治滯下與大腸滑泄自利不同滑泄可
澁之道故古人間有用粟殼訶子以止其滑若滯下本
屬湿熱澁滯法宜疏利最忌止澁大腸爲肺之腑大腸
既有湿熱留滯則肺家亦有欝滯不清古人用藥每利
肺氣知其性喜通利清臟以及腑也倘遇兜澁則湿熱
無所宣洩肺氣不得下行非惟痢疾增劇湿熱薰蒸上
干于肺則脹滿氣逆不眠惡食諸症見矣夏秋泄瀉痢

瀉同乎一源每由暑湿傷脾所致飲食纔傷便作泄瀉
為輕停滯既变成瀉痢為重而瀉與痢又有分别飲食
為痰充乎胸膈則為瘧飲食為積膠乎腸胃則為痢古
云無痰不成瘧無積不成痢故當初起人彊積盛之辰
輕則三稜莪朮檳榔枳壳枳实青皮木香之類重則酒
製大黄利之不可姑息猶養虎遺患矣况有積者病當
之無損扵人也若因循已久元氣已虛積氣猶盛攻補
莫施便成壞症况諸痢疾雖屬重症然多染辰行故七

日前甚者積多人壯雖危不死善於調理七日後其症當漸愈若初起不甚人多忽畧七日之後積氣逗留人衰胃弱痢勞大作每多难治不可不知治而審其挾寒挾熱或虛或寔熱者即可用寔治寒者便當同虛論凡挾熱不痢理當香連大黄参苓枳殼梹榔清利蕩滌之劑於其初起人彊積重而行之若挾寒下痢須理中姜桂温之其因有外感盛暑溼熱内傷酒麪炙煿消爍或七情氣鬱而為火之寔者皆令腸胃粘溢久積成毒經曰飲食

不節起居不辰者陰受之則入五臟閉塞下爲飧泄腸澼世之病痢者十有九虛醫之治痢者百無一補氣本下陷而再行其氣後重不益甚乎中本虛衰而復攻其積元氣不愈竭乎濕熱傷血者自宜調血若過推蕩陰血不轉傷乎津亡作渴者自宜養陰若但滲利津液不轉耗乎世有庸工專守痛無補法且曰不宜用補不知因虛而痛者愈攻則愈虛愈痛每見有形之疾病未除而無形之元氣先脫悔之脫矣故脉来微弱者可補形

色虛薄者可補痢後而痢者可補因攻而劇者可補或言下痢爲寒非也寒則不能消穀何由又化爲膿也夫虛實之所難明者以難辨也如以口渴爲實熱似矣不知凡係瀉痢必火津液液亡於下則津竭於上安得不涸更當以喜熱喜冷分虛實也以腹痛爲實熱似矣不知痢出於臟腸胃必傷膿血剝胃安得不痛更當以痛之緩急按之可否腹之脹與不脹脉之有力無力分虛實也以小便之黃赤短少爲實熱似矣不知水從痢去溲

必不長液以陰耗溺因色變安得不小便赤少更當以
色之澤乎不澤液之涸乎不涸分虛實矣以裏急後重
爲實熱似矣不知氣陷則傳運不健液亡則腸潤乃枯
安得不裏急後重更當審焉　後重而由肺氣鬱於大
腸者以苦梗開之實熱者下之氣虛者提之血虛者調
之然治痢雖云和血則便膿自愈行氣則後重自除此
可加治於衰老幼弱元氣之虛者若夫壯實積盛而當
初起之辰必須下之即經所謂迎而奪之也　血痢已

通而痛不止者乃陰虧氣鬱藥中加川芎（氣行血調其病立止）陰虛有火又加暑熱交攻不宜便補更不宜燥惟微寒清平之劑調之如再不愈方以清潤之劑補之

腎司閉藏肝主疏泄二經氣虛則各失其職肝虛不能疏泄而後重腎虛不能閉藏而難固治宜温補肝腎更須早晚食前服之（蓋痢藥惟平旦服之至夜藥力已盡無以敵一夜之陰故獨早服亦無效也）

治痢大法始當推蕩久當温補而尤以顧胃氣爲先蓋百病以胃爲本而於痢爲尤要故能食者輕不能食者

重絶不食者死是痢之賴於胃氣者如此其重而危莫要於補腎陰蓋痢屬脾腎二經夫腎為胃關開竅於二陰未有久痢而陰不亡者未有陰亡而腎不虛者故欲治痢而不治腎陰者非其治也徒知見在有形之疾病不知可慮者無形之元氣蓋有形之疾病無期而無形之元氣易竭也元氣既虛不補何復補元氣者治痢之本也然元氣在脾腎之中也故痢之為症多本脾腎脾司倉廩土為萬物之母腎主蟄藏水為萬物之源二臟

皆根本之地也補中氣以扶脾胃助命門以復其陰則元氣旺而健運得陰陽和而閉藏固何有膓胃拂鬱而爲患哉先痢而後瀉者為腎傳脾微邪易治先瀉而後痢者為脾傳腎賊邪难医是知在脾者病淺在腎者病深夫腎主禁固腎為胃關未有久痢脾虛而腎陰不損腎陽不亡四君歸脾十全補中皆補脾虛固矣若病在火衰土位無母設非桂附大補命門以復腎中之陽以救脾家之母即飲食何由而進門户何由而固真元何由而復

耶如畏熱不前僅以參朮補之多致不起大可傷也
產後痢疾積滯雖多腹痛雖極不可用大黄芋藥行之致傷胃氣不可救但用人參白朮當歸紅麯醋炒升麻益母草煨木香留白廣陳皮炙甘草足矣如血虛可加阿膠炒二ㄋ。胎前滯下宜用黄芩黄連白芍炙草橘紅紅麯枳殼蓮肉罌用升麻未滿七日勿用滑石
凡痢宜温補肝脾腎不可仍用燥脾之藥也
初起受病係是熱痢遷延日久各症不減或反加重理

當別治竟作虚看宜補中益氣一升一補倍加参芪温
補加附子如有純血者加炒黑乾姜虚回而痢自止若
必待血清利止而後補補亦晚矣。水腫重墜切痛奔
豚此兼屬火陰症急加茱萸肉桂破固肉豆蔻
痢症窘急無度裏急後重口渴悪食小腹倍痛痢色或
紅或白甚至血水小便不利脉寸彊尺弱六味加五味
肉桂早晚各服勿緩以敵一夜之陰寒。首積者湿熱
食痰也法當下之新積者下後又生者也或調或補不

可輕攻若因虛而痢者雖宿積亦不可下但用異功散
虛回而痢自止丹溪有先用參朮調補胃氣而後下者亦妙法也虛者宜之及至穢積既盡糟粕未寔但當以白朮白茯苓白芍固腸凡之類調理脾胃則新積不生然痢必須節飲食一切油膩肉麵痛絕之服藥乃效若宿垢未淨又增新積腸胃何由而清潔又壅塞脾病未愈胃病又增直至惡心不食或噤口矣
大腸氣虛下陷而後重者宜四君加升柴亦有元氣大
虛腸中無氣不能推送者只須參芪苓朮大補中氣若
大腸血虛後重者四物湯加參朮丹溪曰裏急者腹中不寬快也亦有虛坐而大便不行者皆為血虛蓋腸中無津不能滑運雖當補血必兼以補氣若單於補血必傷於胃氣此氣有生血之功也

痢後痛風遍身疼甚係腸胃湿熱悪血未净復還經絡所以留滞隧道作痛也宜四物加桃仁紅花牛膝陳皮之類亦有氣血虛而疼痛者不可不察

痢直腸無度天用四君[redacted]湯調赤石脂禹餘粮末頓又其脹而腹奴又痛不可忍此正所謂通則不痛痛則將有不通之意矣仍脹前藥果愈後用四君倍茯苓必然痊可

噤口痢急用黄連以吴茱炒過揀去茱人參等分入糯米一撮膿煎加姜汁細細呷之但得一二匙嚥下便不

復吐矣如吐再復○治体息痢獨巴豆一味研炒蠟凡
空腹復之再不復發此亦通因通用之法也
瘧後痢痢後瘧俱在虛論宜補中益氣湯加溫補藥
孕婦瘧痢齊發瘧止而痢愈甚又加腹痛飲食不進宜
補中益氣湯加姜桂必瘧反大作此吉兆也何者瘧之
止乃陰盛之極陽不敢與之爭今復補陽之劑陽氣有
權敢與陰戰再能助陽之力陰自退聽仍方中加附子
五分瘧痢必然齊愈繼服補劑必至期生子而產後甚

健故經曰應犯而犯似乎無犯○一寔熱痢身体壯熱
口渴飲冷小便澁赤脉數先腹痛而後痢下由氣積而發以此斷
為寔宜選用五積方厚朴枳梲山查蒼朮扁豆倍香薷倍當歸下血加熟地阿
膠若久痢下陷氣滯後門痛或脫肛加升麻柴胡俱酒炒
一寔寒痢身体無壯熱不渴飲熱水小便清利脉沉用
前方五積去香薷加乾姜若久痢下陷氣滯後門痛或脫
肛加升柴俱酒炒○一虛熱下痢大病大虛之後方見此症色青身微
熱飲熱水小便清無腹痛脉緩弱或痢下而後腹痛由眞

隳脱宜六味湯大料。一虛寒下痢（大病大虛之後方見此症）身寒惡寒脉緩無力無腹痛小便清利或氣不化而澁或下廹太過四肢厥冷（由陽脱）用八味湯加烏梅五味

用藥

行氣以厨後重諸品隨候採用（檳榔　枳壳　枳寔　陳皮　烏藥　菖蒲　香附）

和血以調便膿諸品隨候採用（當歸　川芎　阿膠　白芍　桃仁　地輸　栢葉　葛根）

消積以導滯諸品隨候採用（厚朴　砂仁　山查　三稜　莪朮　大黄　朴硝　巴豆）

祛風除湿諸品隨候採用（秦艽　皂子　防風　粟壳　猪苓　澤左　車前　蒼朮）止痢（赤茯　訶子　榴皮）

清火以理寔諸品隨候採用（黄苓　黄連　黄栢　連翹　山梔　皁角　活石　石羔）

温補以治本諸品隨候採用人參 白术 茯苓 炙草 肉蔻 丁香 肉桂 乾姜

脱肛條 審机

肺與大腸爲表裏肛者大腸之門也肺寔氣温温則内氣充而有所畜虚則寒寒則内氣餒而不能收是以腸頭出露矣○其源多得於勞倦房欲過度及産後用力與久痢不止裏急後重努力肛開外風所吹而至者或伏暑暴注洞瀉腸頭不禁者或小兒嘷賦怯弱易於感冷啼叫努氣大腸虚脱者未有不因風暑湿熱傷脾脾虚則肺氣既弱大腸亦虚土爲金母母

虛不能生金是以火被風冷則腸頭即爲虛脫
肛門爲大腸之使大腸受熱皆能脫肛且大腸者傳道之官腎爲作彊之官酒色過度則腎虛而盜泄母氣肺因以虛大腸氣無所主故令脫肛

別症　小兒氣血未壯老人氣血已衰皆有此症
若腸頭作痒者多因大腸濕熱生虫而蝕肛門上唇有瘡虫蝕其臟下唇有瘡虫蝕其肛久則齒根無色舌上盡白四肢倦怠唾血如粟心内懊憹而爲危症

虛寔 此病因於關門不能鞏固此虛之所召也然有形之疾輯從寔治労已漸平又當急補

吉凶 此是痢門之常症鮮有凶危然虛甚不能提起腸頭久脫作痒生虫蝕透肛頭潰爛者亦爲不治之症

治法 治宜補脾温胃俾金受母之益而上升次投固腸之劑外用薑摻等方若久出而堅者先以温煖藥湯洗軟漸漸納入凡升提之法無如補中湯

脫肛屬氣血虛與熱而氣下陷者蓋氣虛者火而血虛

者多當補血凉血兼升提之外治敷藥亦可挽也

初治宜用化𧔥凡外用生㕛川練根煎湯薰洗（丹溪所論脱肛）（因血虛氣虛者固矣亦有因氣熱血熱者宜兼脉候詳察氣虛者補氣參芪术草製升麻之類血虛四物湯血熱者凉血四物湯氣熱者條芩升麻之類並宜升提）

凡肛門脫出徑寸者由久瀉虛寒也補中益氣湯去白术升柴酒炒共搽肛凡主之由肺熱傳入大腸或作痔或作泄妝肛散主之更有氣血中之寒熱者宜審其從来分別治之可也

痢久而脫肛者蟾蜍（一个去心皮燒灰為末）車前子陳米共為末

凡車前子煎湯下外用緣桑螺燒末以猪膏和敷立縮
或用鱉頭骨燒灰或猪脂塗或用五倍子炒黃末放熱
鞋底托之即收或用五倍子百草霜末等分醋蒸成膏
鵝翎掃傳上即收難經曰病之虛實八者為實出者為
虛肛門脱出非虛而何宜參芪芎歸升麻水煎服血虛
加芍地虛寒加炒黑乾姜虛挾熱者縮砂散熱則流通
意也氣熱者用條芩六月升麻一月麵糊凡血熱者四物加
黃栢升麻風邪者敗毒散暑毒者黃連阿膠丸脂荷煎下

肺與大腸爲表裏肺熱則肛門閉結肺寒則肛門脱出必須温肺臟補腸胃宜補中益氣湯加訶子樗皮以許或用升陽舉經湯蝟皮散勵腸凡挾溼熱者升陽除溼湯有兼痢者用四物湯加槐花黄連升麻有腎虚者腎氣凡八味凡

【用藥】

補氣調血諸品隨候採用（人參　白术　茯苓　歸芍　生地）

清熱去風諸品隨候採用（黄連　黄芩　黄栢　防風　槐花　荊芥）

升提諸品隨候採用（升麻　柴胡　辦桂　熊胆）

收縮諸品隨候採用（挨兒茶　鱉頭骨　白礬　崴石）

閉守諸品隨候採用（竜骨　訶子　没石子　赤石脂　罌粟壳　伏竜肝）

燥結條

審机　下脘門幽門胃之下口也人身上下有七門皆下衝上也幽門上衝吸門吸門即會厭氣喉上掩飲食者也衝其吸入之氣不得下歸肝腎為陰火相拒故膈噎不通濁陰不得下而大便乾燥不行胃之湿供陰火俱在其中則腹脹作矣當責在幽門

經曰北方黑色入通於腎開竅於二陰腎虛則津液竭而大便燥故大便秘結專責之火陰一經症狀雖殊總之津液枯乾盖腎主五液津液足則大便如常也

【別症】其症多因於饑飽勞役損傷胃氣失於輸化及過食辛熱厚味則火邪伏於血中耗散真陰血液少而燥結矣分而言之則胃有寔胃虛之別胃寔者或因風寒邪從外入或因土氣火自內起此是濕熱拂鬱結燥有辰乃為寔也胃虛者或因病久飲食少進或因吐瀉汗後津液暴亡或因年高精血枯槁婦人產後亡血皆能秘結此是血液枯涸不能潤澤而成燥結之症乃為虛也熱秘則面赤身熱六脉數寔辰欲得冷或口舌生瘡大

腸热結冷秘則面白或黑六脉沉遲小便清白此獨冷氣横於腸胃凝陰固結津液不通寔非燥糞其人腸内氣攻喜热惡寒風秘者由風搏肺臟傳於大腸或素有風病者氣秘者氣不升降穀氣不行血秘者亡血血虛津液不足陽結者寔秘热秘即陽結也能寔而脉寔數陰結者虛秘冷秘即陰結也不能食脉弦微

虛寔 虛者脉見沉微無力兴其人本虛或年衰病後産後亡血津液虧火血枯腸結氣滯鬱結秘而不渴不脹宜

大補氣血以潤之寔者脉浮而数與其人本寔或嗜食熱毒燥澁之物火鬱大腸而秘作渴作脹者能飲食小便赤宜從寔治。吉凶 燥結之症端共傷精損血倘不知滋潤徒事通利愈燥其元至若糞如羊矢則危亡立至矣更如陽結脉沉而数或從陰結脉伏而遲或結與老人虛人脉雀啄者皆為不治。治法 老人津液乾枯婦人産後亡血及發汗後痢小便過多病後氣血未復皆能秘結當補養氣血使津液生而自通不可輕用硝黄巴豆牽牛通利之劑丹溪論治秘結有數種之分然其要當辨虛實而已蓋陽盛氣滯則秘陰衰血燥則結此謂老人及久病虛弱者言也治當生血潤燥為主隨其所見之症加減用之不可下也雖下之暫得一辰之快愈下愈結則真氣涸而危殆矣惟實熱腸胃燥屎而閉者下之則愈。一云陽結宜散之陰結宜温之医学云燥有凡燥熱燥火燥氣血麁燥詳見燥門結為陰結陽結高氣血虛結。医学云燥屬火陰津液不足辛以潤之結屬太陰有燥糞若以瀉之凡結後仍服潤燥生津之劑免其再結再通愈傷元氣種惡滋蔓。脉浮在氣杏仁陳皮主之脈沉在血桃仁陳皮主之俱用陳皮者以手太陰與手陽明爲表裏肺氣不降大腸難傳送也然須兼用活潤如生首烏麻仁歸梢蓯蓉之類○少陰腎經開竅于二陰津液乾枯故多秘結蓋臟得血而能潤若腎陰既虛不能生津液欲求速效未有不至危困然登廁用力努苦亦難堪只有大滋津液以爲不治之法也腎既主大小便而司開闔故大小便者不禁責之腎然則小便不通者獨非腎乎書云北方黑色入通於腎開竅于二陰故腎氣虛則大小便難宜以地黄蓯蓉之屬

補其陰火佐辛藥致津液而潤其燥濕火在中而腹痛治在幽門使幽門通利泄其陰火潤其燥血生其新血則幽門通吸門亦不受邪膈噎得開脹滿俱去濁陰得下歸地道也諸方書云凡燥結只宜疎通潤燥湯冷秘八味料大劑冷飲或局方半硫丸凡燥生姜調乳香下之或海藏已寒凡倶效海藏云已寒凡雖熱而芳藥茴香潤劑引而下之陰得陽而化故大小自通如遇春和之陽氷自消矣然不若八味地黄凡更妙如熱秘兼有氣虛者以大味沖入人参五分此因氣虛不能推送陰虛不能濡潤故耳寔則宜蕩滌腸胃開結軟堅如大黄芒硝厚朴枳寔承氣湯之類虛則宜滋養陰血潤燥散熱使火不行燥熱

之令肺金自化清純之氣津液入胃脾土健行自不秘結矣如歸耆桃仁潤燥湯之類如常飲食猪血臟湯加醋食之血仍潤血臟仍潤臟胃強能食者間服潤腸凡溦利之品不審虛寔而輕用硝黃巴豆殺人如反掌也故東垣曰凡人強脾弱約束津液不得四布但輸膀胱故小便數而大便難者用脾約凡若由陰血枯槁宜滋金水使陰道一長津液內生何燥結之有歡坐井中者兩尺脉按之必虛或沉細而遲但煎理中湯極冷而服不應不可用猛劑宜密煎導之冷秘密煎中加草烏頭末熱者猪胆汁導之亦可如因久病雖多日不便然飲食久火糟粕何從而得日效雖多不甚後

急只須補理氣血中氣一旺自能健運調攝飲食新穀
既充自能推送肓穀切不可通利以致變生虛脫危症

用藥

蕩滌宲燥諸品隨候採用 太黃 朴硝 枳宲 梹榔 巴豆 厚朴

清火去燥諸品隨候採用 黃芩 黃連 龍胆草 山梔 黃柏 知母 青黛

滑潤軟燥諸品隨候採用 麻仁 桃仁 杏仁 白蜜 香油 蘇子

補血潤燥諸品隨候採用 生地 當歸 川芎 紅花 阿膠

滋陰潤燥諸品隨候採用 熟地 班竜 人乳 拘杞 膏 肉蓯蓉

丙卷終

新鐫海上醫宗心領全帙百病機要丁卷之十八

海上懶翁黎氏纂輯　後學唐鄘武春軒奉較

目次

關格條

（審機）關格之原寒在上熱在下三焦撩亂中氣不足陰陽不能相榮其症甚危經云傳化不行上下不弃良醫不施蓋身半以上陽氣常在則熱為主病身半

以下陰氣常在則寒爲主病忽然生逆甚則煩亂身冷無脉此氣閉也書云関格者寒熱上下不通此爲寒之横格也兩寸俱盛四部數日後脉亦伏沉此寒從少陰腎經而入陰盛於下陽逼於上謂之格陽之病名開格

〔別症〕開者二便倶閉下不得出也此甚熱之氣熱在下焦閉塞不便也　一又云開者陰盛之極故開閉而溲不得通也格者吐逆水漿上不得入也此寒甚之氣塞在胸中遏絶不行也一又云格者陽盛之極也故格拒而

食不得入也忽然而來乃暴病也胸中覺氣有所碍欲升不升欲降不降欲食不食渴飲茶水飲之少頃即吐出復求飲復吐飲之以熱藥藥入口即吐冷藥遍辰而出脣燥眼珠微紅面赤或不赤甚者或心痛或不痛自病起粒米不思滴水不得入胃或飲一杯吐出半杯

虛寔　此病本於陽極陰竭之機豈有治寔之理然初病而體壯者則邪寔猶可暫行通達使隊道通而氣得升降耳

吉凶　凡關格見頭面上出汗者不治　小便閉不治

小便利不治以其陽亾於上陰亾於下也

【治法】經曰人迎脉大於氣口四倍名曰格陽氣口脉大於人迎四倍名曰關陰人迎與寸口俱盛四倍以上爲關格關格之脉羸不能極於天地之精氣則死治之無也孟景岳云人迎獨盛者病在三陽之腑寸口獨盛者病在三陰之臟關格者陰陽偏盛之極爲孤陽之逆候寔陰陽之敗竭也惟峻用陰陽之藥以圖萬一

關無出之由格無入之理急症難從緩治寔者暫通卽

補虛者峻補爲攻蓋由陽氣在中焦不升降耳

其症得於實人最少多得於虛人大病陰陽不通上下俱病上假熱下真寒治者當補命門爲主

方處

凡關格有痰必用吐以提其氣之橫格不通又吐之不必在於痰也宜以二陳湯探吐之

凡寒氣結胸上下不通用葱白生姜蘿蔔大蒜搗爛入酒鋪葉上炙之粘腹使通透寬解然後服藥腹絞痛及痞痛諸急症並用此粘法甚妙。陽氣不得上升曰關陰氣不得下降曰格最宜八味丸加麥門五味牛膝倍附子切忌滲燥之藥（如陳皮半夏茯苓白术之輩）○病甚聞食即吐漿水不入者先用乾姜白术煮粥緩飲或牛涎熱飲或以黃土伴糯米炒香置鼻竅使聞以安胃氣然後服藥又由中氣不運者補氣藥升降之○凡關格須以仲景白通湯用內經寒因熱用之法經曰若調寒熱之逆冷熱必行則熱藥冷服下咽之後冷性既除熱性始發由是病氣隨愈嘔噦皆除性且不違而致大益此和人原

猪膽汁鹹寒苦之物於白通湯要其氣相從可去拒格之寒服藥脉暫出者生脉乍出者死節齋殺車中有回陽返本湯極妙愈後須八味丸常服

【用藥】実者暫通諸品隨候採用 半夏 茯苓 貝母 沉香 枳殻 枳實 生姜 陳皮 葱白 檳榔 烏藥 木香 砂仁 厚樸 香附

虛者峻補諸品隨候採用 人參 白朮 茯苓 當歸 白芍 生地 肉桂 枸杞 鹿茸 山藥 梔子 牛膝 麥門

噎塞痞滿悶條

【審證】凡噎塞痞滿悶本皆氣病但噎塞乃氣滯初起之端而痞悶乃久滯不散之象又因傷寒下早以致裏氣虛

邪乘虛入於心之分野而為痞者痞滿血症也下多亡陰謂脾胃水穀之陰亡也心主血心虛而邪陷於血之分故致心下痞也又因雜病下過脾陰血亡而痞者又因中氣虛弱不能運化精微而痞者又因飲食痰滯不能導行而作痞者又因濕熱太過土乘心下而痞者○清陽出上竅故上滿者為氣而非物濁陰出下竅故下滿者為物而非氣俱是熱病惟冷結膀胱小腹滿為寒又手足厥冷為可辯

〔別症〕堵塞咽喉陽氣不得上出者曰塞陰氣不得下降者

曰噎初起七情鬱結氣不得通泰而胸膈迷悶者曰痞（痞者非痞塊之痞 痞與否卦義同）滿者胸腹飽悶而不舒非若脹滿外又有脹急之形也精神氣血出入流行之理閉密而心下痞塞按之不痛也（痞滿與脹滿不同脹滿內脹而外亦有形痞則內痞悶而外無形蓋陰伏陽畜氣血不通而成位於心下填滿痞塞耳）

【虛寔】質薄氣弱脉無力與大便易而利者為虛質厚氣壯脉有力與大便難而閉者為寔

【吉凶】此症多得於內傷內惢非外惢也宜因所因而急治

之則可若遊巡傳至翻胃關格必有傾危之象

【治法】外感邪氣自臟表傳至胸膈為半表半裏症宜和解或已經下胸滿而痛為結胸不痛為痞滿同傷寒治法（凡胸滿已下為結胸未下為邪入少陽經分非結胸也素慣結胸者多鬱多痰火下虛）雜病食積下之太過或誤下則脾胃之陰損以至胸中至盛之氣乘虛下陷心胸分野及所畜之邪又且不散宜理脾胃兼血藥調之若用氣藥導利則氣降而痞愈甚久則変為中滿鼓脹蓋痞皆自血中來但傷寒從外之內宜

以苦泄雜病從內之外宜以辛散人徒知氣之不運而槩用枳梗檳榔而不知養陰調血惜哉

身不壯熱脉不洪大而実但胸中滿極者此無根失守之氣逆奔而上乃能極滿大虛之症也蓋胸為受氣之所非可藏納有形之物當用塞因塞用之法以大補為消王道消補不輕吐下也○古法用芩連之苦枳実之猛以泄之厚樸半夏生姜之辛以散之参朮甘温以補之茯苓澤瀉之鹹淡以滲之皆為要藥以脾氣虛弱轉

運不調飲食不化而作痞者則以補為消健運一得虚痞自除矣。痞挾血而成窠囊用胡桃紅花香附大黄之類宜理脾胃以血藥治之若全用氣藥則痞益甚而復下之氣愈下降必變中滿鼓脹矣用氣藥治痞而不效者未明此理也此東垣獨得之法也

處方 補脾和胃清火消痰宜橘連枳朮丸調中補氣血消痞清熱宜平補枳朮丸

用藥 調補脾胃氣血諸品隨候採用白朮茯苓人參炙草當歸熟地白芍消痞清火化痰諸品隨候採

用木香枳殼枳實厚樸沙仁山查
麥芽神曲芩連陳半苓星

呃逆條 方書或作咳逆 或作噦氣 審機 呃逆者即俗所謂冷噎也聲發則頭搖肩聳又屬於胃寒窒塞陽氣不得宣越而致者又屬於膈上有痰爲怒所鬱痰熱相搏氣不宜降而作者皆胃病又屬冷極於下廹火上冲氣自臍下直衝於胸嗌之間而作者此陰症也或病後五臟皆傷升降失常中焦痞塞五臟之陰既傷少陽之火奮于下故下焦呃逆直冲清道而上也或病後中氣皆虛餘邪乘虛

入裏邪正相攻氣必上騰而呃逆此因虚而致也
火乃元氣之賊人之陰氣依胃氣而養胃土受傷則木
氣侵之陰火所乘不得内守木挾相火直衝而上於清
道乃虚之甚也書云呃逆之氣如雨中之雷水中之渤
夫陽為陰蔽所以為雷氣為水覆所以為渤故曰胃火
上冲呃逆皆屬於火

【別症】呃逆吃忒也中下判然中焦
呃逆穀氣不運其聲短得食卽發水穀之病也下焦呃
逆中氣不足其聲長虚火不食亦然邪相搏也

【虚寔】有因於内傷脾胃及大病後胃弱多面青肢冷便軟又因中氣大虛又因大下胃虛陰火上冲者皆為虛又因外感胃燥及大怒大飽多面赤肢弱便閉又因痰阻滯又因瘀血又因火鬱又因胃熱失下者皆為寔要之當以元氣為主禀之彊弱人之老少脉之虛寔病之久新方為盡善一云呃連聲為寔可治間辰為虛难治

【吉凶】久病頷上汗出呃不止者乃腎絶最為惡候肺脉散大者死肺脉數為火刑金必死產後呃逆最為凶兆

【治法】如呃在中焦聲短小則易治呃在下焦聲長大則難治要之寔火者則芩連丁香柿蒂可也至於虛火者則呃從臍下起（無分度）不可用凉藥宜六味加麥門五味胡桃故紙以納氣歸腎即愈

【處方】戴氏曰熱呃惟傷寒有之他病暴起皆屬寒也半夏生姜湯最妙徵義曰呃逆本由陰氣已虛陽火暴起直衝而上出於胃入於肺而作聲東垣用凉藥者所以瀉熱降火也若陰症呃逆以陰氣先消陽火亦竭浮於胸中亦欲散也故不用寒藥

而反以温藥養胃留其陽氣胃氣一和陽生則陰長矣
如新病而寔者皆痰火食火之症通用二陳湯病後久
病乃虛寒也六君子湯或丁香柹蒂竹瀝湯加炮姜附
朮苓腎虛冷而呃逆宜八味湯加麥門五味牛膝如尋
常呃逆燃鼻卽止病後呃中氣虛也虛而熱則人參竹
瀝陳皮甘草姜棗虛而寒則參朮草炮姜附子丁香柹
蒂大便閉脉沉宜調胃承氣湯呃而心下悸宜二陳湯
加南星木香竹瀝姜汁丁柹

【用藥】清火降火諸品隨候採用 黄芩 黄連 山梔 陳皮 沉香 藿香 柿蒂 竹茹

温中補虛諸品隨候採用 人參 丁香 胡桃 炙草 莫茱 茴香 白朮 茯苓

消食化痰諸品隨候採用 麥芽 山查 神曲 砂仁 半夏 姜汁

嘔吐條 附噦逆

【審機】經曰諸逆上冲皆屬於火蓋火曰炎上故逆上之氣勢皆為火也然陰陽虛寔各有不同寔可瀉虛可補先嘔却渴者此為欲解先渴却嘔者為水停心下今反不渴乃心下有支飲故也胃本屬土非火不生非燬不化是土寒者卽土虛也土虛者卽火虛也故脾喜

後而惡寒土惡濕而喜燥故因火而嘔者少因寒而嘔者多胃寔而嘔者少胃寒而嘔者多臨此症不可不察其源頭矣

別症

嘔有物有聲吐有物無聲而其症有痰膈中焦食不得下有氣逆者有寒氣鬱於胃上者有氣滯心肺之分乃新食不得下而反出者有胃中有火與痰而嘔者有寒氣客於腸胃厥逆上出故痛而嘔経言主于客寒有食即嘔者物盛滿而上溢脾不能運化食滿而嘔也足太陰病舌本彊食而嘔乃脾本于舌也有上焦傷風閉其腠理経氣失道

邪氣內著先吐後瀉身熱腹痛名曰漏氣下焦寔熱二便不通氣逆不續嘔逆不禁名曰走哺乾嘔張口大聲乃燥熱氣冲於胃逆氣上行而致也嘔苦者熱邪在膽經也嘔清水者多氣虛也吐蚘虫者皆胃冷也

虛寔 其人本虛而得者乃命門火衰不能上蒸脾土脾不能運化胃不能受納故胃寒而嘔為虛其人本寔或因傷食脾不及化或因傷風胃受濕熱或腥臊壅於咽門或聞見臭氣而嘔者皆為寔

吉凶 嘔吐大痛色如菜草者死（此是卒然嘔吐非翻胃比也）脉虛小者吉寔大者凶嘔吐脉弱小便復利身有微熱見厥者死紅暈大吐渴飲水者死（惟童便飲之可清）

治法 凡嘔吐津液必竭安得不渴不可誤認為火熱之病投以涼藥為害不小且穀氣已虛胸中虛熱不可誤認為寔熱蓋虛則熱熱發而為嘔吐但得五穀之陰以和之則嘔噦自止若投辛溫愈增燥熱若投異味胃弱難受矣若果面赤惡熱煩燥引飲脉洪滑或弦數乃屬火病

嘔家多服生姜乃嘔吐之聖藥氣逆者必散之（故以生姜為重）
嘔家忌服瓜蔞杏仁萊菔子蘇子一切有油之藥皆能
犯胃作吐惟於凡藥中帶香熱行散不妨
嘔吐忌利藥乃其常也然大小腸膀胱熱結而不通上
作嘔吐膈食若不用利藥開通發泄則嘔吐何由而止
總上焦受熱宜清利之中焦有停滯宜消導之更有虛
極頭暈作吐者宜補之又有下焦虛寒而水穀不受者
尤宜溫補。血為氣之配隨氣升降者也蓋血從口出

皆陽盛陰極有升無降血隨氣上越於上竅故見吐中

蒂血法當補陰抑陽氣降則血歸經矣

虛方 治乾嘔以利小便為主蓋使肺氣下降也 若裏寒外熱面赤

煩燥乾嘔脉微欲絕則以四逆湯為主

吐蚘者為胃中冷甚則蚘厥以致嘔吐諸藥不止別無

他症乃蚘在胸中間作擾見藥則動動則不納藥藥出

而蚘不出也當以治蚘為主或加川椒以服之或加烏

梅以安之。古人以嘔屬陽明多氣多血故有物有聲

氣血俱病吐屬太陽多血少氣故有物無聲惟以聲物分之雖病本不同皆因胃氣不行假食其氣上氣升則食自降當以和中行氣隨所見之症治之

嘔吐俱屬脾胃虛弱或寒氣所客或飲食所傷故上逆而氣不得下也潔古又從三焦分氣積寒之三因邪在上脘之陽則氣停水積飲之清濁混亂爲痰爲飲爲涎爲唾變而成嘔邪在上脘之陰則血滯而穀不消食之清濁不分爲噎爲塞爲痞爲滿爲痛爲脹變而成吐邪

在中脘之氣交盡有二脘之病當從三焦分氣積寒之三因上焦在胃口上通天氣主納而出中焦在中脘上通天氣下通地氣主腐熟水穀下焦在臍中下通地氣主出而不納故上焦吐者皆從於氣氣者天之陽也其脉浮而洪其症食已即暴吐渴欲飲水治當降氣和中中焦吐者皆從於積有陰有陽氣食相搏其脉浮而弦其症或先痛後吐或先吐後痛法當去積和氣下焦吐者皆從於寒地道也其脉大而沉遲其症朝食暮吐暮

食朝吐（積一日之食至六辰之久然後吐出此下焦病也）小便清利大便不通法當通其閉塞温其寒氣半夏生姜大黄湯主之以上諸症吐愈速則愈在上吐愈久則愈在下古方通以半夏生姜爲正劑獨東垣云生姜止嘔但治表寔氣壅若胃虚穀氣不行惟當以參朮補胃推揚穀氣而已故服小半夏湯不愈者服大半夏湯立愈挾寒者喜熱惡寒肢冷脉小挾熱者喜冷惡熱燥渴脉洪氣滞者脹滿不通痰飲遇冷卽發食積者消導乃安吐而諸藥不效必

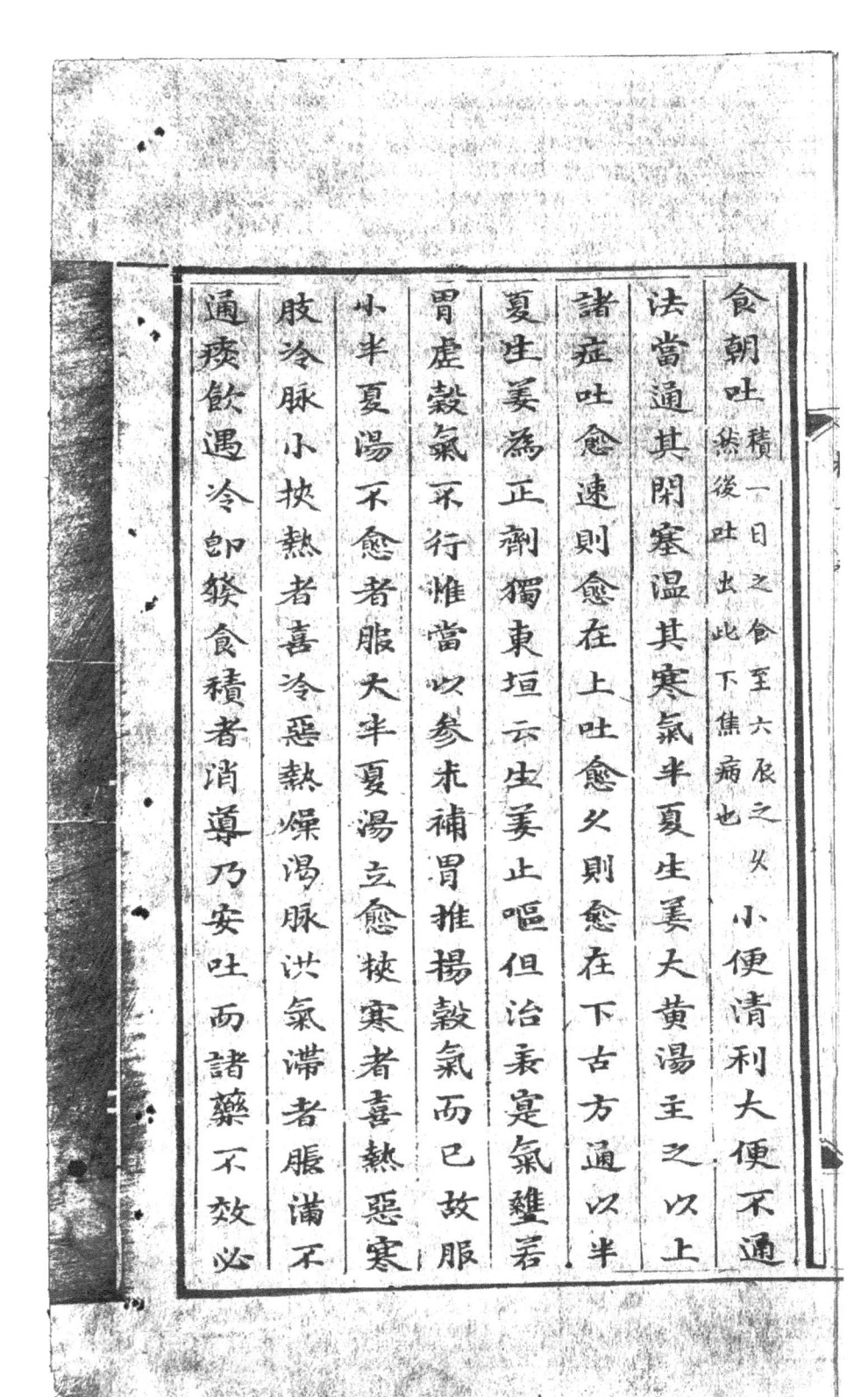

假鎮重以墜之如靈砂丹養正丹之類吐而中氣久虛
必借穀食以和之宜白朮炒焦黑色陳皮茯苓半夏甘
草陳米芡仁穀蘗即麥芽辰辰呷陳米飲
吐雖有三焦氣積寒之分然要在專於下焦散其寒氣
徐以中焦藥和之而愈蓋命門火衰釜底無薪不能蒸
腐胃中水穀胸中脹滿不得舒暢寬快所謂食久反出
是無火也須益火之源先以八味補命門火以扶脾土
之母徐以附子理中湯理中焦萬舉萬全倘不知出此

而徒用查曲平胃化食適以速亡也有一種肝火之症
亦嘔而不入但所嘔者酸水或苦水或青藍水惟大小
便不秘亦能作心痛此是火鬱木鬱之症木鬱則達之
火鬱則發之須用茱連膿煎細細呷之再服逍遥散愈
後六味丸調理經云諸呃逆上冲皆屬於火又云食不
得入是有火也食入反出是無火也真陽虛宜八味加
牛膝五味真陰虛宜六味加牛膝五味
嘔吐以半夏橘皮生姜爲主河間乃以火氣炎上者此

特一端耳非通治也。胃中有熱膈上有痰者二陳湯加山梔黃連生姜。有久病嘔者胃虗不納穀者也用人參白朮煨姜之類喜熱惡寒四肢凄清六脉遲小而弱此傷於寒也宜二陳加丁香十粒甚則附子理中湯並須冷飲蓋冷遇冷則相須而食則不吐熱嘔則食少即出。喜冷惡熱煩燥引飲脉數而洪宜二陳湯加姜炒黃連炒黑梔子炙枇杷葉竹茹乾葛生姜入蘆根汁調服之。其聞穀氣而嘔藥下亦嘔關脉洪者並用蘆根汁以治其熱面赤口乾頭痛惡心煩燥不寧屬於酒毒者宜凉以折之宜二陳加薑炒黃連梔子蘇葉葛根熱服。食刹（頃刻也）卽吐謂之嘔小半夏湯食入卽吐謂之暴吐生姜橘皮湯食已卽吐謂之嘔吐橘皮半夏湯。挾寒則惡寒肢冷脉遅二陳加丁香炮姜甚則理中加枳壳冷脹不應用紅豆风挾熱者惡熱燥渴脉洪二陳加梔連竹茹枇把葛根生姜。氣滯者脹満不通二陳加枳寔沉香。痰飲者遇冷卽發先以姜蘇湯下靈砂丹繼以順氣藥寒則理中加半夏益智食積者消導枳樸蒼曲查芽砂仁。滿氣麥冬湯。走脯人參三黄湯。乾嘔橘皮生姜等分嘔苦黄連甘草生姜陳皮柴胡肺脉細去連加丁桂嘔清水者六君加赤石脂椒

脹漸至一斤終身不吐痰與瀉症

吐蛔虫者理中加川椒梹榔烏藥

【用藥】有火宜清宜降諸品隨候採用黄連山梔黄芩葛根蘆根汁枇杷葉竹茹柴丹石羔

無火宜温宜補諸品隨候採用參朮苓草附桂丁姜萁茱陳米芍大棗白蔻肉蔻智仁米仁

行氣化滯消痰諸品隨候採用陳皮枳梡枳寔白朮厚樸檳榔霍香神曲山查麥芽砂仁半夏生姜

附 噦逆

噦者乃噦噦作聲似惡心而有聲無物似乾嘔而聲小寒氣與新穀氣皆入于胃新故相乱氣幷相逆復歸于胃故噦東垣有聲無物為噦指乾嘔也多發於久病危症陰陽相離故經曰病深必發噦屬於胃者虛寒者居多間亦有痰有熱者更多得於陰氣已竭陰火無根浮於胸中上焦陽氣不足以禦一仁龍雷陰火冲逆而作故其標屬於胃究其本源屬於腎

其症中焦噦逆其聲短是水穀之病為胃火易治下焦噦逆其聲長

是虛邪之病為蘊火難治有噦聲頻密相連為實可治有半辰噦一聲為虛難治有暴病卒然作者是痰也食也血也怒氣之所干也是為病之易治者也有久病而漸次發噦者若瀉寒若下痢若產後若虛勞是病之難治也

噦之一症古人辯認不一有以咳逆為噦者非認症之的也咳逆者火來乘金之肺病也噦病大槩肥白肉寒者多寒濕瘦黑骨露者多燥熱更參脉症古方治噦槩以丁香柿蒂散為主此藥不能清氣利痰不能補虛降火且無大力豈可統治斯疾耶

噯氣條 附惡心

【審機】經云陰氣阻塞隊道則爲噯氣（噯氣即噫氣也）書云胃中有鬱火膈上有稠痰皆脾不運濁氣阻塞飲食鬱而成也

【別症】凡噯氣吞酸係食鬱有熱火氣上冲故噯有火氣痰食之別又脾虛寒又氣下陷有寒心下痞有汗後而得各宜辯別以調之

【虛寔】虛者其人本虛清陽下陷濁陰在上此陰氣降升亦由命火衰少宜從虛治寔者其人本寔而得之或因飽食或因濕濕熱此胃中鬱火膈上稠痰皆從寔治

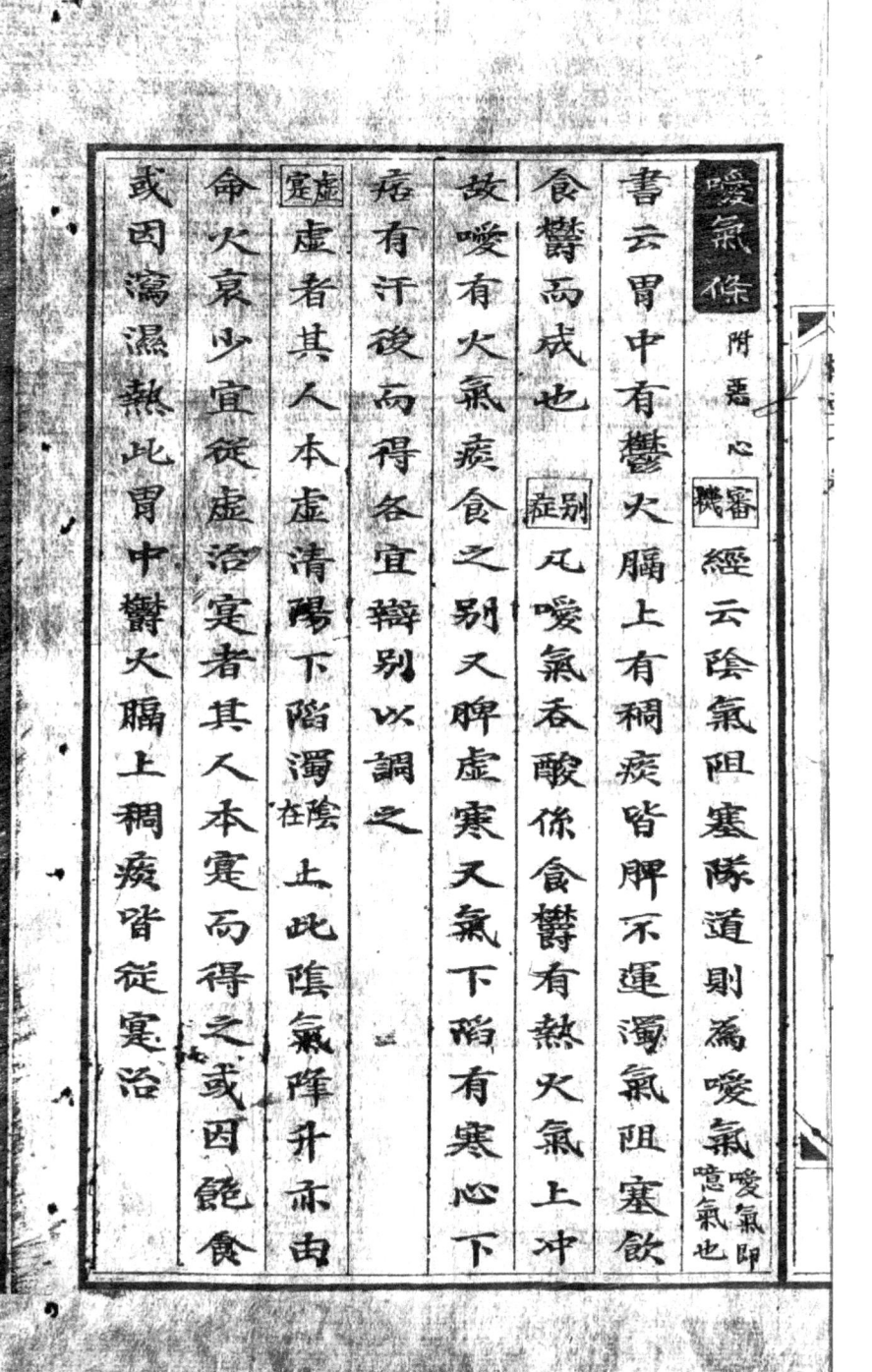

【詁】噯氣之病乃脾虚不運之端良工治於未病貴於見
幾而作倘逡巡忽畧必至關格㶉胃之危矣
【治法】噯有氣火痰食之别通用二陳湯氣加紫蘇火加黄
連痰加枳寔竹茹食加查芽曲亦有脾氣虚寒病後氣
虚下陷宜六君子湯傷寒心下痞以痞治汗下後以虚
論宜調補之胃中有痰有火者宜二陳加梔子香附黄
連枳殻噯氣痰火滯於胃宜去痰火開下火古黄連瓜
氣盛寔噯食罷噯轉腐氣多傷食濕熱所致二陳湯加

蒼朮芽曲炒黃連或保和丸。不因飲食常噯者虚也

蓋胃有濁氣膈有濕痰俱能發噯宜六君子湯加沉香

爲君厚樸紫蘇爲臣吳茱爲使久者匀氣丸或蘇合香

丸甚者靈砂丹以鎮墜之

用藥 消食化痰諸品隨候採用山查麥芽神曲蒼朮厚樸砂仁陳皮南星半夏生姜桔梗

清火降氣諸品隨候採用黃芩黃連梔子石羔沉香香附覆盆花紫蘇子枳殼枳寔腹皮吳茱

健脾養胃諸品隨候採用人參白朮茯苓甘草草豆蔻益智仁大棗米仁

附 惡心 惡心者無聲無物心中欲吐不吐欲嘔不嘔雖

曰惡心寔非心經之病皆在胃上口痰飲為患一云欲吐不吐一見飲食心便惡宜用二陳湯或六君子湯必多用生姜蓋能開胃下氣豁痰也甚者理中湯一云二陳湯加白荳蔻香附砂仁不渴者胃虚與胃寒胃虚六君子湯加砂仁挾火加姜汁炒黄連少許胃寒理中湯加陳皮半夏生姜各等分煩渴胃家痰火聚痰盛者大小半夏湯火盛者二陳湯加姜炒芩連紅暈惡心同治一云惡心胃傷虚者二陳湯加生姜人參寔者枳殻砂仁半夏

陳皮白荳蔻藿香

吞酸吐酸條 附嘈雜

〔審機〕經曰諸嘔吐上冲皆屬於熱又云少陽之勝嘔酸善胃而嘔酸酸者肝木大盛制金金不能平木則肝木自甚爲酸此因濕熱在胃飲食入胃濕熱鬱遏其食不得傳化而爲酸如穀肉在器則作酸也故脾傷是其本痰火是其標故凡中脘有飲則嘈有宿垢則酸然吐酸譬之飲熱則酸但吐酸初辰津液隨上升之氣鬱爲痰火留住不化釀爲酸水吐出　素問以爲熱東垣以爲寒

何也蓋経言始當熱中末傳寒中總之壯者多火虛者多寒。吐酸者土氣鬱而不伸痰飲因而阻塞濕熱鬱積于肝而出伏於肺胃之間蓄由中宮清氣鬱滯故痰傳飲宿食醖造而成也呑酸乃濕熱伏於胃肺咯不得出嚥不得下宿食鬱遏而作其症治一也

【別症】濕多則呑而便利熱多則吐而便閉東垣言其寒者此論其標也呑酸與吐酸大同小異皆由濕熱鬱於脾出於胃隨氣而發或伏於肺胃之間咯不出嚥不下或

因外感風寒則內熱愈鬱酸味刺心或卽吐出或欲吐不吐胸中無奈或投以熱湯而暫解葢風寒鬱在腠表得煖則腠理開泄譬之傷寒表熱以麻黃熱藥峻表而愈此本熱而標寒世人誤認以為寒愈奪而愈甚遂成不救者多矣

〔虛寔〕虛者其人本虛或胃寒不納或腎虛火炎而得者皆以虛治寔者其人本寔或食積停滯痰火鬱動而得者皆從寔治

〔吉凶〕其病雖微然起於後天化源之處倘不能早圖亦是關格之先兆可不謹哉吞酸雖小疾可暫不可久乃翻胃之兆也

【治法】酸症食物鬱積而成也本熱而標寒治宜開其鬱熱消導食積少佐熱藥爲向導但患者必戒忿怒淡食蔬菜以自養爲妙○凡病屬熱有用寒藥獨酸症當兼熱藥以從治書曰甘温除熱瀉火之法施於作酸日其酸轉增用必無功故驅其酸而反其甘惟有用剛藥一法氣味俱雄之藥能變胃而不受胃変者也

【處方】治酸必茱萸去梗湯浸半日爲君佐二陳或平胃散氣鬱者加香附熱稽者加炒黃連炒梔子尤須剛厚

味必蔬食自養則病自安。此症宜從治不宜寒凉也

在東垣則全用温藥在丹溪雖用黄連亦兼蒼朮茱萸

之類蓋得熱大壯而脾健運矣。凡吐酸者宜二陳加

炒萸茱順其性而折之此反佐之法尤須以炒黄連爲

君蒼朮茯苓之類皆不可缺。有鬱氣傷脾者寔則古方

逍遥散虚則歸脾湯加減主之。加減平胃散治吞酸

或宿食不化以神麯麥芽生姜調下無不應效

吐酸水及緑水脉弦急寸口屬肝火逆上以二陳加萸

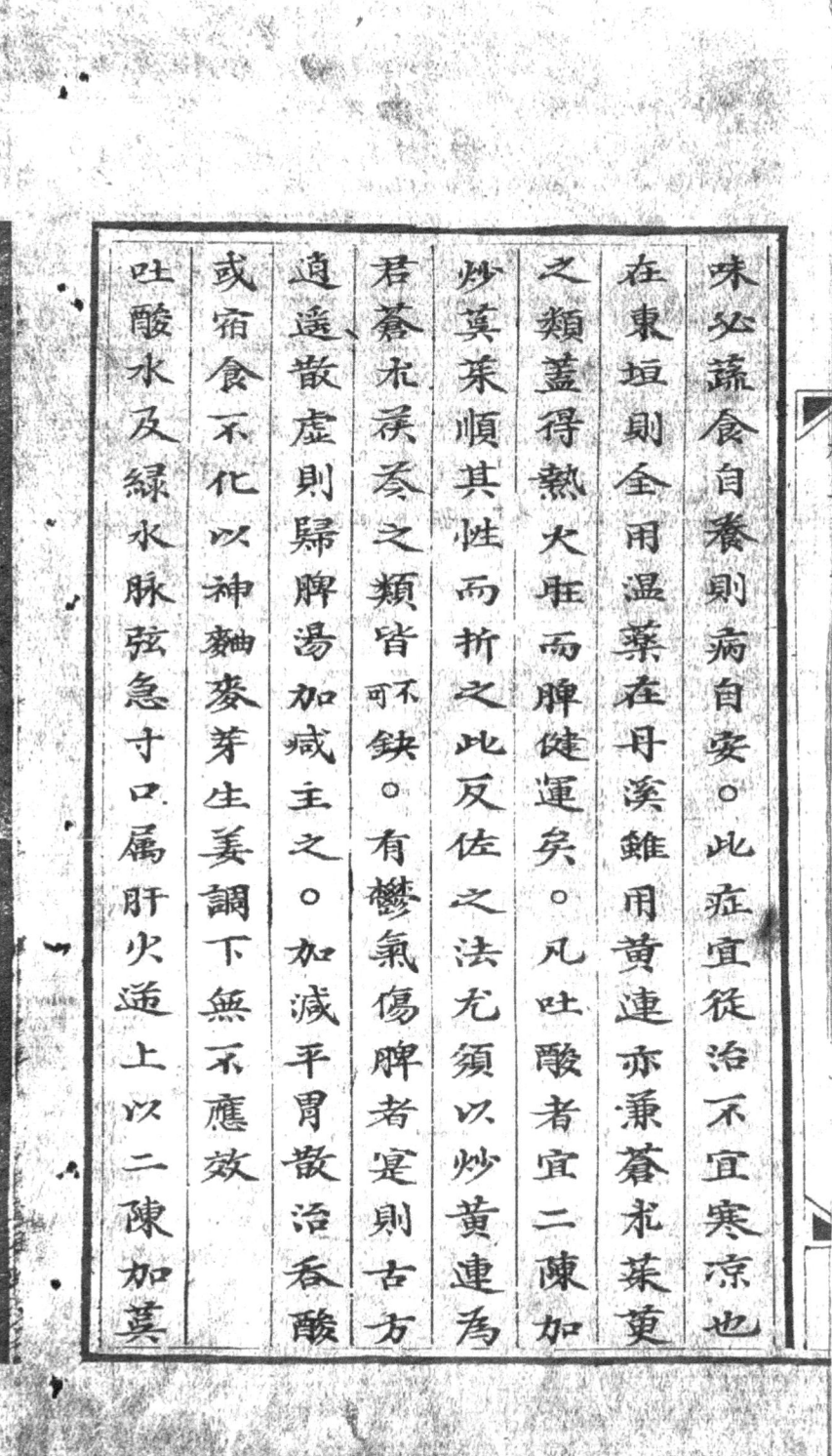

茱炒黃連柴胡之類○吐酸責之肝臟挾熱左金丸加白豆蔻生姜竹葉梔子挾寒者此方加丁沉乾姜白朮

吞酸其症雖輕亦宜急治此胃水濕熱鬱遏肝火從其味也

用藥 開鬱清火諸品隨候採用沉香香附茱萸青皮陳皮枳殼檳榔黃芩黃連梔子竹茹滑石枇杷

消食化痰諸品隨候採用蒼朮厚樸山查麥芽砂仁半夏茯苓瓜蔞南星桔梗甘草

附嘈雜

嘈雜乃火病也而痰次之終歲嘈雜者殀夭年凡噯氣痞滿惡心吞酸當兼有之漸至胃脘微微作痛乃呃逆翻胃之由也○胃脘之間似饑非饑似辣非

辢蒲八声甚辛也似痛非痛煩擾不安○嘈囃由痰因火動食積成熱也治宜豁痰清火食嘁者枳朮丸加山查麥芽有熱者更加黃連停飲者麯朮丸胸滿者大安丸保和丸憂鬱者越鞠丸香連丹濕痰氣鬱不喜食者三補丸加蒼朮倍香附穀食者三聖丸痰因火動者治痰爲先二陳湯加薑汁炒芩連山梔爲君南星半夏爲臣熱多加青黛火動其痰者祛痰火丸五更嘈囃者思慮所傷血少稍虧宜補接四物湯加香附貝母山梔黃連甘草

一云嘈雜乃痰因火動治痰爲先姜炒黃連及山梔黃芩星半陳皮之類如眩暈嘈雜若非中氣不足亦是火動其痰或六君子湯或二陳湯加芩連若嘈雜不喜食者是濕痰氣鬱乃肥人嘈雜並用二陳少加撫芎蒼朮白朮香附以補脾而兼化痰若心嘈穀食者是胃虛有火也宜用白朮黃連陳皮作丸白湯下之乃安

噎膈翻胃條

審機　噎其禍在於吸門吸門者會厭之間也病在上焦多屬胃腕枯燥血液衰少是陰虧火旺之

病也膈其槁在於賁門賁門者胃之上口也病在中焦多屬憂思恚怒以致痰氣鬱結於上膈噎膈多起於血液枯涸挾鬱而成蓋氣鬱則結滯而痰積胸中是以多吐痰沫也或槁難釋之苦思而枯脾中之生意者是七情之病也丹溪曰患此惟男子於年高者有之少無噎膈書曰七情火起薰蒸津液為痰為積積久則血氣衰又曰怒氣所至食則氣逆不下勞氣所至為膈噎喘促思氣所至為痞三焦閉塞咽嗌不利蓋七情過度氣機凝阻清濁相干違其運行之常乃成噎塞此是神思病也當靜觀內養

翻胃其槁在幽門幽門者大倉之下口也病在下焦此屬胃病而寔由命門火衰腎經虛寒之病也凡男女老少皆有之一云噎膈翻胃之病總由於內傷憂鬱失志及飲食淫慾而動脾腎之火或因雜病誤食辛香燥藥俱令血液衰耗胃脘枯槁其槁在上焦賁門者食不能下下則胃脘當心而痛須臾吐出乃止賁門即脘上口其水穀自此奔入於胃而氣則傳之於肺也其槁在中焦幽門者食物可下良久復出幽門與中脘相近無其位由𠊳胃中

水穀自此而入小腸也其禍在下焦蘭門者朝食暮吐蘭門在腸下攔約水穀令入膀胱大腸而爲糞溺則大腸膀胱乃氣血津液流通之道路也節齋云噎膈翻胃病因火而成蓋火氣炎上薰蒸津液成痰初則痰火未結咽膈乾燥飲食不得流利爲膈爲噎久則痰火已結胃之上脘不開飲食雖進停滯膈間須臾便出謂之嘔吐至於胃之下脘不開飲食雖進停滯胃中良久方出謂之翻胃又因思慮過度而動脾火者又因忿怒過度而動肝火者又因火食煎炒而生胃火者又因淫慾忘多而起

腎火者云一膈者謂隔在心下上下不通始則結於喉嚨覺有所礙吐之不出嚥之不下由氣鬱痰搏而然久則漸妨飲食而為噎膈也

別症

噎之為病飲食到口咽喉之間氣本阻滞嚥嗌不下隨即吐出自咽而轉故曰噎膈之為病飲食下咽至膈不能直下乃徐吐出自膈而轉故曰膈此膈膜之膈而非膈截之膈也

翻胃之為病飲食倍常食巳下膈而入於胃因下脘不能腐熟運化故朝食暮吐或積至日餘脹悶難堪復吐

原物完穀不化自胃之下脘翻然而出故名翻胃一云翻胃與反胃又有分别食再則吐曰翻胃如初食一次不吐第二次食下卽吐直從胃之下口翻騰上出故曰翻也食久則吐曰反胃如食久則旣入於胃矣胃中不能别清濁則後反而出也故曰反一云噎與膈通稱如飲食不下噎塞而大便不通此名噎塞故通幽湯以噎塞爲題上一云膈與反胃通稱膈有拒膈意卽膈食反胃也一云胃病者膈咽不通此單指陽明經也

一云五臟之陽氣不能上升曰膈五臟之陰氣不得下降曰噎故噎症必兼膈症也一云膈噎與反胃同病噎膈病血海血液俱耗胃脘乾枯槁在上咽水道不行食物難入間或少食名之曰噎槁在下與胃相連食雖可入難盡入胃食久復出名之曰膈又曰反胃名雖不同然究之則出一體　予方以噎近咽膈近胃而遺下焦又妄分十膈五噎皆非經旨

虛實　年高体弱脉小無力色黃白而枯與食入反出者為虛年少體壯脉大有力色赤紅而深者與食不得入者為實

吉凶 大便澁者難治噎而白沫大出糞如羊矢者不治胸腹嘈痛如刀割者不治年高不治凡五十歲後血枯糞如羊矢及年少不薄滋食斷絕房事者不治

治法 丹溪曰噎塞得之七情六淫遂有火熱炎上之化多升少降津液不布積而爲痰被劫辰暫得快不久復作前藥再行積成其熱血液衰耗胃脘乾槁妨礙道路其槁在上則近咽之下水飲可行食物難食食亦不多名之曰噎其槁在下則與胃爲連食雖可入良久復出名

之曰膈亦曰反胃大便秘小若羊糞者必外避六淫內節七情飲食自養滋血生津以潤腸胃則金無畏火之炎腎有生水之漸氣清血和則脾氣健運而食消傳化矣此論甚然但噎膈反胃分別欠明獨甚其火熱炎上之化腎有生水之漸二句深中病源惜其見猶未真以潤血為主而不探乎先天之源及其立方以四物湯牛羊乳之類加竹瀝韭汁化痰化瘀皆治標而不治本也豈知內經惟曰三陽結謂之膈三陽者大腸小腸膀胱

也大腸主津小腸主液大腸熱結則津涸後不圊不能便也小腸熱結者則血涸液膀胱爲州都之官津液藏焉熱結則津液竭然而三陽何以致熱結皆腎之病也蓋腎主五液腎主二便與膀胱爲一臟一腑腎水既乾陽火偏勝熬煎津液三陽熱結脉必洪數有力前後閉澀下既不通必反於上直上清道上中吸門咽喉所以噎食不下縱下復出乃陽火上行而不下降也何爲水飲可入食物難下蓋食入於陰長氣於陽反引動胃口之火

故難入水者陰類也同氣相拔故可入口吐白沫者所飲之水沸而上騰也糞如羊糞者食入者少渣滓消盡膓亦乾小而不寬大也此症多是男子年高五十以外得之必其人不絕色慾蓋老人天真已竭只有孤陽大宜養陰為主丹溪云膈年高者不治蓋少年氣血未虛用藥劫其痰火病不復生年老氣血已衰用藥劫去痰火雖得暫愈其病復作所以然者氣虛則不能運化而生痰血虛則不能滋潤而生火也切不可用香燥之藥

若復用之必死宜薄滋味蓋其症屬熱而燥燥倘藥又香燥則散氣耗血且厚味則助火生痰不亦益助其病乎所以益宜忌之老人膈噎之病由於血液枯槁中州失轉運之權而無以榮養乎臟腑故脈緩弱而沉遲此正氣日漸衰微之象也然則所以可延歲月者以尚存一線中和之氣猶必待油乾而燈始盡耳醫者自當保其真氣勿使走泄燗其枯澁勿使壅塞常使氣能生血庶可終其天年丹溪所謂有諸乳諸汁之治也人知以化痰破氣之藥謂生

於鬱結而驟開之或得效於頃刻終必致委頓乾枯而斃蓋陽明多血多氣為水穀之海能受其新方易其陳而已無餘事耳必藥餌以弭其病靖攝以還源蓋書以為神思間病謂養其神清其思而後津液歸聚於胃中譬如天朗氣清而水之朝宗者自無風波震撼之憂不觀之膈噎之人其水飲可受食物難入緣蔭氣消亡不得不求助於同類者。噎病本於精血枯槁憂思鬱結津液不能下潤而噎故一見飲食便心中噎塞機先病也本無形之真氣受病故其治當以培真氣為主又曰本於胃虛仁脉為病氣弱血枯思慮勞役而成氣弱則運化不開血枯則道路閉塞人之仁脉上循咽嗌自胃三脘直下胃虛則仁脉不潤丹田元陽之氣而無温煖蒸腐之功由是中焦失傳運潤下之化而成噎矣故其治當以滋陰為主。凡病之初起内傷七情外感六淫而致痞滿噯氣呑酸嘈雜等症倘用局方辛香燥熱之劑投之暫得一辰之快抑知病本日深成斯症矣此

病屬氣虛血虛有熱有痰各從其類而治之然必扶持
金水二臟補脾養腎為主至謂氣血兩虛則胃脘乾枯
治之尤難若以痰熱治之尤要內觀自養
王太僕曰噎嗌大都屬熱反胃大都屬寒食不得入是
有火也無水也宜壯水之主食入反出是無火也宜益
火之源但此症之所以兩難者蓋因健脾理痰恐燥劑
有妨乎津液欲養血生津恐潤劑有碍乎中州若泥
於舒鬱快膈則辛香助胃火汁速枯去死無遠矣必審其

陰陽火旺當以養血爲主陰盛當以温補爲先

王氏曰凡瘦人多火其血已乾亦有因血而生痰者肥人多濕其痰易結亦有因濕而血滯者窮之多憂鬱經營多思慮不得志多忿怒遭變多驚恐好酒多火痰嗜味多宿食氣佚多腦怒醫者審而治之以開鬱順氣消痰調血爲之主○凡反胃症得藥而愈者雖思飲食切不可使與粥飯惟每日以人參五ㇷ陳皮二ㇷ老黄米一用作湯細呷以扶胃氣稍覺安漸漸加參旬日之後方可食

粥若倉廪未固便進粥米多致不救年六十者難治此症人多以痰火治寔然久虛之症亦常有之用須八味丸料加五味牛膝。上病療下蓋須以八味丸大劑煎飲之久服可挽十中之一二又須絕嗜欲遠房幃薄滋味可也若曰温胃胃本不寒若曰補胃胃本不虛若曰開鬱則香燥之品適以助火若欲下以承氣則鹹寒損胃津液愈竭無如補陰則燄光自滅矣

夫反胃本於血液乾枯故莫如養血養血又莫如補水

水枉而津液自生膓胃之傳道得其職矣又曰嘔吐屬胃腕虛寒故莫若辛温辛温則不如補火補火而命門氣煖胃海之水穀可腐熟矣故六味八味誠治反胃之要藥○虛而胃腕乾噎食不下譬如人吃乾物必梗咽雖下必以茶湯潤之乃可其理易見用姜汁白蜜牛酥各五兩人参末百合各二兩重湯燉膏辰進半匙津下則脾胃漸開且忌肥甘粘膩恐復傷胃也或少用白蜜蕎牛鴨清湯以助胃氣又有積血停內而致者當消息逐之

大便艱澁者難治。凡噎塞於胸膈之間令諸経不行口開目瞪氣悶欲絶宜先以辛甘氣味升陽之藥引胃氣以治其本如益智參芪歸升柴草蔻之類再以通塞藥以治其標如木香青皮陳皮麥芽穿山之類寒月加茱萸以瀉陰寒暑月加青皮益智黄栢以泄陰火此症多由陰中伏陽而作也。凡七情中傷多用辛苦之味以直行泄之如木香爲藥之類佐以二陳香附益智荳蔻之類然中氣受傷必須調養如人參黄芪白朮之類

喉中有食物不下憂鬱之人多得此症法以二陳湯送穿
山甲貝母末或加昆布訶子之類。膈間作痛瘀血也
宜歸尾桃仁韭汁童便甚者加大黃利之則血自清
噎而聲不出者竹茹五味生姜挾寒脉沉遲者肉桂附
子挾熱脉洪數者黃連木通。凡飲食纔下痰涎壅住
不得入雖入而痰涎隨出者先以來復冊控去其痰再以
半夏桔梗皂刺少許茯苓枳壳竹瀝明粉爲丸便結加
羊糞。自製開關利格丸當歸枳壳木香檳榔人參大

黃滴水和风弃服牛羊人乳梨汁杏仁。反胃水煎金花风圣之翻胃（食再則吐）易老紫沉风圣之（反胃食入反出）

【用藥】清火消痰諸品隨候採用（黃連　黃柏　童便　牡丹　大黃　竹瀝　貝母　瓜蔞　五味　訶子　杏仁）

溫中降氣諸品隨候採用（丁桂　附姜　木香　沉香　藿香　檳榔　厚樸　枳實　良姜　陳皮　青皮　穿山甲　烏藥）

補胃消食諸品隨候採用（參芪　草肉蔻　紅蔻　白蔻　益智　麥芽　神曲　朮頭　糟　棗肉）

滋陰潤燥諸品隨候採用（生地　熟地　當歸　白芍　川芎　人乳汁　紅花　牛乳　羊乳　韮汁　白糖霜　桃仁　白蜜）

血病條

【審機】經曰。營者水穀之精。調和於五臟。灑陳於六腑。乃能入於脉也。生化於脾。總統於心。受藏於肝。宣布於肺、施泄於腎、濡潤宣通、耳目手足資為運用、飲食日滋、故能陽長陰舒、取汁变化、而赤為血、血盛則形盛、血衰則形痿、血敗則形壞、神靜則陰生、形役則陽亢、百骸裏有虧處、便是偏廢、蓋陰道易虧、一有感傷、調理失宜、以致陽盛陰虛、錯経妄行、因於火載則上行、挾濕則下行、凡吐血衄血者、從下炎上之火、暑熱燥火同宜有之、何得有風寒之因、殊不知有六淫之氣、俱能傷人、暑熱者十之一二、火燥者半、風寒者半、而火燥之後乎又

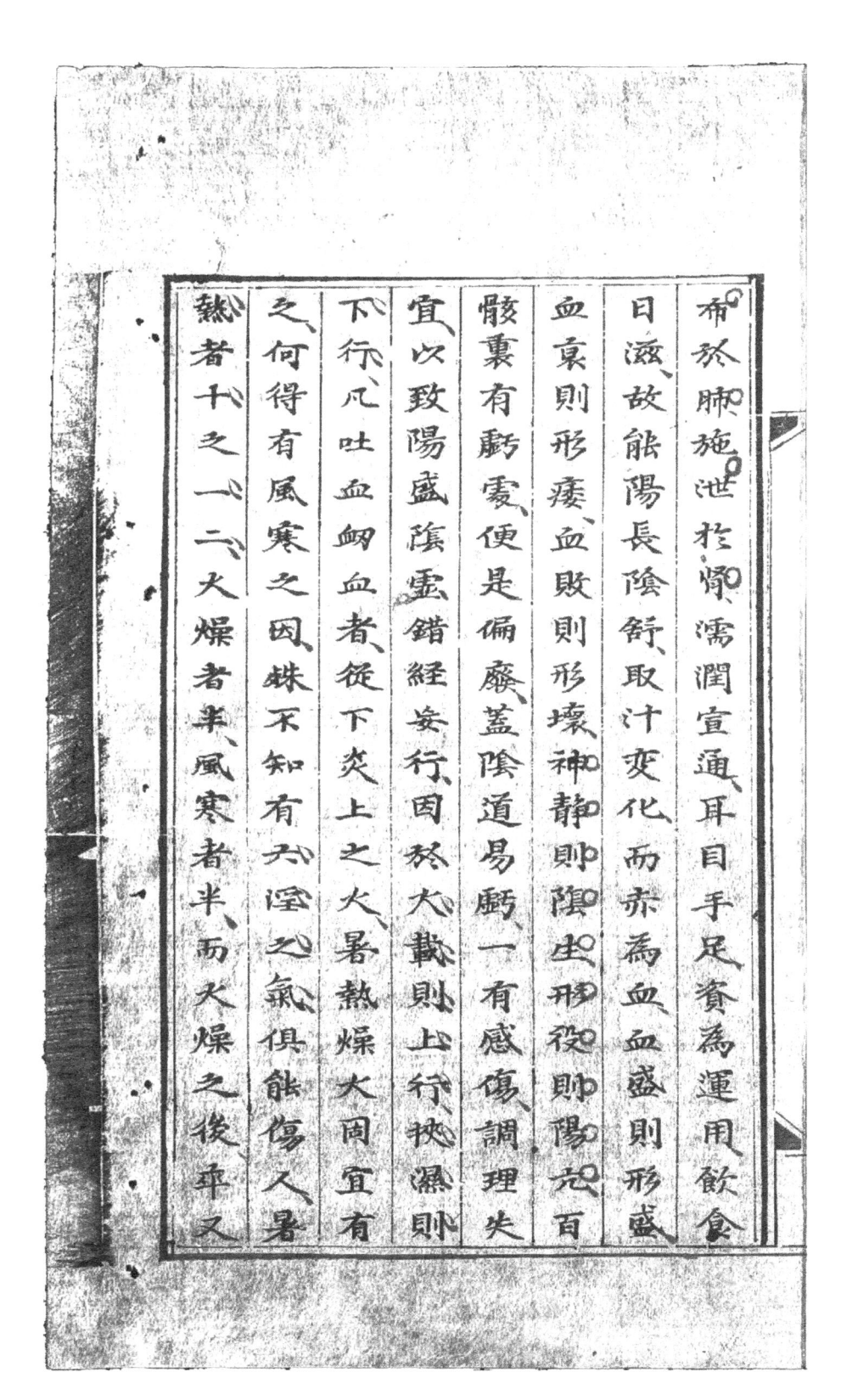

歸於霊寒矣。經曰：歲火太過，炎暑流行，肺金受刑，民病血溢血泄，是火氣能使人失血也。又曰：太陽司天，寒淫所勝，血变於中，民病嘔血血泄，鼻衄善悲，是寒氣能使人失血也。又云：太陰在泉，濕淫所勝，民病血見，是濕氣能使人失血也。又云：少陰司天之政，水火寒熱持於氣交，熱病生於上，冷病生於下，寒熱凌犯而生於中，民病血溢血泄，是寒熱凌犯能使人失血也。又云：太陰司天之政，初之氣風濕相搏，民病血溢，是風濕相搏能使人失血也。又云歲金太過，燥氣流行，民病反側，咳逆甚而血溢。是燥氣能使人失血也。六氣俱能使人血溢，何獨火乎。況火有陽火、陰火之不同，日月之火與燈燭之火不同，爐中之火與龍雷之火不同。又有五志過極之火，驚或喜而動血者，火起於心；怒而動血者，火起於肝；憂而動血者，火起於肺；思而動血者，火起於脾；勞與失志而動血者，火起於腎。明得乎火之一字，則動血之理思過半矣。○鼻衄若因風寒暑濕流傳經絡，涌泄清道而

致者皆外所因傷心傷肝傷脾傷肺傷腎皆能動血隨氣上溢而致者皆內所因遇酒食熱共僕損而致者皆不內外因也

別症 吐血成盆無声嘔血成碗有聲屬胃自兩脇逆上吐出者屬肝是營衛氣逆也營氣溢入濁道留聚膈間滿則嘔吐也心者血之主肺者氣之主氣主噓之血主濡之榮養百骸灌溉筋脈榮衛相濟升降上下自然順適不失常道若有所偏疾斯作矣或外干六淫內因七情氣乃留而不行血乃壅而而不濡內外鬱抑不能流注是以熱極湧泄寧無妄動

之虞鬱久奔升難禦猛行之勢血猶水也決諸東則東流決於西則西流氣之使血其形相然是以氣逆而血亦逆矣且氣有餘是火火炮於血血得熱妄行流溢無物上奔而為嘔衂也有因內傷外感及飲食房勞墜閃五臟有傷血聚膈間從胃脘出者為嘔吐有因飲食太飽胃寒不能消化故吐所食之物氣血相冲因傷肺胃亦令吐血經曰大怒則形氣絶而血菀於上有嘔吐紫凝血者此非冷凝由熱甚消爍以為稠濁熱甚則水化

制之、故亦兼黑而紫也、

衄血

經曰、陽絡傷則血外溢、為吐衄、肺竅於鼻（鼻氣通於腦、血上）溢於腦、又行清道、所以從鼻而出、兼陽熱鬱上行、則口鼻俱出、陽盛身熱多渴、陰盛身涼不渴、然血陰也、身涼者易愈、外症無潮者輕、有潮者重、然衄血亦能作潮日輕夜重者、血屬陰也、太抵血行清道、出於鼻、血行濁道、出於口、鼻衄血出於肺、嘔吐血出於胃、自兩脇直上吐出屬於肝、○衄者陽熱拂鬱於陽明經（此經血滿也出於肺肺以竅而言也、）

面衄　又洗面而衄曰以爲常猶風行水動面熱而陽之大上升血亦隨之名曰面衄有口鼻俱出血名曰膕衄

膕衄

齒衄　又血從齒縫出或從齒根出者名曰齒衄亦有胃熱或胃虛寒而牙出血曰齗（音銀 爭貌）辨宣也

肌衄　又毛竅中（汗孔）出血者名曰[illegible]衄屬心腎因陽氣拂鬱於內不能數於外致陰上乘陽分留淫腠理日久陽氣閉發則陰血不能歸經故血泛汗孔出也

舌衄　又舌中出血名曰舌衄乃舌中無故血出如線不止

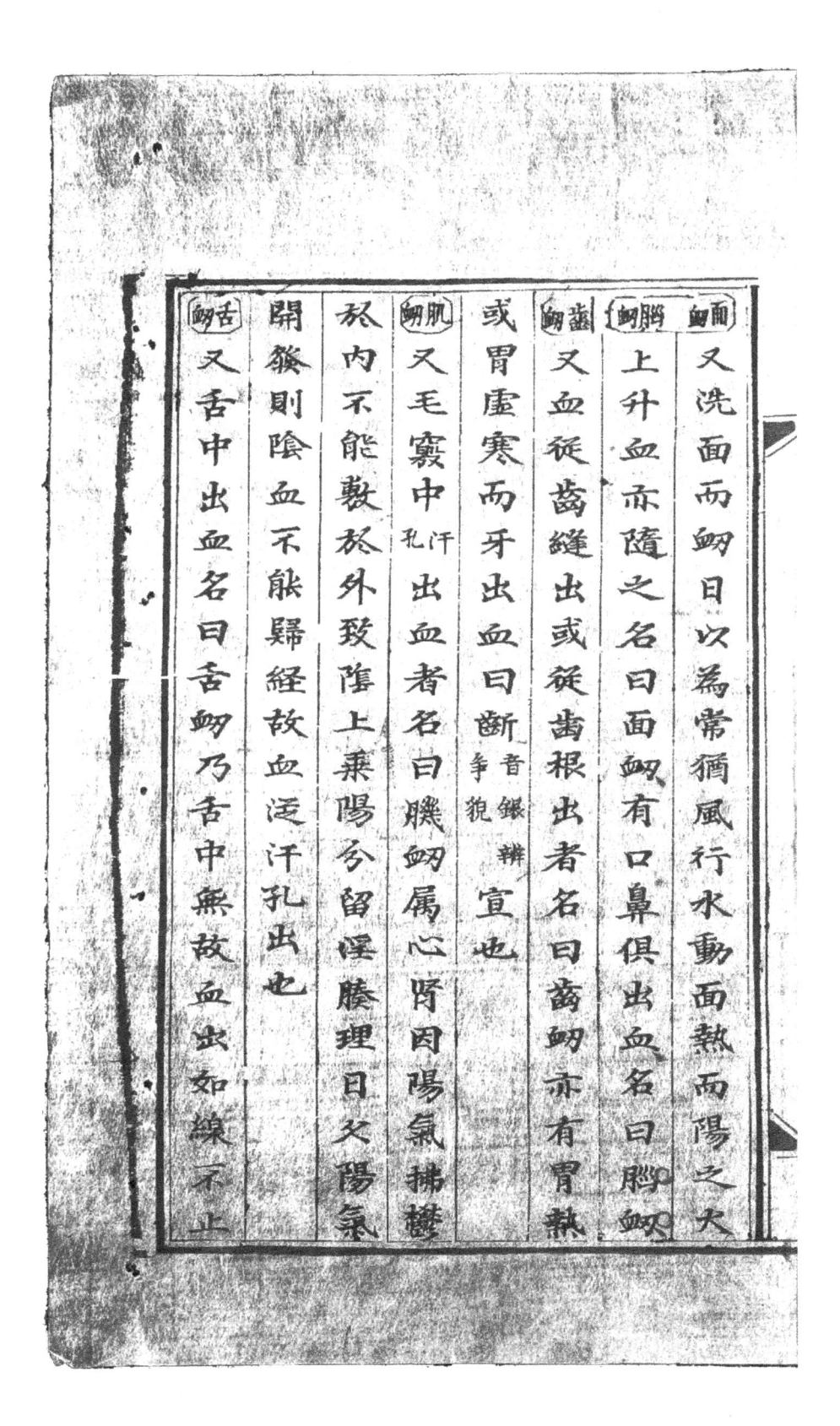

或如針孔是也此症屬心肝

（耳衄）又耳中出血名曰耳衄此病少陰火動也

（心漏）又胸前有一孔常出血水名曰心漏

（血汗）有膚血名曰血汗由大喜傷心喜則氣散血隨氣行也

（驚衄）又因驚而衄此脾移熱於肝。又內衄者出血如鼻衄不從鼻孔出是近在心肺間津液出還流入胃中或如豆羹汁或如䘓（音勘，凝血也）凝停胃中因卽滿悶便吐或出數斗至一石者是也得之勞倦飲食過常也

【肺疽】又肺疽者因酒後熱毒滿悶吐之辰血從吐後出或一合半合一斤半斤是也【傷胃】又傷胃者因飲食太飽之後胃中冷不能消化便煩悶彊嘔吐使所食之物與氣共上冲越因傷裂胃令吐血色鮮正色小腹絞痛若自汗出其脉緊而濇者難治前人言失血症身熱則死寒則生亦大槩言也豈無熱生寒死者乎必兼脉症而後可也【血渴】又吐血發渴者名曰血渴。有留滯濁道從胃脘而出咳唾咯之症咳血屬肺喉有竅喉不容物毫髮必咳

血既滲入愈滲愈咳書云咳血殺人難治蓋肺爲花蓋
至清之臟有火則咳有痰則嗽肺主氣氣逆爲咳腎主
水水泛爲痰腎脉上入肺循喉嚨其支從肺絡心注肺
中故病則俱病也痰唾有少血散漫者此從相火炎上
之血也若血如紅縷從痰中咳出者此肺絡受熱傷之
血若咳出白血淺紅色似肉似肺者必死
咳嗽出痰内有血其因有二熱壅於肺者易治不過涼
之而已久咳損於肺者難治此已成勞也痰中帶血絲

者此陰虛火動勞傷肺臟也蓋血生於脾統於心藏於肝然宣布於肺靜則歸經熱則妄行久傷肺絡血隨咯出或帶痰中為咳血（咯血唾血）若喉中常有血腥一咯血即出或鮮或紫或細屑者謂咯之血或有血在咽中咯之不出者甚咯則有之者此精血竭者若鮮紅唾而出者此謂之唾血二者皆出於腎亦有痰血內積肺氣壅遏不得下降者更有口中涎唾皆是紫黑血水如豬血之色晦而不鮮形瘦體熱盜汗者為有鬱抑所致也然唾

血責在下焦蓋陰火煎逼而爲之也腎主唾足少陰少血多氣故其症爲難治然咯血亦以爲病最重而且治者亦以其肺手太陰之經氣多血少又肺者金象爲清肅下降之臟金爲火所制廹而上行乃爲咯血逆之甚矣経曰上氣見血下聞病音謂喘而咯出且咳嗽也是以吐血下血衄血雖去血多然從肝胃大腸而来三経氣血俱多故身凉脉微無害嗽血咯血唾血是從心肺腎而來三經皆氣多血少氣多則火易升血少則火易熾

故漸見脉洪而數身熱咳嗽失血雖少多致不起

【溺血】有滲入膓間從下部而出名曰溺血屬小膓膀胱此因勞房過度陰虛火動營血妄行血色黑暗面色枯白尺脉沉遲者凡下元虛冷所謂陽虛陰必走也脃秽熱於膀胱則癃而尿血

【便血】有便血屬大膓清者屬營虛有熱濁者屬熱與濕亡反於下則便紅色鮮者屬火黑者火極火與泄物並下者屬於積或絡脉傷也

【膓風】膓胃本無血由氣虛薄弱故血滲而下出也滲透膓

間為腸風（獨胃與大腸也）是因邪氣外入也（外感）風邪淫于腸胃也隨感隨見色鮮而血清多在糞前自大腸氣分来也（蓋陽明之氣不能上越下陷大腸胃之脉隨氣虛陷陷久則濕熱蘊毒隨氣陷而先至也此濕毒下血其臟不痛謂之挾寒下血後人因古方多用剩防升散至窒之為風寔非風也）熱蒸腐化則為臟血是自内傷而得（濕邪淫于腸胃也）久而始發（腸風日久氣血虛下陷日甚大腸濕熱蘊積遂生窠穴為積血之器）血濁而色暗多在糞後自小腸血分来也（此熱毒下血其腹則痛謂之挾熱下血雖名曰毒寔非毒也）又有不拘糞前後来者氣血俱病也凡下血身凉為吉此皆七情

六淫飲食不節起居不辰或坐卧風濕或醉飽行房或生冷停寒或酒麪積熱陰絡受傷榮血失道經曰陰絡傷則血内溢而便溺又有一陰結一升二陰結二斤三陰結三斤此言陰氣内結不得外行滲入腸間乃寒濕生災而陰升之邪也蓋風寒暑濕熱之邪犯五臟則三陰脉絡不和而結聚血因停留溢則滲入大腸陰非陰寒之謂也

【血痢】若滲入腸間總下部而出爲血痢

【血瘕】若結於腸胃則成積而爲血瘕

【血箭】因傷風犯胃飧泄久而濕毒成癖注於大腸傳於少陰名曰腸癖曰血箭因於便血即出有力如箭射之力也

【血瞤】又有如篩竹名音詩四散滴下者有從委中穴出者名瞤音純目動也

血屬腎膀胱

【蠱痔】又肛門旁生小竅血射如線者蠱痔也腸風臟毒自腸臟而来五痔之血自肛門蝕孔出也夫肛門旣脫腐肉浸淫化為虫蠱食傷腸口滴血淋瀝矣

【虛實】禀薄形羸脉虛多病久病病後得於勞倦起於內傷或雖有內因之顯兆然本旣虛症亦必虛宜從虛治惟有形實脉實暴怒氣鬱絡熱飮冷為實症

吉凶 諸症失血皆見芤脉隨其上下以驗所出大凡失血脉貴沉細反見浮大後必難治一切血症身凉脉小者易治正氣復也身熱脉大難治以邪氣勝也腹脹便血脉大辰絶是逆也如此者不及一辰而死

除傷寒衄血家凡雜病見多責其熱血上行爲逆難治下行爲順易治故血上行或嘔或嗽或吐忽變爲下行爲惡痢者吉兆也。如九竅出血身熱不臥者卽死

潮熱脉大者死。若産後口鼻有異氣及鼻衄名胃絶

如衄不止而頭汗者死。凡下血身涼血寒而生身熱血溫者死

治法 凡血症先分陰陽陽虛補陽陰虛補陰又有真陰真陽陽根於陰陰根於陽其陽虛者從陰引陽其陰虛者從陽引陰復有假陰假陽血症尤所當知又須分三因風寒暑濕燥火也外因也過食生冷好啖炙煿醉飽無度外之內也喜怒憂思恐勞色慾內因也跌僕閃肭女六切視也傷重屬蓄者不內外因也又以人身陰陽爲主或陰虛而挾內外因或陽虛而挾內外因蓋陰陽虛者在

我之正氣虛也三因者在外之邪氣有餘也經曰邪之所湊其正必虛不治其虛安問其餘陰陽之症大抵上熱下寒者多始而以寒涼進之上焦非不爽快稍久則食減又以爲食滯不化加神曲山查再久而熱愈熾咳痰愈多煩燥愈甚又以藥力欠到寒涼倍進而瀉泄腹脹之症作矣乃以枳壳腹皮寬中快氣之品不驚何待是故咳嗽吐血未必成瘵也服四物知栢不已則瘵成矣胸滿彭脹未必成脹也服查麯不已則脹成矣面浮

跗腫未必成水也脹滲利之藥不已則水成矣氣滯膈塞未必成噎也服寬中之藥不已則噎成矣戒之哉

仲景傷寒症有云誤發少陰汗動其經血下竭上厥為難治蓋下竭者陰血竭於下也上厥者陰氣逆於上也夫氣與血兩相依附氣不得血則散而無統血不得氣則凝而不流故陰火動而陰氣不得不上奔陰氣上奔而陰血不得不從之而上溢陰血上溢則下竭矣血既上溢其隨血之氣散於胸中不能復返本位則上厥矣

陰氣上逆不過至頸而已何能越高巔清陽之位是以喉間窒塞心冲耳鳴胸膈不舒也然豈窒塞不舒而已哉陰氣久居於上勢必龍雷之火應之於下血不盡竭不止也氣不盡厥亦不止也所以仲景以爲難治者此耳然於外治而求至當之治法則以健脾中陽氣爲第一義蓋龍雷之火則雲陰四合然後遂其升騰之勢若天日清朗則退藏不動矣醫用凉藥清火者皆以水制火治之常法也施之於陰火未有不助其虐者也健脾

之陽一舉有三善一者脾中之陽氣旺如天清日朗而龍雷潛伏也一者脾中之陽氣旺而胸中窒塞之陰氣如太空不留纖翳也一者脾中之陽氣旺而飲食運化精微復能生其下竭之血也況地氣必先蒸土為濕然後上蒸為雲若土無蒸而不濕則地氣於中隔絕矣天氣不常清平且萬物以土為根元氣以土為宅可不重歟仲景云陽旺則生陰血蓋言人之真陽盛旺自能化生陰血矣今人不悟其理但見陰血不足便用參芪補之

初用一二服之間久得溫補畧見一效以為中病久泥於方不無反壯火邪益咳嗽氣促脫肉消削悲哉但血本不病因氣虛而血無倚故血亦消亾者只補其氣則自復卽所謂陽旺能生陰血○治血必求血藥之屬四物是也然特論治血病而求血藥之屬者也若氣虛血弱又當從血虛以人參補之陽旺則生陰血也若四物獨其血分受傷為氣不虛也其補之佐屬若桃仁紅花蘇木血竭丹皮者血滯所宜蒲黃阿膠地榆百草霜棕

桐灰者血崩所宜乳香没藥五靈脂凌霄花者血痛所宜乳酪血液之物血燥所宜乾姜肉桂者血寒所宜生地苦參者血熱所宜當從其類招之。血隨氣行氣行則行氣止則止氣温則滑氣寒則凝故凉血必先清氣知血出某經即用某經清氣之藥氣凉則血自歸隊若有瘀血凝滯又當先去瘀而後調氣則其血自立止或元氣本虛又因生冷勞役損胃失血者即宜温補斂而降之切忌清凉反致停血瘀胸膈。血病每以胃藥收功胃氣一復其血立止他如嘔吐後發熱及傷寒汗下後發熱但用調和胃氣自然熱退可見脾胃能統氣血之能也。氣有餘便是火血隨氣上補血則氣自降氣順則血不升。凡有寔熱者舌胎必燥而焦甚則黑脉來重按有力也然有釜下無火津液不行乾枯燥澁而焦黑者不平不和假熱者舌雖有白胎而必滑口雖渴而不能飲水飲水而不欲嚥面雖赤而色不嬌嫩身體燥而欲坐卧於泥水中脉來重按空虛此為辯也

治衄血

治血當明血出何經不可槩曰吐血衄血多是載血上錯經妄行越出上竅遇用寒涼夫火者無形之氣也非水可比安得凝聚蓋血隨氣行氣和則血循經氣逆則血亂氣有餘卽是火也寔由氣逆而血妄行兼於火化因此爲甚經曰怒則氣逆甚則嘔吐暴痺內逆肝肺相摶血溢鼻口是也又東垣曰血妄行上出鼻口者皆氣逆也況血得寒則凝得熱則行見黑則止逆此觀之治血若不兼於調氣而純以寒涼是施則血不歸經

且為寒所凝滯雖暫止而復来也且脾統諸血寒涼傷脾脾虚尤不能約束諸血其変症可勝言歟然調氣更莫如導火火歸而氣自順矣○吐血先哲皆以為熱其因於寒者理亦有之何則寒邪屬陰栄衛亦屬陰風傷衛寒傷栄各從其類人果身受寒邪口食寒物邪入血分鬱為熱無從發洩血乃沸騰在上則從口而出在下則從便而出若此者寔病機之所有安得為盡無也但其血色之黒與吐血因熱極而反水化相似茲則宜於

脉症間求之脉微遲而身清凉者寒洪數而身煩熱者熱也寒則温之熱則清之。血之來也雖火廹之然此火宜導以歸源則血亦歸經切忌凉藥則多激浮火逆上且傷胃氣脾愈不能統血矣更宜養肝使肝氣平而血有所歸切忌伐肝蓋經曰五臟者藏精氣而不瀉者也肝為將軍之官而主藏血吐血者肝失其職也若再伐之則無力收藏而血愈不止矣更宜行血不宜止血蓋吐血者氣逆上壅而血不得行經絡也行血則血循經不止自止若勉強止之則瘀血凝滯胸脇脹滿發熱惡食反成痼疾況生化於脾而脾又統血倘不以調理脾胃為主而槩用四物純陰傷胃徒增其病矣故醫貫曰服寒凉者百不一生服溲便者百不一死然而久則傷胃氣甚言寒凉之不可用也

治吐血

海藏云胸中聚集之殘火腹裏積久之太陰上下隔絶脉絡部分陰陽不通用苦熱以定其中使辛熱以其其外升以甘温降以辛潤化嚴肅為春温變凛烈為和

氣汗而愈也然餘毒未盡猶有存者周身陽和尚未泰然胸中微燥而思涼飲因食冷物涼劑陽氣復消餘陰再作脈退而小弦細而遲澀而為衄血吐血者有之心肺受邪也胃肝受邪也三焦出血色紫不鮮此重沓寒濕化毒凝冷水穀道路浸漬而成若見血症不詳本末便用涼折變斯生矣。肺不特衄血亦能咳血唾血胃不特嘔血肝亦嘔血蓋肺主氣肝主血肝血不藏肝氣自兩脇中逆而出之然總之是腎水隨相火炎上之血也腎主水水化液為痰為唾為血腎脉上入肺循喉嚨挾舌本其支從肺絡心注胸中故病則俱病也但衄血出於經衄行清道吐血出於胃吐行濁道喉與咽二管不同也蓋經者循經之血走而不守隨氣而行火氣急廹故隨氣直入獨清道上腦而出於鼻為衄其不出於鼻者則為咳嗽從肺竅而出於咽也胃者守營之血守而不走存於胃中者也若胃氣盡不能攝血或為火廹故令人嘔吐從喉而出於口也吐血而熱在絡衄血之

熱在經雜症衄血爲裏熱傷寒衄血爲表熱令人一見吐衄便以犀角地黄爲必用之藥以犀爲水獸可以爲水可以通天鼻衄之血從任督而至巔頂入鼻中此犀角能入腎水引地黄滋陰之品由腎脉而上故爲對症凡陰虛火動吐血與咳咯者可以借用成功若陽虛劳力及脾胃虛者俱不宜也。一方治服藥而血不止是肺上有竅也用白芨末猪肺煯熟蘸食日三四次竅爲芨填滿血即止也欲知何臟之血吐在水碗之內浮者肺血沉者肝血半浮半沉者心血各隨所見以羊肺肝心熇熟蘸芨末食之然須靜養絶欲方可施治凡咳血咯血最是惡候其初漸微漸至不治以其從心肺之病也膓有竅便血殺人然猶可治蓋雖陰類運之者其陽和乎小便性溫不寒飲之入胃隨脾之氣上歸於肺下通水道而入膀胱乃其舊路故能治肺病引火下行其味鹹而走血故能治血病但當從熱即飲則真氣尚存其行且速冷則惟有鹹寒之性而已若煉成秋石則真

元漸失不及童便速矣 攄 凡內傷暴吐不止或勞力
過度其血妄行出如湧泉口鼻皆流須臾不救急用人
參一兩或二兩為細末入飛羅麪一錢新汲水調如稀糊不拘
辰啜服或用獨參湯亦可古方純用補氣不入血藥何
也蓋陽統乎陰血隨乎氣有形之血不能速生無形幾
稀之氣所當急固令無形生出有形若真陰失守虛陽
泛上蒸為吐血又須八味地黃丸固其真陰以引火歸
源正不宜人參及火既引之而歸矣人參有所不禁陰

陽不可不辯而先後之分神而明之存乎其人況人參
雖謂補陽乃陽中之陰藥若白朮黄芪同用峻補後天
元陽之氣與附子鹿茸同用大補先天元氣之陽與當
歸地黄同用則補陽中之陰率領羣陰之藥上至陽中
之陰分所佐一異功用便殊矣吐血須煎乾姜甘草作
湯與服或四物理中湯亦可如此無不愈者若服生地
黄藕汁竹茹去生便遠仁齋云血遇熱則宣流故止血
多用凉藥然有氣虚挾寒陰陽不相爲守榮衛虚散血

亦錯行所謂陽虛陰必走耳外必有虛冷之狀法當溫中中溫則自歸經絡可用理中湯加南木香或乾姜甘草湯其效甚著又有飲食傷胃或胃虛不能傳化其氣逆上亦能吐衄木香理中湯甘草乾姜湯最宜出血諸症每以胃藥收功切不可投以苦寒之劑故曰寔火之血順氣爲先氣壯自能攝血矣。黄栢知母故所禁用治之將何如若與前所論理中溫中無異法何必分真陰真陽乎殊不知溫中者理中焦也非下焦也此係下

焦两肾中先天之真氣與心肺脾胃後天有形之體毫
不相干且甘草乾姜等藥俱入脾胃不到肾經惟仲景
八味腎氣丸斯為對症肾中一水一火地黄壮水之主
桂附益火之源水火既濟之道蓋陰虚火動者乃肾中
寒冷龍雷無可安之宄宅不得已而迮行於上故血隨
火而妄行今用桂附二味純陽之火加於六味純陰水
中使肾中温煖如冬月一陽復来於水土之中龍雷之
之火自然歸就於原宅不用寒凉而火自降不必止血

而血自安矣若陰中水乾而火炎者去桂附而純用六味以補水配火血亦自安亦不必去火總之保火爲主獨有傷暑吐衄者可用河間法暫抑陽光究竟暑能傷心心氣既虛暑氣既乘而入之心主血故吐衄心既虛而不能生血不宜過用寒凉以瀉心須以清暑益氣加丹皮生地兼暑傷氣其人必無氣以動以參麥助氣使氣攝血斯無弊矣○凡人叉有吐血症遇勞卽發此勞傷肺氣其血卽散宜補中益氣湯加麥冬五味山藥生

地茯神遠志則吐血頓止蓋脾統血肺主氣此劳傷脾肺故血妄行故宜用此以固健脾肺之氣而噓血歸源也飲酒過多而吐血從吐後出者以葛花解醒湯加丹皮倍黃連佐之上下分消酒病愈血亦愈矣

過啖炙煿辛熱上焦壅熱胸腹滿痛血出紫黑成塊者宜桃仁承氣湯從大便導之此釜底抽薪之法此皆內之外因不從本原而得故可寒凉尅削所謂應犯而犯似殊無犯也又曰血從下出者順上出者逆一應血溢

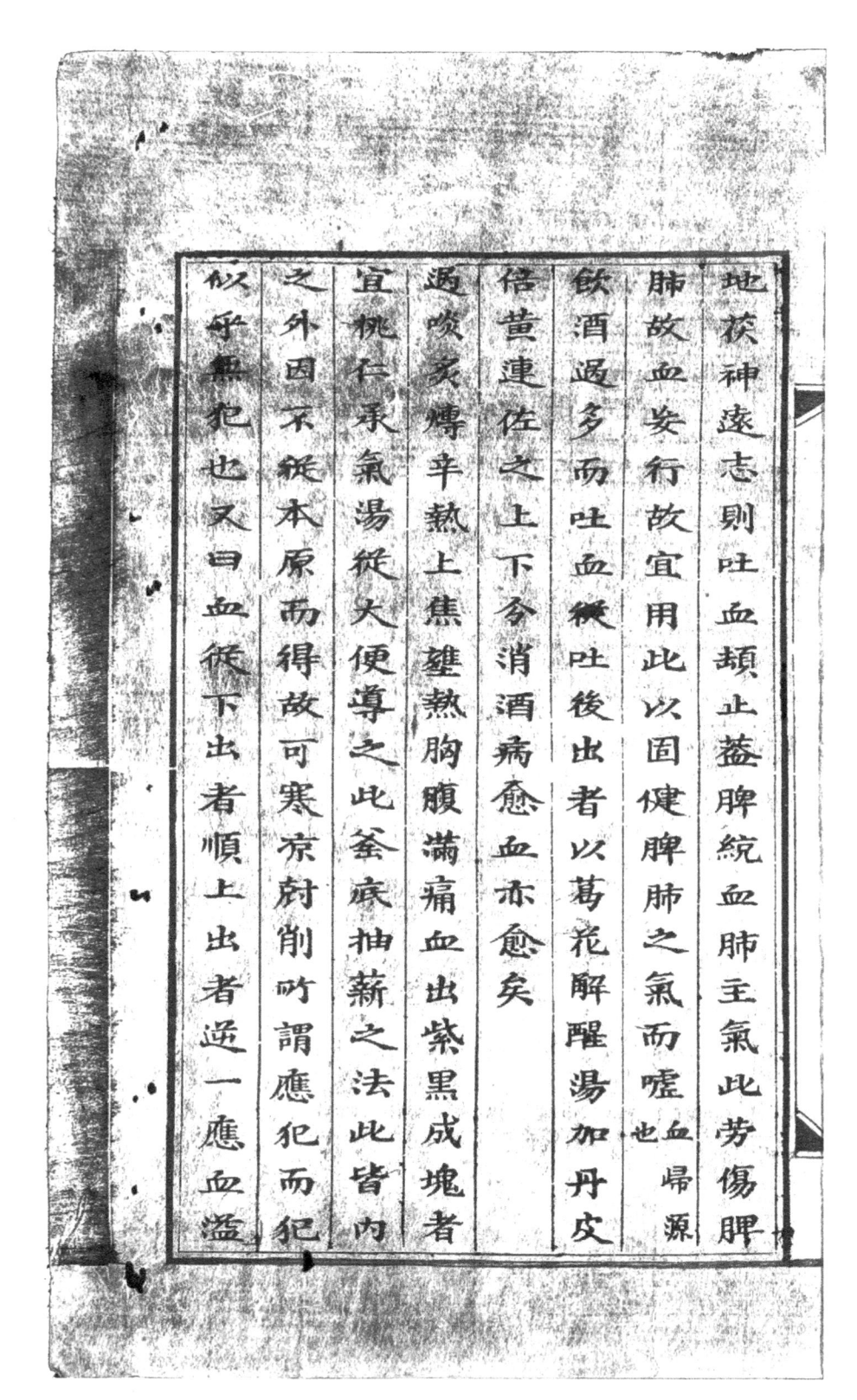

血泄諸畜妄行之症苟非脾虛泄瀉羸瘦不禁者皆當以大黄醋製和生地汁及桃仁丹皮丹参阿膠黑荆芥玄胡粉赤芍當歸之属推其鋭氣從大便導之使血下行以轉逆為順然後區别治之或問失血復下虛何以當殊不知血既妄行則迷失故道不去蓄利瘀轉逆為順則以妄為常何以禦之且如婦人之生血也經血足而胞胎則蓄者自蓄生者自生及至産育而惡露則去者自去生者自生何虛之有不知此而從事於芩連知

栢輔四物而行之未有不傷氣血而敗脾胃者血既下行之後多用薏苡仁及百合麥門冬鮮地骨皮嗽渴加枇杷葉五味子桑白皮有痰加貝母皆氣薄味淡西方兌金之本藥如可用濁補者以地黄麥冬金水二臟之藥相佐用之雖然書曰失血須用下劑破血蓋宜施於蓄妄之初也又曰亡血家不可蓋切戒於亡失之後也

劳力 又負重為物所壓或持致遠行忽心口痛口鼻出血

出血 俗名傷力吐血乃肺胃内膜傷掙破也若用凉藥愈

過愈出。卒致胃損咳嗽而死急以人參細末彩羅麵童便最佳或白芨末童便調服亦可但不可服涼藥耳

吐衄　吐衄口鼻出血皆是陽盛陰衰有升無降血隨氣上越出上竅法當補陰抑陽氣降則血自歸經矣又陽氣本虛復為寒涼傷之致以肅殺之氣色脉並見沉而不浮尺小於寸右弱於左色夭而面黯者用生脉散加肉桂一ノ附子ッ一甘草分五繼以理中八味相須間服喘嗽痰血皆為平復故三因方云理中湯能止傷胃吐血以其方

最理中脘分別陰陽安定氣血凡患人果身受寒氣口食冷物邪入血分血得冷而凝不歸經絡而妄行者其血必黑黯其色必白而夭其脉必微遲其身必清凉不用美桂而用凉血之劑殆矣

腎經吐血唾血

凡腎經吐血者便是下寒上熱陰盛於下逼陽於上之假症世人不識而為其所誤多矣宜以假寒治之所謂假對假也但此症有二有一等少陽傷之症寒氣自下腎經而感小腹痛或不痛或嘔或不嘔面赤口

渴不能飲水胸中煩燥此作少陰經外感傷寒看病須用仲景白通湯之法治之又有一等真陽失守命門火衰火不歸源胃寒而逼其浮游之火於上焦咳嗽氣喘惡熱面紅嘔吐痰涎出血此係假陽之症須用八味地黃丸引火歸源然前二方俱是大熱之藥但上焦燥熱症盛復以熱藥投之入口即吐矣須以水沉冷假寒騙之下咽之後冷氣既除熱性始發太陽一照龍雷之火自息因而嘔噦皆除倘有方無法何以通格拒之寒也

若誤爲熱寒而用寒凉頃刻有敗大抵六淫俱能病血其中偏寒之氣致病者居多何也蓋寒傷榮風傷衛自然之理又太陽寒水少陰腎水俱易以感寒一有所感皮毛先入肺主皮毛水冷金寒肺經先受血亦水也故經中之水與血得一寒氣皆凝滯而不行咳嗽帶痰而出問其人必惡寒切其脉必緊視其血中間必有或紫或黑數點此皆寒淫之驗也醫者不爲詳審便以爲陰虛火動而槩用滋陰降火病日深而死日廹矣趙氏常

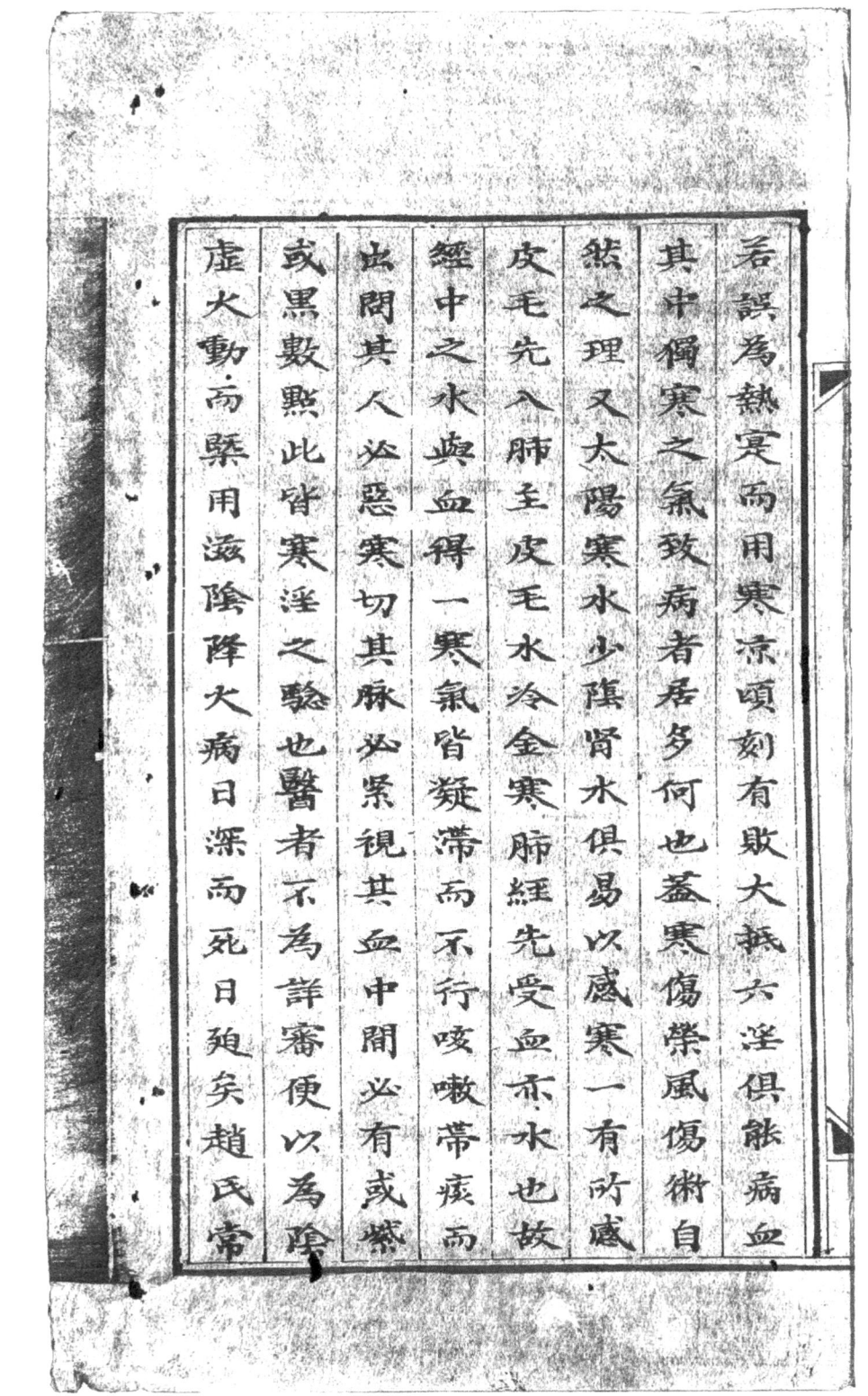

以麻黄桂枝湯一服得微汗而愈蓋汗與血一物也奪血者無汗奪汗者無血　其方人参 麥門 桂枝 當歸 麻黄 炙草 黄芪 五味 白芍 先煎麻黄次入餘藥同煎至一盞一服而愈

腸風兼風者宜蒼朮蓁艽白芍之類蓋治腸風要散

腸風　臟毒

風行濕治臟毒要清熱涼血又要看其虛實新久新者實者降之瀉之虛者久者升之補之夫血之在身有陰有陽陽者順氣而行循流脈中調和五臟灑陳六腑謂之營血陰者居脈絡尚守臟腑滋養神氣濡潤筋骨若感內外之邪而受傷或循經之陽血至於傷處為

邪氣所阻漏泄経外或居絡之陰因外著之邪潰裂而出則皆滲入腸胃而泄矣世俗率以腸風名之不知風乃六淫之一耳若腸胃受火熱之淫與寒燥濕怫鬱其氣及飲食勞力傷其陰絡之血者亦可謂之腸風乎針經曰陽絡傷則血外溢而吐衄陰絡傷則血內溢而便溺不可純用寒凉藥必加辛散爲佐久之不愈宜理胃氣兼升舉藥盖精氣生於血大便下血多以胃藥收功徒用苦寒而不扶脾胃是絶氣危生之下工也

腸胃本無血而有下血者大腸之病也大腸何以病下血邪有以感之也蓋陰絡不傷腸胃不虛雖有外邪亦不能患外邪者何風寒暑濕熱是也風喜傷肝肝傷則不能藏血而下者醉後飲冷寒飲內傷血爲寒凝滲入大腸而下者內外傷濕濕傷凝胃隨氣下流而致者更有內傷陽氣不足下焦之陰無元陽以維之而下血者書所謂病人面無色脈浮弱手按之絕者下血是也又脾虛陽氣下陷不能統血以致血隨氣降而下者蓋陰

必從陽血必從氣脾為氣血生化之源故必賴補中升陽以胃藥收功又以先便後血者為遠血由足陽明隨經入胃先血後便者為近血由手陽明太陰隨經下滲又以心肺為遠血而屬陽肝腎為近血而屬陰論者名曰腸風臟毒寔非外感之風腫熱非毒之謂

凡血從齒中出或齒根出者謂之齒衄又風壅有腎虛風壅者消風散外以祛風擦牙散腎虛者以腎主骨齒者骨之餘虛火上炎服涼藥而愈甚者此屬腎經下虛上

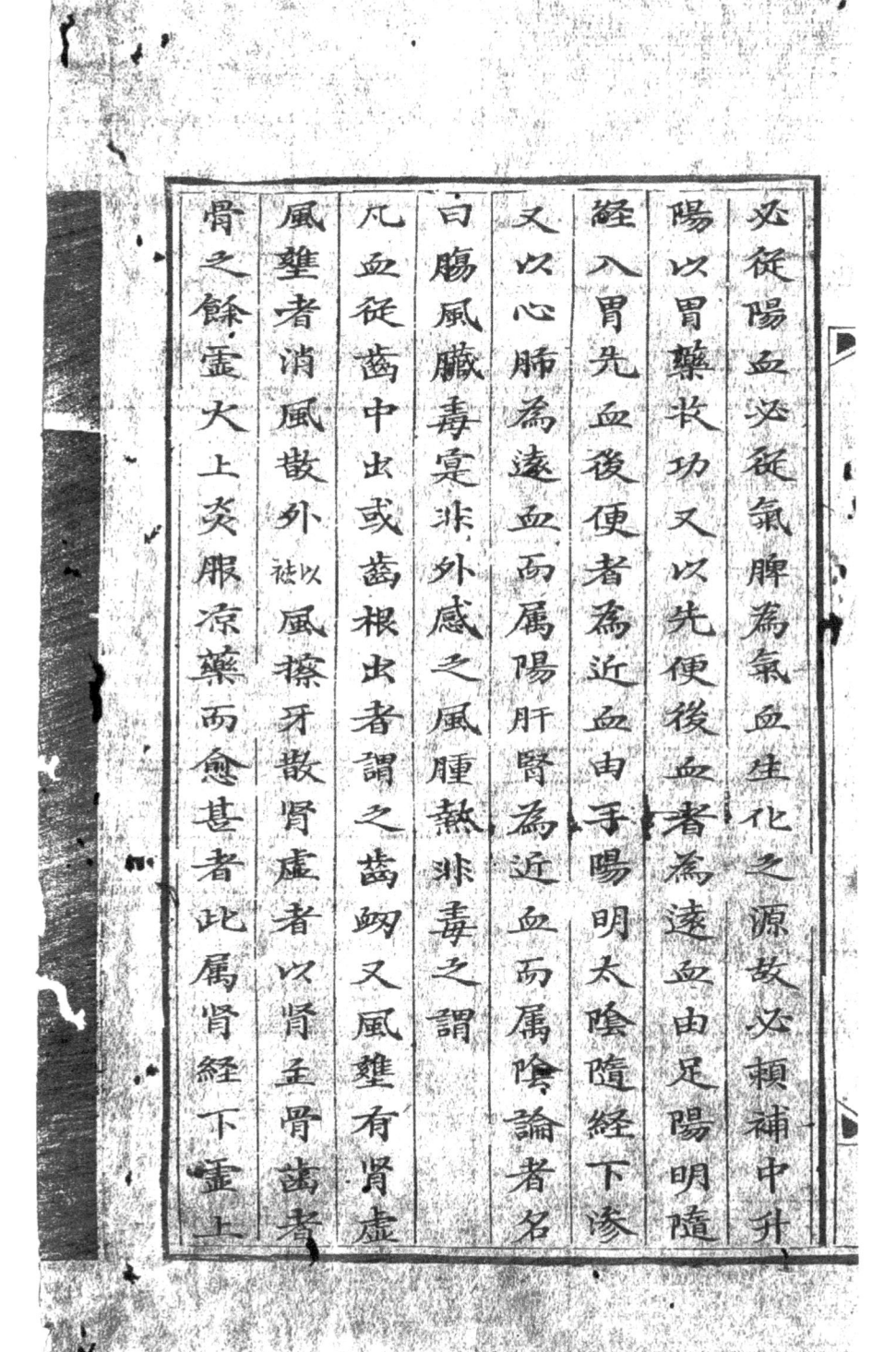

盛安鹽湯下安胃凡仍用青鹽炒香附黑色爲末擦之
然少陰氣多血少故其血必點滴而出齒亦隱隱而痛
多慾者犯之然亦有胃熱而牙齗出血者陽明氣血俱
多火旺則血如潮湧善飲者多犯此宜清其熱清胃散主之

諸失血

凡失血之後必大發熱名曰血虛發熱古方立當歸
補血湯用黃芪一兩當歸二錢名曰補血而以黃芪爲君者
陽旺能生陰血也如丹溪產後發熱用參芪歸芍以黑
姜佐之或問乾姜辛熱何以用之蓋姜味辛能引血藥

入血令氣藥入氣令而生新血況炒黑則止而不走若
不明此理則見其大熱六脉洪大而誤用發散之劑或
以其象白虎湯症而誤用白虎立見危殆慎之哉
凡治血症前後調理須按三經用藥以心生血脾統血肝
藏血而歸脾湯一方三經之主劑也遠志棗仁補肝以
生心火茯神龍眼補心以生脾土參芪术草補脾以生
肺氣木香者香先入脾總欲使血歸於脾故以歸脾名
有鬱怒傷脾思慮傷脾者尤宜火旺者加山梔丹皮火

衰者加肉桂又有八味丸以培先天之根治無餘法矣

血分三部 血分三部藥有輕重犀角地黃湯治上血如吐衄之類桃仁承氣湯治中血如血蓄下焦下痢膿血之類抵當湯丸治下血如蓄血如狂之類此治有餘血症之大槩也

用藥 治寒宜降火清熱諸品隨候採用大黃蓮芩栢知梔子玄參丹翹童便

補虛宜保陰養血諸品隨候採用熟地生地當歸秋石藕汁犀角茜根白芍人參黃芪沙參丹參川芎天門麥門阿膠龜膠人乳粉地骨皮甘草、

止血者用芥穗京墨百草霜側百葉棕櫚灰血餘灰荷葉灰茅根灰茅花五靈脂、

（此頁據中國國家圖書館藏本配補）

破痳者用紅花蘇木花蕋石莪术鬱金韮根 咳血者用白芨藕節紫蘇麥冬五味烏梅貝母薏苡百合

腸風者用秦艽地楡蝟皮樗根貫衆 痔漏者用槐花槐角地楡

仍蹇縣知縣尊室澗捐錢叁拾貫

桂楊縣并攝武江縣知縣鄭立禮捐錢弍拾貫

金英縣知縣魏香 捐錢弍拾貫

藩司澗品阮伯玩捐錢拾貫

北寧省藩司經歷阮輝逢捐錢拾貫

百病機要丁卷終 覧山太保院弟子奉書

（此頁據中國國家圖書館藏本配補）